JEAN-JACQUES ROUSSEAU

UNIVERS MYTHIQUE ET COHÉRENCE

MARC EIGELDINGER

JEAN-JACQUES
ROUSSEAU

UNIVERS MYTHIQUE ET COHÉRENCE

LANGAGES

A LA BACONNIÈRE, NEUCHATEL

Pour Lylette,
et les songes de la licorne.

« Je ne sus jamais écrire que par passion. »

Les Confessions

« Chacun est porté naturellement à croire ce qu'il désire. »

Rousseau juge de Jean-Jacques

INTRODUCTION

Le mythe littéraire

On a depuis longtemps coutume d'incriminer l'écriture comme l'agent principal de la dégradation du mythe, de considérer celui-ci comme une parole authentique qui dégénère en s'incarnant dans le langage; autrement dit de faire le procès du mythe littéraire sous prétexte qu'il fige et pétrifie une matière vivante et dynamique. A vrai dire, l'écriture ne tue pas le mythe, elle a le tort d'en fixer la mobilité et d'en imposer une interprétation parmi d'autres, mais elle le véhicule, lui garantit la survivance, en l'insérant dans une forme et en le ramenant à une cohérence sémantique. Il vient un temps dans la plupart des civilisations où la tradition orale ne suffit plus pour préserver la transmission du mythe, où cette tâche ne peut être assumée que par le recours au verbe, qui devient le support de la parole. Entré dans l'univers de la culture, le mythe se transforme en matière littéraire et se perpétue à travers les signes du langage; il devient même la puissance énergétique en laquelle toute civilisation découvre le principe de sa vigueur et de sa synthèse, comme le remarque Nietzsche: « Sans le mythe, toute culture est dépossédée de sa force naturelle, saine et créatrice; seul un horizon constellé de mythes parachève l'unité d'une époque entière de culture » [1]. L'écriture opère une réduction du sens du mythe, mais elle le ressuscite, lui confère une vie et une signification nouvelles par lesquelles il se prolonge dans l'esprit humain. Ainsi le mythe n'est pas tué par la littérature, mais par le

---

[1] *L'Origine de la tragédie*, trad. par J. Marnold et J. Morland, Mercure de France, 1931, p. 208.

travail de désacralisation, entrepris par la raison et accompli par l'historicisme. Il survit, tant qu'il est associé au sentiment du sacré, à la présence du religieux et du poétique, il meurt, lorsqu'il en est coupé par l'activité logicienne de l'esprit et l'insertion dans le devenir historique. C'est le discours rationnel qui tue le mythe, en le réduisant à la forme du concept ou de l'allégorie; c'est la perte du sens du sacré qui le vide de son contenu spirituel et affectif, qui le démythifie en substituant aux révélations de l'intuition concrète les catégories abstraites de l'intelligence. Le mythe se développe et s'organise autour des structures du langage. « La pensée mythique, écrit Claude Lévi-Strauss, édifie des ensembles structurés au moyen d'un ensemble structuré, qui est le langage »[2]. C'est pourquoi le mythe, par une évolution fatale, tend à s'identifier avec la littérature, il l'engendre et la nourrit de sa substance; il est en lui-même « une forme littéraire potentielle » et devient « un principe structural informant de la littérature », un élément de l'organisation sémantique du récit et du discours[3]. Le mythe littéraire assure la pérennité du mythe par l'incarnation dans le langage de manière qu'ils conservent tous deux une valeur archétypale et qu'ils sont unis, au-delà de leurs différences, par d'incontestables analogies. Il témoigne de la vertu créatrice du verbe, attaché à manifester la présence du sacré.

La pensée grecque de l'antiquité distinguait clairement les deux modes du langage: le *mythos* et le *logos*. Le mythe correspondait à un récit fabuleux, à une légende épique ou à une fable poétique, c'est-à-dire à un langage qui emprunte la forme de la narration, en faisant appel aux ressources de l'intuition et de l'imagination. Le *logos* recouvrait au contraire le discours de la raison dialectique, le développement articulé selon les lois de la logique, le langage discursif, qui tend à établir une démonstration et à susciter la persuasion. Le mythe se sépare du *logos*, parce qu'il se situe en marge de la connaissance rationnelle, qu'il recourt à des notions non réductibles à l'univers de la logique, telles que le sacré, le surnaturel, le

---

[2] *La Pensée sauvage*, p. 32.
[3] Formules empruntées à Northrop Frye, *Littérature et mythe*, dans *Poétique* 8, p. 500.

religieux ou le magique. Il coïncide avec l'objet d'une croyance et exprime une réalité qui appartient à l'ordre de l'irrationnel ou de l'inconscient.

> Le mythe s'oppose au *logos*, comme la fantaisie à la raison, la parole qui raconte à celle qui démontre. *Logos* et *mythos* sont les deux moitiés du langage, deux fonctions également fondamentales de la vie de l'esprit. Le *logos*, étant un raisonnement, entend convaincre; il entraîne, chez l'auditeur, la nécessité de porter un jugement. [...] Mais le mythe n'a d'autre fin que lui-même. On le croit ou non, selon son bon plaisir, par un acte de foi [....]. Le mythe se trouve ainsi attirer autour de lui toute la part de l'irrationnel dans la pensée humaine [4].

Au-delà de cette dichotomie, la mythologie littéraire peut se concevoir comme une réconciliation du *mythos* et du *logos* — considéré en tant que verbe, et non instrument de la raison —, comme une insertion du discours dans la narration. Le mythe littéraire repose sur la complémentarité de la forme et du contenu, du récit et du sens, il est une synthèse établie sur l'écriture. Il modifie le mythe issu de la tradition orale, en le détachant de son contexte originel, religieux et collectif, mais il lui confère le prestige de la continuité; il le fixe, mais l'enrichit en contrepartie, en lui offrant la potentialité d'un constant renouvellement: d'une part il le fige par l'écriture, de l'autre il le ressuscite dans le temps, en lui découvrant de nouvelles formes et de nouvelles significations. Par-delà le mode archétypal de relations qu'elle signifie, la substance mythique se caractérise par sa mobilité, son aptitude à la transformation. Il ne saurait en être autrement, puisqu'elle sert à traduire les phénomènes de la vie affective et psychique, soumise au devenir et à la métamorphose.

Ces prémices permettent de s'inscrire en faux contre la définition que Paul Valéry propose du mythe: « *Mythe* est le nom de tout ce qui n'existe et ne subsiste qu'ayant la parole pour cause » [5]. Valéry l'identifie avec une fiction mensongère, avec ce qui n'existe pas et ne peut exister, il le réduit au domaine du vague et de l'*indéfini*, à une sorte d'inconnu sur lequel l'esprit n'a pas de prise. Au contraire, le

---

[4] Pierre Grimal, *La Mythologie grecque*, pp. 6-7.
[5] *Variété* II, « Petite Lettre sur les mythes », p. 249.

mythe narre une histoire exemplaire, transpose une réalité vécue et une expérience ontologique; il ne saurait s'assimiler à une pure fiction ou à une légende, puisqu'il est enraciné dans le réel pour exprimer le rapport que l'homme entretient avec le cosmos et la société, qu'il s'installe au centre de l'être afin de révéler la signification de son aventure et de son comportement.

Le mythe n'est pas une fiction, déclare C. G. Jung, car il est composé de données qui se répètent constamment et que l'on peut observer toujours à nouveau. Le mythe survient à l'homme et se produit en lui, et les hommes, à l'égal des héros grecs, ont des destins mythiques [6].

La mythologie fournit à l'imagination les éléments narratifs, qui servent à traduire une vérité sur le sens de la destinée humaine. C'est ici que le mythe se sépare du mythe littéraire: le premier recouvre une réalité absolue, tandis que le second exprime la réalité du possible, issu du désir et confiée à l'écriture. La mythologie littéraire favorise la projection de l'imaginaire dans le réel par la médiation du langage. L'imaginaire, entendu comme une expérience existentielle, s'identifie avec le *possible* et le *virtuel*, il n'invente pas un objet absent, mais un objet présent à l'intériorité, de sorte qu'il correspond à la promotion d'une réalité affective et spirituelle. Il débouche sur la recréation du mythe, qui réconcilie l'imaginaire et le réel. La spécificité de l'écriture mythique est de conférer à l'imaginaire la plausibilité, la possibilité de s'incarner dans l'épaisseur de la vie — ce qui peut être schématisé dialectiquement de la manière suivante:

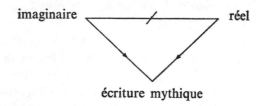

imaginaire ——————/—————— réel

écriture mythique

En dépit de leur différence de niveau — l'un se situe dans la réalité fondamentale, l'autre dans l'espace et le temps de la potentialité —

[6] *Réponse à Job*, trad. par R. Cahen, Buchet/Chastel, 1964, p. 112.

le mythe et le mythe littéraire sont unis par des rapports analogiques qu'il importe de préciser:

1. Le mythe se définit d'abord par son exemplarité, par ce que Mircea Eliade appelle sa « fonction paradigmatique ». Il se réfère à un archétype, représentant le mode d'existence d'un groupe social et un ordre de relations qui déterminent la vie et le comportement de cette communauté. Il est le récit du primordial, du fondamental, qui sert de modèle à l'activité religieuse et morale d'une société ; il revêt la dimension du collectif dans la mesure où il devient le principe de cohérence autour duquel s'organise la civilisation et où il correspond à une expérience vécue dans un contexte social.

Le mythe est donc un élément essentiel de la civilisation humaine ; loin d'être une vaine affabulation, il est au contraire une réalité vivante, à laquelle on ne cesse de recourir ; non point une théorie abstraite ou un déploiement d'images, mais une véritable codification de la religion primitive et de la sagesse pratique [7].

Toutefois le mythe ne se ramène pas à un contenu purement sociologique, il renvoie à un contenu psychique et spirituel, car il participe du sacré, exprime ses manifestations dans l'âme et dans l'espace. Il lui est consubstantiel, il a pour tâche de *révéler* « la sacralité absolue », de *décrire* « les diverses et parfois dramatiques irruptions du sacré dans le monde » [8]. Il constitue un archétype qui fonde la promotion de l'être, les modalités de sa conduite et de son action, autrement dit il est porteur d'un sens ontologique, complémentaire de son sens collectif.

Le mythe se définit par son mode d'être : il ne se laisse saisir en tant que mythe que dans la mesure où il *révèle* que quelque chose s'est *pleinement manifesté*, et cette manifestation est à la fois *créatrice* et *exemplaire*, puisqu'elle fonde aussi bien une structure du réel qu'un comportement humain [9].

Une telle optique est corroborée par la psychologie de C. G. Jung. La substance mythique procède des archétypes, ces images originelles,

---

[7] Bronislav Malinowski, cité par M. Eliade, *Aspects du mythe*, p. 32.
[8] Mircea Eliade, *Le Sacré et le profane*, p. 84.
[9] Mircea Eliade, *Mythes, rêves et mystères*, p. 9.

primordiales qui sont issues de l'inconscient collectif. Elle coïncide
avec une représentation qui apparaît simultanément comme une
survivance de la vie psychique antérieure et comme une composante
de l'énergétique de l'inconscient. Les thèmes mythiques et les structures archétypales de l'inconscient sont dans une relation d'analogie,
non seulement par leur origine, mais parce qu'ils expriment le fonds
ancestral de l'humanité et qu'ils sont le support de la vérité antérieure.
« Les images mythiques appartiennent à la structure de l'inconscient
et sont un bien impersonnel dont les hommes en majorité sont bien
plus possédés qu'ils ne le possèdent »[10]. Le mythe projette le destin
de l'être au niveau du collectif, de la totalité humaine et cosmique, par
le moyen des archétypes qui relient le personnel à l'impersonnel.
La mythologie constitue un héritage dont les éléments, surgis de
l'inconscient collectif, symbolisent les drames vécus à l'intérieur de
la psyché. Dans une perspective sociologique, Roger Caillois observe
que le mythe est le foyer où l'individuel et le collectif se rejoignent,
où le langage de l'affectivité est confronté avec le langage social.

C'est en effet dans le mythe que l'on saisit le mieux, à vif, la collusion
des postulations les plus secrètes, les plus virulentes du psychisme individuel
et des pressions les plus impératives et les plus troublantes de l'existence
sociale[11].

C'est précisément à ce carrefour du langage individuel et du langage
collectif que le mythe littéraire renoue avec la tradition mythique et
ses structures archétypales. Il participe de l'individuel et du collectif
comme de composantes qui tantôt sont complémentaires, tantôt
s'excluent. Quoi qu'il en soit, il conserve les prérogatives de l'exemplarité, en proposant un modèle éthique et surtout en énonçant une
vérité ontologique. Le mythe littéraire est une écriture capable
d'insérer le destin de l'homme dans la dimension de l'universel.

2. Le deuxième caractère du mythe est qu'il opère un retour à
l'originel, qu'il est relié à l'univers des genèses et qu'il se déploie
souvent dans la nostalgie de cette perfection qui se situe dans l'espace

[10] C. G. Jung dans *Introduction à l'essence de la mythologie*, p. 193.
[11] *Le Mythe et l'homme*, p. 11.

et le temps sacrés des commencements. Le mythe rappelle et réactualise ce qui s'est passé au moment auroral de la création; il est réminiscence et connaissance des principes. « Connaître les mythes, c'est apprendre le secret de l'origine des choses » [12]. La fonction spécifique du mythe est de proposer le récit de l'histoire de l'homme et du monde dans la perspective de l'originel, qui devient le non-temps, englobant les dimensions de la temporalité, comme le remarque Novalis: « La mythologie comprend l'histoire archétypique du monde originel; passé, présent et futur y sont embrassés » [13]. Le mythe est insurrection contre le temps historique, volonté de le dépasser dans un présent atemporel. Il vise à évacuer l'histoire, à substituer à l'action irréversible du temps une durée circulaire qui, par l'acte de la répétition, débouche sur l'éternité. Il n'est pourtant pas uniquement génétique, mais aussi eschatologique, orienté vers la conquête d'une perfection qui appartient au futur. Il est établi sur une tension interne entre la *nostalgie* du passé archétypal et l'*énergie*, orientée vers l'espérance de l'achèvement en dehors de la tyrannie de l'historicité [14]. Le mythe réconcilie les deux pôles de l'Alpha et de l'Oméga, dans la mesure où il est en quête de l'identité, où il exprime « le sens d'une visée vers l'intégrité perdue, et comme d'une intention restitutive » [15] et où il projette la perfection de l'originel dans les virtualités du futur. La diversité de ses fonctions complémentaires peut se représenter ainsi:

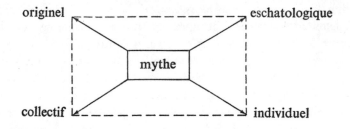

---

[12] Mircea Eliade, *Aspects du mythe*, p. 25.
[13] *Œuvres complètes*, trad. par A. Guerne, Gallimard, 1975, t. I, p. 375.
[14] Ces deux notions sont reprises de Jean Fabre, dans *Lumières et romantisme*, qui les applique entre autres à Rousseau.
[15] Georges Gusdorf, *Mythe et métaphysique*, p. 12.

3. La connaissance mythique n'est pas de l'ordre de la raison abstraite ou de l'expérience scientifique, elle est de l'âme, du domaine du vécu le plus intime et de l'inconscient, elle parle non le langage de la logique, mais celui de la psyché et de ses structures. Le mythe constitue une substance engendrée par le désir, en relation avec les énergies de la mémoire et de l'imagination, avec les strates les plus profondes de l'inconscient, il est, selon la formule de Roger Caillois, « une puissance d'investissement de la sensibilité » [16]. Les mythes ne sont pas réductibles à des idées ou à des concepts, ils traduisent la manifestation des contenus affectifs et spirituels, insurgés contre l'empire de la logique. Réceptacles de la vérité intérieure, ils expriment la relation entre l'inconscient et le conscient, la confrontation de la ténèbre et de la clarté. Pour Jung, le mythe fonde « la complémentarité des contraires », il est un pont jeté entre le niveau collectif de l'inconscient et le niveau individuel de la conscience, un trait d'union entre la masse immense du mystère et le besoin irréductible de l'unité. « Le mythe est le degré intermédiaire inévitable et indispensable entre l'inconscient et la connaissance consciente » [17]. Dans le prolongement de ce processus, le mythe littéraire est un langage alogique, dicté par les instances du désir et par la charge de l'affectivité que l'écriture convertit en discours.

4. Le mythe traduit l'affrontement de l'homme avec le divin et avec le cosmos, il révèle la signification de l'univers et de la condition humaine, leurs similitudes et leurs conflits, la portée des gestes et des actes, leurs prolongements éthiques et leurs répercussions sociales. Il raconte à l'homme sa propre histoire, il l'entretient de son état et lui découvre le sens de sa vie. Non seulement il propose une vision explicative de la relation existentielle qui unit l'homme à l'univers, il est un mode de déchiffrement du langage de la nature. Le monde profère un langage qui peut être saisi et interprété à la lumière du mythe, perçu comme une clef universelle. La mythologie représente un effort pour humaniser les aspects hostiles et occultes de la création,

---

[16] *Le Mythe et l'homme*, p. 28.
[17] *Ma Vie*, trad. par R. Cahen et Y. Le Lay, Gallimard, 1966, pp. 384 et 355.

pour établir un équilibre dynamique entre le microcosme et le macrocosme. Elle exprime à l'aide d'images exemplaires la réalité ontologique de l'homme aux prises avec les puissances du sacré, sous la forme de l'analogie. Le mythe est pour le poète et l'écrivain un mode conjectural de la pensée par lequel ils s'interrogent sur le mystère de la condition de l'homme, une réponse à leur éternel questionnement sur la place qui est la sienne dans la totalité du cosmos. « Le poète est celui qui, spontanément et pour obéir à une nécessité vitale, répond par des mythes ou par un mythe aux questions que lui pose sa condition de créature humaine affrontée à l'univers » [18]. Le mythe littéraire signifie aussi la destinée de l'homme, parce qu'il plonge ses racines dans ce que Gilbert Durand appelle le « sémantisme primordial de l'âme humaine » [19].

5. Le mythe est surtout un *langage*, une *forme*, un *mode de signification* et un *méta-langage*, selon la perspective sémiologique, adoptée par Roland Barthes [20], un langage qu'il s'agit de décrypter par le travail de l'interprétation. Parole à l'origine, il s'incarne dans une forme et s'inscrit dans les contours d'une écriture. Le mythe est langage au double sens du terme, parce qu'il invente un langage et qu'il a besoin du support de l'écriture pour survivre dans le monde de la culture. Il se recrée par l'intermédiaire du langage et se perpétue grâce à lui. Il en résulte qu'il est défini par son ouverture et sa plurivocité, par son pouvoir de renouvellement et la liberté d'interprétation qu'il implique. On ne saurait le réduire à un sens unique et exclusif, parce qu'il suppose la polysémie et qu'il s'établit à divers niveaux d'interprétation qui évoluent en fonction du devenir de l'homme et du monde. Si le fond primitif du mythe obéit à une permanence, sa signification se transforme au gré des époques, du contexte social où il resurgit et du tempérament créateur de l'écrivain. Le mythe est dynamique, il subit des mutations internes et des résurrections constantes par lesquelles il est fécondé, rajeuni, actualisé. Il a la propriété de suggérer de nouveaux signifiés et de nouvelles interprétations,

---

[18] Albert Béguin, *Création et destinée*, Le Seuil et La Baconnière, 1973, p. 125.
[19] *Le Décor mythique de « La Chartreuse de Parme »*, Corti, 1971, p. 11.
[20] Cf. *Mythologies*, « Le Mythe aujourd'hui ».

inventés par la puissance de l'imagination. Ce phénomène du renouveau du contenu mythique, Pierre Albouy l'appelle *palingénésie*, à
partir de la terminologie de Ballanche :

> Point de mythe littéraire sans palingénésie qui le ressuscite dans une
> époque dont il se révèle apte à exprimer au mieux les problèmes propres.
> Ces significations nouvelles ne laissent pas de présenter une unité parti-
> culière à chaque mythe, comme si elles constituaient autant de variantes
> d'une signification fondamentale; elles s'enracinent, en effet, dans la
> valeur exemplaire du mythe » [21].

Le mythe, qui n'est pas l'objet d'une recréation, se rationalise et se
fixe sous la forme du concept, il tend à se pétrifier et à se scléroser
dans la rigidité de l'allégorie. Il n'est maintenu en vie et dans sa permanence que par la métamorphose, que par son aptitude à se dépasser
lui-même — ce qui fait dire métaphoriquement à André Malraux
qu'« un mythe n'est pas l'imitation d'une chrysalide, il en est le
papillon » [22].

Le mythe littéraire, de même que le mythe issu du sacré religieux
et de l'inconscient, se doit de conserver sa valeur d'exemplarité. Mais
il court le risque de s'intellectualiser, de s'éloigner de la sphère du
sacré en entrant dans le champ de la culture, de s'écarter de ses
origines pour se mettre au service de la connaissance; il est soumis
au double péril de la dénaturation et de la conceptualisation. Il se
soustrait à ce danger par l'acte de la métamorphose, de la recréation
poétique, qui s'efforce de retrouver « son sens profond dans sa *structure archétypale* » et dans sa valeur paradigmatique. Le mythe,
annexé par la littérature, se sauve et se perpétue en devenant un
langage métaphorique qui, à travers l'histoire des dieux et des héros,
traduit une expérience de l'imaginaire, correspondant à une réalité
vécue. La littérature, en recourant au mythe, se détourne des pièges
du naturalisme et « exprime moins le monde dans lequel vit l'homme
que celui qu'il est en train de construire » en fonction des structures de
l'imaginaire [23]. En tant qu'écriture, elle est inspirée par « un senti-

---

[21] *Mythes et mythologies dans la littérature française*, p. 10.
[22] *Le Miroir des limbes*, p. 707.
[23] Northrop Frye, *Littérature et mythe*, dans *Poétique* 8, pp. 497, 498 et 502.
Cf. aussi *Pouvoirs de l'imagination*.

ment d'identité perdue » qu'il importe de reconquérir, c'est-à-dire qu'elle se propose une fin parallèle à celle de la mythologie: recréer le temps et l'espace du sacré, les prolonger dans un éternel présent par la vertu compensatrice de l'imagination. Le mythe devient cette valeur archétypale et dynamique qui inscrit son signifié dans la trame du récit, dans l'argumentation du discours ou dans l'amalgame du discours-récit. Il est un langage psychique et existentiel, déterminé par la richesse de son « épaisseur sémantique » et de son contenu thématique [24]. Le mythe littéraire, réconcilié avec le *logos*, transfigure le vécu et l'imaginaire par l'écriture; il célèbre la plénitude de la vie individuelle ou collective avec l'émergence des forces élémentaires et cosmiques. Il propose un déchiffrement de la condition humaine, une élucidation au niveau de l'universel de la relation que l'homme entretient avec le monde et avec autrui. « La mythologie est un dictionnaire d'hiéroglyphes vivants, hiéroglyphes connus de tout le monde », rappelle Baudelaire [25]. Le mythe littéraire, à travers sa cohérence et sa puissance ordonnatrice, figure le destin de l'homme dans son essence et dans son devenir; il est le possible explicité par l'écriture, l'imaginaire incarné dans l'espace du discours comme une représentation archétypale et polyvalente, douée de la capacité d'épouser les formes du concret. Sa fonction implique deux mouvements complémentaires: d'une part il construit une vision sublimée de la réalité dont il compense les insuffisances et la précarité, de l'autre il se définit comme une approche du réel et se distingue par là de l'utopie. Le mythe, intégré dans le recit ou dans le discours, communique à l'imaginaire sa crédibilité, sa potentialité qui lui sont garanties par la permanence de la lecture et la résurrection du sens.

LA CONJECTURE

La critique s'applique périodiquement à rationaliser la pensée de Rousseau, à la réduire à un système logique et à la priver de la dimen-

---

[24] Cf. Gilbert Durand, *Les Structures anthropologiques de l'imaginaire*. Je pense avec lui que dans l'étude du mythe il convient de privilégier le contenu par rapport à la forme, de préférer à la démarche sémiologique la démarche sémantique en quête de la pluralité du sens.

[25] *Réflexions sur quelques-uns de mes contemporains*, « Théodore de Banville ».

sion mythique. Contrairement à la plupart des écrivains de son siècle, Jean-Jacques ne recourt pas essentiellement aux ressources de la connaissance discursive et empirique — si ce n'est dans *Du Contrat social*, la *Profession de foi du Vicaire savoyard* et les écrits d'argumentation polémique. Il ne situe pas volontiers sa pensée dans la perspective de l'histoire, qui lui offre l'image de la contingence et de la dégradation progressive de l'humanité. Sa méthode n'est fondamentalement ni historique, ni rationnelle, elle demeure irréductible à l'historicisme voltairien et au cartésianisme. Rousseau aime à « se placer au point zéro de l'histoire » [26] ou sur son seuil, au moment où elle n'est pas encore engagée sur la pente de l'irréversibilité. Non seulement il se tient à distance de l'histoire, mais il n'attribue aux faits et aux circonstances qu'une importance secondaire; les axiomes et les relations lui importent plus que les événements, toujours marqués du sceau de la relativité. Le souci de la vérification expérimentale — sans qu'il la néglige — ne requiert pas son attention au même titre que l'établissement des principes et des fondements idéologiques. Sa méthode, plutôt analogique et étiologique, tend à remonter des effets à la considération des causes et à saisir les rapports, puis elle fait référence au modèle originel, qui survit dans les profondeurs de l'âme.

Rousseau perçoit fortement l'écart qui sépare le sentiment de la raison et le cœur de l'entendement. La raison, alliée à la sociabilité, ne possède pas l'infaillibilité et l'universalité que lui confère le système cartésien; elle comporte des limites, elle est sujette aux erreurs et aux défaillances, elle ne saurait fournir des critères d'évidence que si elle est *perfectionnée* par le sentiment et subordonnée aux lumières de la conscience. Elle remplit une fonction régulatrice, dispensatrice de l'ordre et de la cohérence, elle est « la faculté d'ordonner toutes les facultés de notre âme convenablement à la nature des choses et à leurs rapports avec nous », mais elle ne fonctionne efficacement que si elle est affermie par l'assentiment intérieur. La complémentarité du cœur et de la raison ne peut être instaurée que par la prédominance du

---

[26] Hugo Friedrich, *Structures de la poésie moderne*, trad. par M.-F. Demet, Denoël/Gonthier, 1976, p. 22.

premier. « La raison rampe, mais l'âme est élevée; si nous sommes petits par nos lumières, nous sommes grands par nos sentiments. » Tout en affirmant que la noblesse de l'homme est dans « le sentiment intérieur », Rousseau prend soin de distinguer la raison du raisonnement, responsable des abus dont il convient de se préserver. L'argumentation logique est périlleuse, susceptible d'engendrer des sophismes, d'égarer la justesse du jugement, parce qu'elle méconnaît les axiomes et les évidences sur lesquels repose la connaissance du cœur.

Le raisonnement est l'art de comparer les vérités connues pour en composer d'autres vérités qu'on ignorait et que cet art fait découvrir. Mais il ne nous apprend point à connaître ces vérités primitives qui servent d'élément aux autres, et quand à leur place nous mettons nos opinions, nos passions, nos préjugés, loin de nous éclairer, il nous aveugle, il n'élève point l'âme, il l'énerve et corrompt le jugement qu'il devrait perfectionner [27].

L'argumentation discursive est un instrument dialectique qui comporte des frontières, doit être assuré par la vérité du sentiment et complété par le concours d'une autre méthode. Au cheminement de la logique et de l'empirisme historique, Rousseau superpose les moyens de la connaissance intuitive, la méthode de la réflexion hypothétique et le langage suggestif de la conjecture. Dans le *Discours sur l'origine de l'inégalité*, il a « commencé quelques raisonnements » et « hasardé quelques conjectures », en se distançant de l'information fournie par « tous les livres scientifiques », en refusant de recourir aux « connaissances surnaturelles » et aux « témoignages incertains de l'Histoire ». Il s'agit pour lui de déchiffrer le livre de la nature, d'interroger la condition humaine et de considérer les origines du langage par la méthode de l'hypothèse, promue indépendamment des données de la religion, de la science et de l'histoire. Aussi adopte-t-il le parti d'« écarter tous les faits », soucieux qu'il est, non d'énoncer des « vérités historiques », mais de développer des « raisonnements hypothétiques et conditionnels », tendant « à éclaircir la Nature des

[27] Citations extraites des *Lettres morales*, O. C., t. IV, pp. 1090 et 1101. Dans *Le Rationalisme de J.-J. Rousseau*, Robert Derathé montre que le rationalisme de la *Profession de foi du Vicaire savoyard* est de type malebranchiste plutôt que cartésien.

choses ». Ce choix implique d'une part de s'éloigner du récit tradi-
tionnel de la *Genèse*, de l'autre de récuser l'autorité des événements
observables. Il se propose d'écrire l'histoire mythique de l'humanité,
telle que son imagination la lui retrace; il l'établit sur des « conjectures vagues, et presque imaginaires », car, en présence de la multiplicité des possibles, il ne peut se fier qu'à la supposition et ne parvient à
se « déterminer sur le choix que par des conjectures ». Ce mode
hypothétique de la réflexion, que Rousseau utilise quand il s'interroge
sur la condition primitive de l'humanité et les origines du langage,
engage la participation de l'imagination, dont l'une des propriétés
est de se replacer dans le temps des genèses. Mode aussi de la pensée
poétique, qui se réfère à la subjectivité de l'expérience, transposée
dans la vision mythique des commencements, comme le signifie
Jean Starobinski:

> Là où d'autres philosophes se contenteraient d'une sèche spéculation,
> Rousseau s'appuie sur l'intuition intime et poétique. L'originaire, pour lui,
> n'est pas le point de départ d'un jeu intellectuel, c'est une image rencontrée
> à la source même de l'expérience consciente; l'état de nature est d'abord
> une expérience vécue, un fantasme d'enfance perpétuée [28].

La pensée de Rousseau, étrangère à l'historicité, est mythique et
éthique, lorsqu'elle recourt au mode de la conjecture pour se situer
dans le primordial; elle use des ressources du lyrisme, lorsqu'elle
cherche à se représenter les enfances du monde, la naissance de
l'humanité, son avènement aux premières sociétés et aux prémices
du langage. Elle se plaît à imaginer un univers paradisiaque, antérieur
à l'établissement du temps historique; elle se meut dans la sphère
absolue des genèses à l'aide de la charge poétique et affective,
véhiculée par le mythe.

Dans ses écrits politiques, Rousseau se préoccupe plus des principes que des faits, de l'idéologie et du droit que de l'histoire événementielle; mais cette visée s'accompagne du souci de faire adhérer
son système à la réalité du possible et d'écarter les périls de l'utopie.
Au livre III du *Contrat social* Rousseau déclare: « Pour réussir il ne
faut pas tenter l'impossible » et dans ses *Considérations sur le gouver-*

---

[28] *J.-J. Rousseau, la transparence et l'obstacle*, p. 341.

nement de Pologne, il s'adresse à lui-même cet avis de prudence: « Evitons, s'il se peut, de nous jeter dès les premiers pas dans des projets chimériques » [29]. La pensée mythique se distingue de l'utopie, en ce sens qu'elle propose une construction idéale qui n'est pas coupée du réel, mais attentive à saisir des relations concrètes; elle se distance de la réalité, non pour la refuser, mais pour la dépasser et l'enrichir de la dimension du possible. Si Rousseau peut paraître romanesque ou chimérique dans l'élaboration de son système, c'est qu'il « pense autrement que les autres hommes », indépendamment d'eux, selon des postulats et une démarche qui lui sont propres.

Peut-être tout ceci n'est-il qu'un tas de chimères, mais voilà mes idées; ce n'est pas ma faute si elles ressemblent si peu à celles des autres hommes, et il n'a pas dépendu de moi d'organiser ma tête d'une autre façon [30].

Il n'est pas indifférent de remarquer que le terme de chimère est ambivalent chez Rousseau, qu'il peut revêtir une connotation négative, lorsqu'il traduit une projection dans l'empire de l'utopie, mais aussi une connotation positive, lorsqu'il signifie la constitution d'un univers mythique qui contient les structures du réel et offre le visage de l'exemplarité. Dans *Emile*, Jean-Jacques souhaite « ne point courir après des chimères » et il idéalise en même temps la réalité, en la parant des couleurs de la chimère. Sa pensée pédagogique, de même que sa pensée politique, est dominée par l'exigence d'une méthode personnelle, équilibrant l'apport du sentiment et celui de la raison dans le sens de la plausibilité; elle obéit à un cheminement autonome, qui contribue à lui donner une apparence chimérique. Son étrangeté résulte d'un choix idéologique qui consiste à s'installer dans la subjectivité de la vision et à en décrire le contenu.

On croira moins lire un Traité d'éducation que les rêveries d'un visionnaire sur l'éducation. Qu'y faire? Ce n'est pas sur les idées d'autrui que j'écris; c'est sur les miennes. Je ne vois point comme les autres hommes; il y a longtemps qu'on me l'a reproché. [...] Je dis exactement ce qui se passe dans mon esprit [31].

[29] *O. C.*, t. III, pp. 424 et 970.
[30] *Considérations sur le gouvernement de Pologne*, *O. C.*, t. III, p. 1041.
[31] *Emile*, *O. C.*, t. IV, p. 242. Dans sa *Correspondance*, Rousseau insiste également sur le caractère de songerie d'*Emile*, conçu comme des « rêveries sur l'édu-

Rousseau convient qu'il a peut-être « raconté des fictions », mais ce mode de la narration lui a permis de mieux expliciter son projet et sa méthode, appliquée à une étude de « la condition humaine » à partir d'« un élève imaginaire ». Ce choix délibéré empêche l'auteur de « s'égarer dans des visions » et le contraint à retracer « la marche naturelle du cœur humain ». *Emile* peut apparaître comme un tissu de rêveries, nées de la pensée conjecturale, il n'en demeure pas moins que l'ouvrage conserve sa valeur d'exemplarité, en proposant au lecteur des modèles d'application et de réflexions pratiques. Les *rêves* de l'auteur acquièrent la consistance de la réalité par le truchement du lecteur, chargé de leur attribuer le statut d'un contenu concret. « Je donne mes rêves pour des rêves, laissant chercher au lecteur s'ils ont quelque chose d'utile aux gens éveillés » [32]. Le mode hypothétique de la pensée débouche sur la création de la réalité supérieure de l'imaginaire et du mythe, qui ont en commun de construire l'univers du possible. L'imagination de Rousseau invente un monde intérieur et mythique qui découvre son autonomie et sa justification existentielle, en dehors d'une démarche purement expérimentale et discursive.

L'imagination est [...] convaincue que cette inanité des choses [...] ne permet à l'esprit d'autre activité que celle de l'imaginaire. Seule l'imagination peut satisfaire le besoin qu'éprouve l'intériorité de pouvoir enfin se déployer. En même temps disparaît l'obligation d'appliquer aux produits de l'imaginaire les critères de la réalité concrète et de la logique. L'imaginaire devient roi [33].

L'imagination mythopoétique de Rousseau reconstruit les structures primitives du monde et de l'humanité, de l'enfance et du langage. Elle est souvent portée à gommer l'histoire pour se situer dans la transparence des temps génétiques et dans la perfection des événe-

cation », stimulées par le rythme de la marche: « Il me reste à publier une espèce de traité d'éducation, plein de mes rêveries accoutumées, et dernier fruit de mes promenades champêtres ». *Correspondance complète*, t. VII, p. 332.

[32] *Ibid., O. C.*, t. IV, p. 351. Jean Château résume ainsi la double postulation de la pensée pédagogique de Rousseau: « La construction peut bien être une construction opérée sur le plan idéologique, elle tend à être une image des devenirs réels ». *Jean-Jacques Rousseau, sa philosophie de l'éducation*, p. 103.

[33] Hugo Friedrich, *Structures de la poésie moderne*, pp. 23-24.

ments primordiaux. Le mythe devient alors le langage par lequel Rousseau exprime les relations originelles qui s'instaurent entre l'univers et l'humanité. Qu'il imagine l'âge d'or ou la naissance des langues, qu'il se représente la vie des peuplades sauvages ou celle des Montagnons, qu'il invente le « pays des chimères » ou la clarté du monde insulaire, Jean-Jacques use des ressources de la pensée mythique, qui lui permettent de s'arracher à la durée irréversible de l'histoire afin de se projeter dans la perception de l'originel. Il recompose l'histoire mythique de l'univers et de l'humanité à l'aide de la conjecture, qui est l'un des modes de l'activité créatrice de l'imagination, sollicitée par la réalité du possible.

Les mythes auxquels Rousseau recourt, pour autant qu'ils fassent l'objet d'un développement et non d'une simple allusion, peuvent se répartir en sept catégories:

1. Les mythes hérités de la tradition de la Grèce antique: Narcisse, Pygmalion, Glaucus et Gygès.

2. Les mythes historiques de la cité et du héros exemplaires: Sparte, Rome républicaine et Genève, Socrate, Lycurgue, Caton et Fabricius.

3. Les mythes collectifs: l'état de nature (?), l'âge d'or, le peuple et la fête.

4. Les mythes individuels et compensateurs: le paradis, le pays des chimères et l'insularité.

5. Le mythe littéraire moderne: Robinson.

6. Les mythes élémentaires et cosmiques, liés à l'ombre et à la lumière, à l'eau et à la végétation, aux saisons.

7. Le mythe du moi en quête de sa cohérence dans les œuvres autobiographiques [34].

[34] Au sujet des deux premières catégories, nous renvoyons aux ouvrages de Denise Leduc-Fayette, *J.-J. Rousseau et le mythe de l'antiquité*, de Jean Terrasse, *J.-J. Rousseau et la quête de l'âge d'or*, Raymond Trousson, *Socrate devant Voltaire, Diderot et Rousseau* et aux commentaires de Claude Pichois et René Pintard dans *Jean-Jacques entre Socrate et Caton*. Les mythes de Narcisse et de Pygmalion ont particulièrement retenu l'attention de la critique: cf. Pierre Burgelin, *La Philosophie de l'existence de J.-J. Rousseau*, Louis Millet, *La Pensée de Rousseau* (également le mythe de Gygès), Jean Starobinski, *J.-J. Rousseau, la transparence et l'obstacle* (également le mythe de Glaucus) et *L'Œil vivant*.

Il reste à se poser la question de savoir si l'état de nature constitue un mythe littéraire. Je suis tenté de répondre affirmativement et négativement, dans l'impossibilité de me déterminer d'une façon péremptoire. D'une part l'état de nature appartient à l'ordre du mythe dans la mesure où il relève de l'activité conjecturale de l'imagination, où il est conçu en fonction de l'affectivité de Jean-Jacques et des aspirations de l'humanité. Il est un mythe en tant qu'image analogique d'un paradis. Mais d'autre part il apparaît comme un axiome nécessaire au fonctionnement de la pensée et une hypothèse de l'esprit, servant d'instrument méthodologique, de principe d'investigation. Dans cette fonction-là, l'état de nature s'écarte de la vérité du mythe, puisque, de l'aveu de Rousseau, il représente « un Etat qui n'existe plus, qui n'a peut-être point existé, qui probablement n'existera jamais » [35]. Conjecture, née de l'esprit avec le concours de l'imagination, il est inhérent au discours idéologique. Aussi, après de longues hésitations, me suis-je résolu à lui attribuer un statut de marginalité dans l'espace mouvant du mythe. C'est reconnaître du même coup que l'univers mythique ne saurait rendre compte de la totalité de l'œuvre de Rousseau, qu'il implique de privilégier les *Discours* et l'*Essai sur l'origine des langues*, surtout *La Nouvelle Héloïse* et les œuvres autobiographiques, au détriment du *Contrat social*, d'*Emile* et des écrits polémiques. Il représente pourtant un élément de cohérence qui contribue à éclairer le cheminement de la pensée, la vérité affective et ontologique de l'œuvre. Il arrive que Rousseau se méfie de la fable et de la mythologie, en tant qu'elles traduisent des fictions qui ne sont ni éducatives ni absolument intelligibles. A propos du mot *phénix* dans *Le Corbeau et le renard*, il écrit: « Nous voici tout à coup jetés dans la menteuse antiquité; presque dans la mythologie » [36]. Mais détaché des artifices de la fiction, le mythe retrouve son exemplarité et sa fonction signifiante, en se prêtant à illustrer une argumentation morale. La parole de Rousseau se veut une parole de vérité qui s'énonce souvent par l'intermédiaire du mythe, porteur de la richesse sémantique. C'est pourquoi le mythe emprunte la plupart du temps

---

[35] *O. C.*, t. III, p. 123.
[36] *Emile*, *O. C.*, t. IV, p. 354.

la forme du discours du Je, assumant tout le poids de la subjectivité. Rousseau adopte le discours mythique comme le mode approprié à la révélation d'une vérité qui dépasse les frontières de la raison et procède de l'espace élu de l'intériorité *.

* J'exprime ici ma gratitude à Mme Annie Junod, à Mme Béatrice Rytz et à Philippe Terrier de leur concours et de leurs recherches qui ont facilité l'achèvement de cette étude.

I

L'AMBIGUÏTÉ DE L'ÉCRITURE

Rousseau se sert paradoxalement de l'écriture pour la contester, pour en dénoncer les périls et les limites, en tant qu'elle représente un instrument médiat des lettres et de la culture, séparé de l'immédiateté de la nature et de la parole. A la suite de la publication du *Discours sur les sciences et les arts*, ses contemporains n'ont pas manqué de l'accuser de contradiction et d'inconséquence, parce qu'il usait de l'écriture pour remettre en question les fondements et l'action de la littérature. Il est évident que le problème a préoccupé Rousseau et l'a même embarrassé, qu'il n'est parvenu à le résoudre qu'au prix de la réflexion et d'un approfondissement de l'expérience littéraire; encore qu'il s'agisse plus exactement d'une ambiguïté que d'une contradiction, Rousseau s'étant longuement interrogé sur la fonction de l'écriture, la nature de ses frontières et l'étendue de ses pouvoirs, dans le dessein de se justifier. En accusant les lettres et les arts, la philosophie et les sciences d'introduire la corruption dans les mœurs, d'engendrer et d'entretenir les vices de la société, il opère la disjonction de la connaissance et de l'éthique, de la culture et de la nature, en recourant aux instruments que le savoir met à sa disposition.

On me taxe par des phrases fort agréablement arrangées de contradiction entre ma conduite et ma doctrine; on me reproche d'avoir cultivé moi-même les études que je condamne; puisque la Science et la Vertu sont incompatibles, comme on prétend que je m'efforce de le prouver, on me demande d'un ton assez pressant comment j'ose employer l'une en me déclarant pour l'autre [1].

---

[1] *Observations*, Réponse au roi Stanislas, *O. C.*, t. III, p. 38.

Bien que contestée, l'écriture se légitime parce que la parole ne suffit plus désormais pour défendre la cause de la vertu en face de la dégradation des mœurs et des méfaits de la culture; l'acte d'écrire est établi sur la durée et investi de la puissance accusatrice, capable de susciter une réforme. Le discours, soucieux de l'efficacité, ne peut plus s'exprimer dans la civilisation de l'écrit que par l'intermédiaire de l'écriture, devenue, par une évolution fatale, l'instrument de la persuasion. Son usage se justifie, s'il est dicté par « l'enthousiasme de la vérité, de la liberté, de la vertu », selon les termes par lesquels Rousseau définit l'illumination de Vincennes dans *Les Confessions*; il se justifie par l'exigence morale et la volonté de sincérité, qui se distancent de la recherche de la gloire et du lucre, de la tentation de conquérir le succès par la complaisance et la flagornerie. Il est rendu licite par la garantie de l'authenticité, par l'aptitude à produire le dévoilement de la vérité. L'embarras de l'ambiguïté entre la condamnation de l'écriture et le recours à sa puissance n'a pas échappé à Rousseau, qui a jugé qu'il importait de se légitimer plutôt à ses propres yeux qu'au regard du lecteur. Seule sa conscience lui permet d'estimer si son « âme est en état de soutenir le faix des exercices littéraires » et l'autorise à persévérer dans la littérature, en dénonçant les maux et les vices sociaux, qui sont attachés au métier des lettres. Telle est la conclusion de la préface de *Narcisse*:

En attendant, j'écrirai des livres, je ferai des vers et de la musique, si j'en ai le talent, le temps, la force et la volonté: je continuerai à dire très franchement tout le mal que je pense des lettres et de ceux qui les cultivent, et croirai n'en valoir pas moins pour cela [2].

L'autojustification est dans l'expression désintéressée de la vérité, dans la volonté de faire coïncider le contenu de la pensée avec l'écriture. Elle est aussi, comme en jugera Rousseau plus tard, dans le refus de considérer l'acte d'écrire comme un métier et dans le projet de ne prendre la plume que sous la pression inéluctable de la passion. L'écriture ne saurait s'exercer sous le signe de la contrainte, c'est-à-dire qu'elle ne doit être à aucun prix une profession ou un gagne-pain, mais demeurer une activité indépendante, soustraite aux intrigues,

[2] *O. C.*, t. II, p. 974.

à l'obligation de flatter le public et de rechercher la notoriété. Elle doit être affranchie de tout souci économique et de toute vanité qui pèsent sur elle comme une servitude ; l'argent, le goût de plaire et la passion de la gloire ne peuvent qu'asservir le génie, altérer la noblesse et l'élévation de la pensée. « Rien de vigoureux, rien de grand ne peut partir d'une plume toute vénale. » L'acte d'écrire se légitime par son autonomie et son désintéressement ; il correspond à un sacerdoce, coupé de tout but lucratif ou démagogique. Il révèle sa finalité dans l'accomplissement de la droiture et de la liberté.

Non, non, j'ai toujours senti que l'état d'auteur n'était, ne pouvait être illustre et respectable qu'autant qu'il n'était pas un métier. Il est trop difficile de penser noblement quand on ne pense que pour vivre. Pour pouvoir, pour oser dire de grandes vérités, il ne faut pas dépendre de son succès. Je jetais mes livres dans le public avec la certitude d'avoir parlé pour le bien commun, sans aucun souci du reste [3].

La création littéraire n'est pas un produit soumis à un quelconque asservissement social, une marchandise qui permet à l'auteur de vivre de son œuvre ; elle se définit comme un acte spirituel qui puise sa grandeur dans l'indépendance, le détachement de toute utilité autre que l'exigence généreuse de la vérité. « Je vends le travail de mes mains, mais les productions de mon âme ne sont point à vendre ; c'est leur désintéressement qui peut seul leur donner de la force et de l'élévation » [4].

Le recours à l'écriture se légitime s'il s'accompagne d'une vocation, s'il est inspiré par les mouvements de l'affectivité ; il ne doit être ni gratuit ni calculé, mais dicté par l'enthousiasme, par un « feu vraiment céleste » et une ardeur, bouillonnant dans les profondeurs de l'être. La création littéraire procède des élans du cœur, d'une sorte d'échauffement qui l'engendre et la soutient du dedans. Elle puise sa vigueur et sa raison d'être dans le transport qui l'anime, dans l'exaltation qui l'emporte. L'écriture n'est pas affaire de raisonnement ou de supputation de l'intelligence, mais d'éréthisme et de *passion*.

[3] *Les Confessions*, O. C., t. I, pp. 402-403.
[4] *Dialogues*, O. C., t. I, p. 840.

Je savais que tout mon talent ne venait que d'une certaine chaleur d'âme sur les matières que j'avais à traiter, et qu'il n'y avait que l'amour du grand, du vrai, du beau qui pût animer mon génie. [...] On s'imaginait que je pouvais écrire par métier comme tous les autres gens de lettres, au lieu que je ne sus jamais écrire que par passion [5].

L'écriture du cœur, violente et immédiate, dépasse son propre mouvement, elle échappe au contrôle de la raison et cède à la pente de l'affectivité qui, comme une flamme irrésistible, la projette au-delà d'elle-même. « Un auteur qui écrit d'après son cœur est sujet en se passionnant à des fougues qui l'entraînent au-delà du but [...] » [6]. La passion, indépendamment de ses emportements et de ses *écarts*, est signe d'authenticité: c'est elle qui restitue à l'écriture cette dimension de l'expressivité qu'elle a perdue par l'ascendant des progrès de la raison et de la socialisation. L'écriture, dégradée en tant que *supplément*, est rétablie dans sa dignité lorsqu'elle se voue à traduire la vérité et qu'elle s'affirme comme une activité portée par l'exigence de la liberté et l'engagement de la passion. Elle coïncide alors avec la réalité de l'être, en accomplissant sa vocation éthique et existentielle. Elle se justifie doublement, d'abord par son insertion dans le temps où elle inscrit la véracité de son message, puis par son atemporalité et son dessein d'éternité.

Cette revalorisation implique de remonter le cours du temps par une expérience mythique pour redécouvrir quelque chose du langage originel; elle suppose une interrogation sur la fonction de l'écriture, sur ses frontières et ses pouvoirs de représentation. Les fragments intitulés *Prononciation* et l'*Essai sur l'origine des langues* correspondent à cette recherche sur la nature du langage, établie sur la disjonction de la parole et de l'écriture. La parole est l'instrument grâce auquel on étudie et signifie la pensée, tandis que l'écriture est l'instrument par lequel on analyse et fixe la parole; il en résulte qu'elle est d'institution au deuxième degré, qu'elle est « le signe d'un signe », selon les termes de Jean Strarobinski [7].

[5] *Les Confessions*, O. C., t. I, p. 513. Dans un fragment autobiographique, Rousseau précise: « La vive persuasion qui dictait mes écrits leur donnait une chaleur capable de suppléer quelquefois à la force du raisonnement ». O. C., t. I, p. 1113.

[6] *Dialogues*, O. C., t. I, pp. 694-695.

[7] *J.-J. Rousseau, la transparence et l'obstacle*, p. 170.

L'analyse de la pensée se fait par la parole, et l'analyse de la parole par l'écriture; la parole représente la pensée par des signes conventionnels, et l'écriture représente de même la parole; ainsi l'art d'écrire n'est qu'une représentation médiate de la pensée [8].

L'acte de l'écriture rompt la communication directe, il agit secondairement par le recours à la médiation qui fait que la représentation n'est plus spontanée, qu'elle renvoie, non à la présence de l'objet, mais à son image. C'est pourquoi Rousseau est enclin à dévaloriser l'écriture par rapport à la parole, à la considérer comme réductrice parce qu'elle abolit la présence de la chose pour lui substituer une figure ou une représentation, puisqu'elle privilégie l'image, le signe graphique au détriment de l'objet. La parole est « l'expression naturelle de la pensée, la forme d'institution ou de convention la plus naturelle pour signifier la pensée », tandis que l'écriture s'écarte de l'ordre de la nature, parce qu'elle introduit la figuration, qu'« elle fait dériver dans la représentation et dans l'imagination une présence immédiate de la pensée à la parole » [9]. En regard de la parole, essentielle au niveau de l'échange, l'écriture est réduite à la fonction de *supplément*, c'est-à-dire qu'elle exerce une activité de remplacement et qu'elle substitue à la présence la représentation de la présence. La parole est première et conserve l'avantage de restituer l'*objet*, alors que l'écriture, seconde, n'en fixe que le simulacre à partir des signes de la parole.

Les langues sont faites pour être parlées, l'écriture ne sert que de supplément à la parole. [...] L'écriture n'est que la représentation de la parole, il est bizarre qu'on donne plus de soins à déterminer l'image que l'objet [10].

De même que la langue évolue, l'écriture est soumise à un devenir, orienté dans le sens de la rationalisation progressive, de la recherche

[8] *O. C.*, t. II, p. 1249.

[9] Jacques Derrida, *De la Grammatologie*, p. 207.

[10] *O. C.*, t. II, pp. 1249 et 1252. Mettant en relation le *supplément* de l'écriture avec « le dangereux supplément », Jacques Derrida en définit ainsi le fonctionnement: « Le supplément n'a pas seulement le pouvoir de *procurer* une présence absente à travers son image: nous la procurant par procuration de signe, il la tient à distance et la maîtrise. Car cette présence est à la fois désirée et redoutée. Le supplément transgresse et à la fois respecte l'interdit ». *Op. cit.*, p. 223.

de la justesse et de la clarté, de l'aptitude à exprimer les idées afin de
satisfaire aux impératifs logiques de l'esprit. Les diverses formes du
langage gagnent à travers le devenir en exactitude et en netteté au
détriment de leur expression passionnée, elles tendent à s'adresser
aux pouvoirs seconds de la pensée plutôt qu'à la puissance immédiate
de l'émotion. En se conformant aux progrès de la raison, elles substituent l'articulation à l'accent, qui est « l'âme du discours » et la
traduction du sentiment; autrement dit, elles perdent les qualités de
l'harmonie, leur chaleur et leur énergie pour se transformer en un
instrument au service de la rigueur et de l'intelligibilité. Par une évolution à la fois naturelle et fatale, elles se distancent de la vérité du
cœur pour s'attacher aux vérités de l'esprit; elles s'intellectualisent,
se perfectionnent dans le maniement des abstractions, mais s'écartent
de leur vertu primitive, fondée sur la communication au niveau des
signes et de l'affectivité; elles renvoient aux êtres et aux choses par un
mode de la représentation, qui s'est coupée de l'élan initial des passions.

A mesure que les besoins croissent, que les affaires s'embrouillent, que
les lumières s'étendent, le langage change de caractère; il devient plus
juste et moins passionné; il substitue aux sentiments les idées, il ne parle
plus au cœur mais à la raison. Par là même l'accent s'éteint, l'articulation
s'étend, la langue devient plus exacte, plus claire, mais plus traînante, plus
sourde et plus froide. Ce progrès me paraît tout à fait naturel [11].

La destination originelle du langage, c'est la parole et le discours,
non l'écriture, encore que parole et écriture fonctionnent parallèle-
ment, indépendamment l'une de l'autre et que l'antériorité de l'une
sur l'autre puisse varier au gré des conjonctures, des situations et des
nécessités propres à chaque peuple. Elles subissent un développement
autonome, répondant toutefois à un processus identique qui tend vers
la promotion de la rationalité. « L'art d'écrire ne tient point à celui
de parler. Il tient à des besoins d'une autre nature qui naissent plus
tôt ou plus tard selon des circonstances tout à fait indépendantes de
la durée des peuples » [12]. Dans son *Essai*, Rousseau distingue trois
types d'écriture: l'écriture pictographique, correspondant aux « peu-

[11] *Origine des langues*, p. 55.
[12] *Ibid.*, p. 61.

ples sauvages », l'écriture idéographique, dont usent les « peuples barbares », enfin l'écriture alphabétique ou phonétique, convenant aux « peuples policés », parce qu'elle répond à la démarche de l'analyse, exprime les sons et constitue les mots à l'aide des signes qui parlent à l'entendement. Ce dernier type d'écriture, commente Jacques Derrida, « aggrave la *puissance* de la représentation, [...] introduit donc un degré supplémentaire de représentativité qui marque le progrès de la rationalité analytique » [13]. Le développement de la culture, l'accroissement des relations de sociabilité ne font que perfectionner l'écriture au détriment de la parole, que creuser l'écart entre l'art d'écrire et l'art du discours. Bien que « le plus grand usage d'une langue » soit « dans la parole », l'activité des grammairiens et des gens de lettres fait que les progrès de la civilisation sont au bénéfice de l'écriture, qui tend vers son achèvement par la conquête de la clarté et de la précision, par le souci de la cohérence, tandis que le discours se dégrade, perd de son efficacité, fondée sur l'intensité de l'accent et les vertus sonores de l'éloquence.

Plus l'art d'écrire se perfectionne, plus celui de parler est négligé. [...] Cela fait que la langue en se perfectionnant dans les livres s'altère dans le discours. Elle est plus claire quand on écrit, plus sourde quand on parle, la syntaxe s'épure et l'harmonie se perd [14].

Le perfectionnement de l'écriture, qui s'accompagne du perfectionnement de la grammaire et de la syntaxe, dépouille la langue de son pouvoir énergétique, de ses accents passionnés et de sa valeur mélodique; il provoque la dénaturation du discours, la rupture entre écriture et parole, selon un mouvement que l'on peut schématiser ainsi: discours / écriture = affectivité + harmonie / clarté + intelligibilité.

Cette dichotomie est confirmée par l'*Essai sur l'origine des langues* où le développement culturel de l'écriture est tenu pour responsable de la dégradation du langage. Par comparaison avec la parole, l'écriture exerce une fonction unificatrice, mais du même coup réductrice; elle transforme la nature passionnée de la langue, en cherchant à ramener la diversité à l'unité et à délimiter les contours de ce qui est mobile,

---

[13] Cf. *Origine des langues*, p. 57 et Jacques Derrida, *op. cit.*, pp. 417 et 425.
[14] *O. C.*, t. II, pp. 1249-1250.

enclin à se soustraire à l'insertion dans un moule ou une forme arrêtée; elle modifie les aptitudes de la langue en privilégiant la traduction des idées au détriment de l'affectivité, en valorisant l'articulation qui se substitue au ton et à l'accent. L'écriture, figée et articulée, appauvrit la parole naturelle et sonore, affaiblit son expressivité par le travail de l'uniformisation et de la rationalisation. Elle acquiert la limpidité et l'exactitude, mais ce gain ne compense pas ce qu'elle perd en vigueur et en vivacité; elle remplace l'énergie du sentiment par le souci de la justesse, par l'adéquation entre la pensée et le signe graphique; elle tend vers une objectivation abstraite qui se sépare des accents de la passion. L'écriture devient un instrument idéologique, se dépouille de cette puissance concrète de la parole qui associe à la voix l'intensité des sonorités. Le sentiment pénètre mieux la langue des signes et la parole qu'il ne s'inscrit dans l'espace restreint de l'écriture.

L'écriture, qui semble devoir fixer la langue, est précisément ce qui l'altère; elle n'en change pas les mots mais le génie; elle substitue l'exactitude à l'expression. L'on rend ses sentiments quand on parle et ses idées quand on écrit. En écrivant on est forcé de prendre tous les mots dans l'acception commune; mais celui qui parle varie les acceptions par les tons, il les détermine comme il lui plaît; moins gêné pour être clair, il donne plus à la force, et il n'est pas possible qu'une langue qu'on écrit garde longtemps la vivacité de celle qui n'est que parlée. On écrit les voix et non pas les sons : or dans une langue accentuée ce sont les sons, les accents, les inflexions de toute espèce qui font la plus grande énergie du langage [15].

Le langage total repose sur le principe de la complémentarité, il réconcilie les deux faces de la pensée et du sentiment, de l'idée et de l'image; il ne saurait être uniquement articulé, propre à l'expression de la pensée, il doit aussi produire un chant, contenir une *mélodie* qui porte la charge de l'émotion. S'il est amputé de cette seconde composante, il demeure imparfait, privé de sa force persuasive. « Une langue qui n'a que des articulations et des voix n'a donc que la moitié de sa richesse; elle rend des idées, il est vrai, mais pour rendre des sentiments, des images, il lui faut encore un rythme et des sons, c'est-

[15] *Origine des langues*, pp. 67-69.

à-dire une mélodie » [16]. Là est l'écueil auquel se heurte l'écriture : en se coupant de la *mélodie* du sentiment, elle ne coïncide plus avec l'intériorité de l'être, elle perd ses vertus d'éloquence et de persuasion, partant elle rompt avec l'immédiateté de la communication. « Le langage articulé est une médiation inefficace qui trahit immanquablement la pureté immédiate de la conviction » [17]. Aussi les *initiés*, qui habitent le « monde enchanté », inclinent-ils à proscrire l'écriture pour lui préférer le langage des signes, plus pur et authentique, parce qu'il traduit « les affections de l'âme » et qu'il persuade sans recourir à une médiation quelconque.

La critique de l'écriture, à laquelle Rousseau se livre dans l'*Essai sur l'origine des langues* et les fragments de *Prononciation*, ne revêt pas la forme d'une condamnation sans appel : elle répond à une étude génétique de l'écriture, au processus de son évolution dans le contexte de l'univers culturel, à la relation qu'elle entretient avec le progrès des lumières et de la raison, progrès *naturel* et nécessaire. L'ambiguïté attachée à l'écriture fait qu'elle est en même temps déconsidérée et récupérée, censurée et revalorisée : d'une part elle est diminuée en ses pouvoirs par rapport à la parole, parce qu'elle abolit le prestige de la présence et détruit l'immédiateté de l'échange passionnel, d'autre part elle prétend à la « réappropriation symbolique de la présence », selon les termes de Jacques Derrida [18], et elle est légitimée par le devenir de la civilisation. Elle est « un ouvrage de l'art », un instrument associé au perfectionnement de la culture. En Occident, elle a fini par supplanter la parole en raison du génie spécifique de la langue et d'une évolution inévitable. La civilisation de l'écrit a peu à peu effacé les vertus du discours et consolidé l'avènement de la littérature au détriment de la communication par la parole. « Nos langues valent mieux écrites que parlées, et l'on nous lit avec plus de plaisir qu'on ne nous écoute. Au contraire les langues orientales écrites perdent leur vie et leur chaleur » [19]. Bien que désavouée par les réductions qu'elle opère et la distance qu'elle instaure dans l'échange, l'écriture se justi-

---

[16] *Ibid.*, pp. 141-143.
[17] Jean Starobinski, *op. cit.*, p. 321.
[18] *Op. cit.*, p. 205.
[19] *Origine des langues*, p. 137.

fie au niveau de la collectivité par sa puissance médiatrice et au niveau
de l'individuel par sa vertu thérapeutique. En tant qu'instrument de
la culture, elle *fixe* le mouvant et l'éphémère, elle apporte la promesse
d'une durée à ce qui est voué à la mort et à la disparition; si elle a
l'inconvénient d'immobiliser les objets, de les emprisonner dans un
espace déterminé, elle ne leur en offre pas moins en retour les chances
de la permanence ou de la pérennité. Puis l'écriture est un mode de vie,
un moyen de salut: c'est à travers elle que Rousseau peut se raconter
et se justifier à ses yeux, ainsi qu'au regard du lecteur, vaincre le dédoublement dont il est la proie et reconquérir son unité, transcrire l'objet
de ses contemplations afin d'en restituer la mémoire et la jouissance
comme le plus bénéfique des dédommagements qu'il puisse s'octroyer.
Qu'il écrive pour les autres ou pour lui seul, peu importe, l'écriture
est l'outil grâce auquel il résout la contradiction vécue entre le sentiment et la pensée.

La théorie de l'écriture n'est pas seulement idéologique chez Rousseau, elle plonge ses racines dans le tempérament de l'écrivain. La
disjonction parole/écriture repose sur la dualité du sentiment et de
la pensée. Jean-Jacques observe en lui un étrange contraste, un écar-
tèlement psychique entre la « vivacité de sentir » et la « lenteur de
penser »: les mouvements de l'affectivité et des passions sont violents,
rapides, comparables à l'action dévorante de la flamme, tandis que
les mouvements de la pensée sont plus tardifs et confus, entravés dans
leur élaboration et leur organisation. Les sentiments et les idées ne
marchent jamais de pair, ils sont toujours séparés dans l'espace et
plus encore dans le temps, comme le sont la parole et l'écriture. Les
premiers projettent un feu d'une intensité aveuglante qui paralyse la
vision, obnubile la pensée, les secondes procèdent lentement et ne
s'ordonnent qu'avec le concours de la conscience, lorsque la fureur
du mouvement s'est apaisée. Les gestes du *cœur* et de l'*esprit* ne sont
jamais contemporains, mais discontinus, de telle sorte qu'ils créent
dans l'être une disharmonie et une contradiction apparemment impos-
sibles à résoudre. L'une des singularités de Jean-Jacques est d'éprouver
une dislocation ontologique qui veut que les impulsions du sentiment
et de la pensée ne se rejoignent jamais dans la trame du vécu.

Deux choses presques inalliables s'unissent en moi sans que j'en puisse concevoir la manière: un tempérament très ardent, des passions vives, impétueuses, et des idées lentes à naître, embarrassées, et qui ne se présentent jamais qu'après coup. [...] Le sentiment plus prompt que l'éclair vient remplir mon âme, mais au lieu de m'éclairer il me brûle et m'éblouit. Je sens tout et je ne vois rien. Je suis emporté mais stupide; il faut que je sois de sang-froid pour penser [20].

Ce portrait psychique est confirmé par les *Dialogues* où Rousseau définit le caractère de Jean-Jacques comme partagé entre la fulgurance de la sensibilité et la lenteur de la pensée. Les mouvements de l'affectivité sont immédiats, alors que ceux de la réflexion sont entravés dans leur effort d'organisation et leur recherche d'une cohérence, au point d'engendrer la « paresse de penser ».

Ces observations et les autres qui s'y rapportent offrent pour résultat un tempérament mixte formé d'éléments qui paraissent contraires: un cœur sensible, ardent ou très inflammable; un cerveau compact et lourd, dont les parties solides et massives ne peuvent être ébranlées que par une agitation du sang vive et prolongée [21].

Mais ce sont là d'« apparentes contradictions » qui peuvent s'abolir dans l'acte de la création littéraire.

L'enthousiasme de la passion et le raisonnement, divisés par le temps et la durée de leur éclosion, sont réconciliés dialectiquement par l'écriture, combinant dans sa substance l'expansion et la concentration, la chaleur de l'émotion et le calcul de la réflexion. Le travail de la création s'accompagne d'un trouble, d'une effervescence qui confine au délire. Il ne saurait s'accomplir dans ce climat de tiédeur ou de quiétude, dispensé par la sagesse de la raison, il provoque un bouillonnement de tout l'être, un échauffement spirituel. La naissance confuse des idées suscite un éblouissement, associé à l'ardeur et à l'intensité de l'émotion; le moment de la conception correspond à une véritable illumination, engendrant des révélations désordonnées qui ne peuvent être immédiatement apprivoisées par l'écriture. C'est dans

---

[20] *Les Confessions, O. C.*, t. I, p. 113.

[21] *Dialogues, O. C.*, t. I, p. 804. Il en résulte qu'avec l'âge Rousseau se distance de l'effort de la pensée, qui lui cause une lassitude et une inquiétude, associées au sentiment de la contrainte. « Penser est un travail pour moi très pénible qui me fatigue, me tourmente et me déplaît. » *Ibid., O. C.*, t. I, p. 839.

un second temps que la composition devient concertée, après que l'embrasement intérieur s'est calmé et que l'esprit est intervenu pour régler l'impétuosité de ce mouvement premier. A la phase calorique et incohérente de l'inspiration succède la phase de l'organisation consciente, propice à la naissance de l'œuvre.

Mes idées s'arrangent dans ma tête avec la plus incroyable difficulté. Elles y circulent sourdement; elles y fermentent jusqu'à m'émouvoir, m'échauffer, me donner des palpitations, et au milieu de toute cette émotion je ne vois rien nettement; je ne saurais écrire un seul mot, il faut que j'attende. Insensiblement ce grand mouvement s'apaise, ce chaos se débrouille; chaque chose vient se mettre à sa place, mais lentement et après une longue et confuse agitation [22].

Non seulement l'écriture bénéficie de la chaleur du sentiment et de la maturation de la pensée, mais elle réconcilie leurs mouvements contradictoires, en les équilibrant par son pouvoir de synthèse

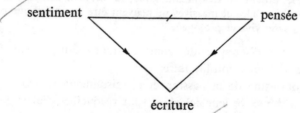

sentiment   pensée

écriture

Avant Balzac, Rousseau établit que la création littéraire se décompose en deux actes distincts: la *conception* et l'*exécution*, l'invention mentale et le faire de l'écriture. La conception est stimulée en lui soit par le rythme de la marche, soit par la fermentation nocturne de l'esprit. Pendant ses promenades, consacrées tant à l'observation de la nature qu'aux élans de la rêverie et de la méditation, il a coutume de prendre des notes sur un carnet ou des morceaux de papier qu'il emporte avec lui; il ébauche sa pensée à l'aide de notations et de fragments qui, dans un temps ultérieur, sont rassemblés pour constituer la texture de l'ouvrage.

Je ne fais jamais rien qu'à la promenade, la campagne est mon cabinet; l'aspect d'une table, du papier et des livres me donne de l'ennui, l'appareil

[22] *Les Confessions, O. C.*, t. I, pp. 113-114.

du travail me décourage, si je m'asseie pour écrire je ne trouve rien et la nécessité d'avoir de l'esprit me l'ôte. Je jette mes pensées éparses et sans suite sur des chiffons de papier, je couds ensuite tout cela tant bien que mal et c'est ainsi que je fais un livre [23].

Rousseau conçoit ses ouvrages en se promenant à travers les solitudes de la campagne et de la forêt, car la marche et le spectacle de la nature ont la propriété de stimuler sa pensée, d'animer l'essor de son imagination. Il *s'enfonce* dans la forêt de Saint-Germain pour y découvrir « l'image des premiers temps », lui suggérant l'hypothèse de « l'homme naturel », distinct de « l'homme de l'homme », qui a été dégradé par l'accroissement des lumières; c'est en parcourant les bois de Montmorency, en proie à son « délire champêtre », qu'il imagine les prémices de *La Nouvelle Héloïse*. La claustration dans une chambre, « sous les solives d'un plancher », ne déclenche jamais chez lui l'impulsion créatrice; il a besoin, pour méditer son œuvre, des espaces ouverts de la nature et du mouvement physique de la marche. « La marche a quelque chose qui anime et avive mes idées: je ne puis presque penser quand je reste en place; il faut que mon corps soit en branle pour y mettre mon esprit » [24]. Le rythme que la promenade imprime au corps suscite le rythme des idées, la dynamique du corps engendre la dynamique de l'imagination; le repos fige et stérilise la pensée, tandis que le mouvement lui communique l'enthousiasme dont elle a besoin pour se délivrer de la gangue qui l'emprisonne ou de l'obstacle qui la contraint. « Tous ces divers projets m'offraient des sujets de méditation pour mes promenades: car comme je crois l'avoir dit, je ne puis méditer qu'en marchant; sitôt que je m'arrête je ne pense plus, et ma tête ne va qu'avec mes pieds » [25]. La méthode de Rousseau consiste à noter des idées dictées par la pulsion des mouvements physiques. La liberté que l'écrivain découvre dans l'espace lui crée une sorte de champ énergétique et un espace intérieur, favorables au surgissement

[23] *Mon Portrait*, O. C., t. I, p. 1128. Dans *Les Confessions*, Rousseau explicite plus brièvement son mode familier de composition: « J'allais me promener seul, je rêvais à mon grand système, j'en jetais quelque chose sur le papier à l'aide d'un livret blanc et d'un crayon que j'avais toujours dans ma poche ». *O. C.*, t. I, p. 368.

[24] *Les Confessions*, O. C., t. I, p. 162.

[25] *Ibid.*, O C., t. I, p. 410.

de la pensée et aux impulsions premières de l'écriture. L'ouverture de la spatialité délivre Jean-Jacques des difficultés de la conception.

> Je destinai, comme j'avais toujours fait, mes matinées à la copie et mes après-dînées à la promenade, muni de mon petit livret blanc et de mon crayon: car n'ayant jamais pu écrire et penser à mon aise que *sub dio* je n'étais pas tenté de changer de méthode, et je comptais bien que la forêt de Montmorency qui était presque à ma porte, serait désormais mon cabinet de travail [26].

Rousseau n'a jamais pu inventer son œuvre « la plume à la main vis-à-vis d'une table », dans un espace clos; il s'est accoutumé à *écrire dans son cerveau*, soit « à la promenade, au milieu des rochers et des bois », soit pendant ses insomnies au cours desquelles il se livre à la méditation, cède à l'effervescence des idées avant de les confier à sa mémoire et de les fixer sur le papier [27]. Les vingt-sept cartes à jouer témoignent de ce mode de composition et attestent que Rousseau lui est resté fidèle jusqu'à la fin de sa vie; elles représentent des ébauches qui se prêtent à l'élaboration de développements futurs. Une telle méthode, nouvelle à l'époque, révèle que la création littéraire est liée, chez Rousseau, à la présence des énergies cosmiques et qu'elle est gouvernée dans un premier temps par l'irruption de l'affectivité, par le concours des forces irrationnelles qui portent en elles le feu de la révélation. Quant au travail de l'exécution, il s'applique à donner au cheminement de la pensée toute sa force et son ampleur, à *coudre* les fragments à l'aide de charnières et de sutures, d'« une charlatanerie de transitions », selon la plaisante formule d'une lettre à Dom Deschamps. A la phase désordonnée de l'inspiration succède la phase de l'organisation logique: la pensée, en préservant sa chaleur, acquiert sa cohérence et l'écriture procède de la synthèse opérée entre l'ardeur du sentiment et le contrôle de la réflexion.

Apologiste de l'immédiateté de la parole plutôt que de la médiation de l'écriture, Rousseau éprouve paradoxalement plus d'aptitudes pour l'exercice solitaire de l'écriture que pour la pratique sociale de

---

[26] *Ibid.*, *O. C.*, t. I, p. 404.
[27] Cf. la méthode appliquée pour la composition du premier *Discours*, *O. C.*, t. I, p. 352.

la parole. Son tempérament timide et distrait, son penchant romanesque le séparent des êtres et des choses, de tout ce qui est trop spontané
dans le contact et trop impromptu dans l'acte, fût-ce celui de l'écriture.
Ils le contraignent à regarder les hommes et les objets à travers l'écran
du souvenir. Sa « mauvaise tête », comme il aime à dire, « ne peut
s'assujettir aux choses » et la perception fixe son empreinte dans la
mémoire qui, après le temps de la maturation, en restitue le contenu
avec une extrême précision. L'enregistrement des sensations et des
idées obéit à un lent processus, parce qu'il s'accomplit avec l'assistance
de la mémoire.

Non seulement les idées me coûtent à rendre, elles me coûtent même
à recevoir. J'ai étudié les hommes et je me crois assez bon observateur.
Cependant je ne sais rien voir de ce que je vois; je ne vois bien que ce que
je me rappelle, et je n'ai de l'esprit que dans mes souvenirs. De tout ce
qu'on dit, de tout ce qu'on fait, de tout ce qui se passe en ma présence, je
ne sens rien, je ne pénètre rien. Le signe extérieur est tout ce qui me frappe [28].

Rousseau se juge peu doué pour la soudaineté du discours et toute
forme d'improvisation — seules la prosopopée de Fabricius et les
quatre Lettres à Malesherbes ont été rédigées avec aisance, « à trait
de plume ». Supplément de la parole, l'écriture n'en conserve pas
l'impulsion naturelle, elle implique la distance et s'expose aux difficultés de l'élaboration. Pourtant elle convient mieux que la parole
au génie de Jean-Jacques, parce que, grâce au phénomène de l'« émotion prolongée », elle peut traduire le contenu du désir, cerner les
empreintes mobiles de l'affectivité. « J'ai compris par là comment cet
homme pouvait quand son sujet échauffait son cœur écrire avec force, [...]
et comment sa plume devait mieux que sa langue parler le langage des
passions » [29]. Le langage des idées se prête mieux à l'ordonnance
logique que le langage du sentiment, mais celui-ci est plus authentique
et vigoureux, même s'il requiert un effort persistant pour vaincre les
embarras du style. L'affectivité ne parvient à s'exprimer, au-delà du
geste et de la parole, que par la médiateté de l'écriture; elle est confrontée à la nécessité de trouver un langage qui, dépourvu la plupart

---

[28] Ibid., O. C., t. I, pp. 114-115.
[29] Dialogues, O. C., t. I, p. 802.

du temps de la vertu des impulsions premières, est soumis au travail
de la sélection et à la conquête de la cohérence.

> Il faut chercher, combiner, choisir un langage propre à rendre ceux
> [les sentiments] qu'on éprouve, et quel est l'homme sensible qui aura la
> patience de suspendre le cours des affections qui l'agitent pour s'occuper à
> chaque instant de ce triage. Une violente émotion peut suggérer quelquefois
> des expressions énergiques et vigoureuses; mais ce sont d'heureux hasards
> que les mêmes situations ne fournissent pas toujours [30].

Cet écart entre la vivacité de l'émotion et la lenteur de l'écriture ne
saurait se résoudre par l'application d'une quelconque méthode
rationnelle — Rousseau refuse de se ranger dans la catégorie des
« écrivains méthodistes » —, il n'est aboli que par une attente active,
orientée vers l'exploration des ressources du langage. Le problème
qui se pose à Rousseau est le suivant : comment l'écriture, médiatrice
et culturelle, peut-elle récupérer la chaleur de l'affectivité, prolonger
la trace de l'émotion, exprimer l'énergie de la passion ?

La réponse à cette question qui engage les moyens de l'écriture
suppose une fois de plus de se situer dans la perspective génétique.
Le premier langage, après la langue des gestes et des signes, est inspiré,
non par l'appel des besoins, mais par l'essor des sentiments et des
passions; il n'est pas analytique, apte à satisfaire aux exigences du
raisonnement, mais affectif et poétique. Selon Rousseau, la poésie
est antérieure à la prose, de même que le sens figuré naît avant le
sens propre. « On nous fait du langage des premiers hommes des langues de Géomètres, et nous voyons que ce furent des langues de
Poètes » [31]. Ce langage passionné est à ses origines sonore et accentué,
essentiellement métaphorique, puisqu'il s'organise « en images, en
sentiments, en figures », qui deviennent les signes de la représentation,
porteurs de l'émotion et riches d'un influx poétique. « Comme les
premiers motifs qui firent parler l'homme furent des passions, ses
premières expressions furent des Tropes. Le sens figuré fut le premier
à naître, le sens propre fut trouvé le dernier » [32]. La métaphore, issue

---

[30] *Ibid., O. C.,* t. I, pp. 862-863.
[31] *Origine des langues,* p. 41.
[32] *Ibid.,* p. 45.

de la passion, est la composante énergétique du langage; c'est elle qui communique à la parole et à l'écriture les vertus de l'éloquence, de la vigueur et du mouvement. Elle n'est pas un ornement du style, mais une force consubstantielle à l'expression qui prétend toucher et persuader l'auditeur ou le lecteur. « On voit même que les discours les plus éloquents sont ceux où l'on enchâsse le plus d'images [...] » [33]. La métaphore ne constitue pas seulement la substance poétique du langage, elle remplit en lui la fonction connotative, qui rompt avec l'ordre de la logique pour valoriser le contenu de l'émotion. Elle sollicite l'acquiescement de la sensibilité par son relief et son éclat, par les corrélations qu'elle exprime entre l'univers psychique et l'univers physique. La représentation, chez le primitif et l'enfant, procède par l'intermédiaire des images, elle repose sur la réceptivité de la sensation et propose une vision concrète du monde, qui n'est ni globale ni relationnelle, contrairement à celle de la connaissance abstraite, qui implique l'intervention du jugement, l'élaboration des idées à partir de la saisie des *rapports*.

Avant l'âge de raison l'enfant ne reçoit pas des idées mais des images, et il y a cette différence entre les unes et les autres que les images ne sont que des peintures absolues des objets sensibles, et que les idées sont des notions des objets, déterminées par des rapports. Une image peut être seule dans l'esprit qui se la représente; mais toute idée en suppose d'autres. Quand on imagine on ne fait que voir, quand on conçoit on compare [34].

Rousseau ne paraît pas avoir clairement discerné que la représentation de l'image est analogique, établie sur la perception des relations et des similitudes, mais il a en revanche éprouvé qu'elle est un mode affectif de la connaissance, qu'elle est engendrée par le mouvement des passions, qu'elle se sépare radicalement de la démarche logique, qu'elle est connotative et non dénotative. Davantage, il a perçu que l'écriture peut récupérer quelque chose de l'original et exprimer le contenu du sentiment par le truchement de la métaphore. Le « secours des images et des comparaisons » ne donne pas seulement plus de solidité à l'argumentation, il est essentiellement le moyen par lequel se

[33] *Ibid.*, pp. 33-35.
[34] *Emile, O. C.*, t. IV, p. 344.

traduit le langage des passions. Dans la seconde préface de *La Nouvelle Héloïse*, Rousseau affirme de l'amour que « comme il rend tous ses sentiments en images, son langage est toujours figuré ». La métaphore transmet le fluide de l'affectivité, elle a la capacité de faire passer dans l'écriture l'énergie du sentiment et l'enthousiasme de la passion. « Pour peu qu'on ait de la chaleur dans l'esprit, écrit Saint-Preux à Julie, on a besoin de métaphores et d'expressions figurées pour se faire entendre. [...] Et je soutiens qu'il n'y a qu'un géomètre et un sot qui puissent parler sans figures » [35]. La figure, définie dans l'*Essai sur l'origine des langues* par le phénomène de « la translation du sens », ne sert pas uniquement à représenter la vivacité du cœur, mais à animer les idées, à les retracer dans l'esprit sous une forme mobile et concrète. Qu'elle s'applique à l'expression de la pensée ou de l'émotion, la métaphore remplit une fonction dynamique, en ce sens qu'elle restitue, dans la parole, ou l'écriture, toute affection, accompagnée de ses impulsions. « Toutes mes idées sont en images », déclare Jean-Jacques vers la fin du livre IV des *Confessions*. Son dessein est de créer un langage qui ne soit pas séparé des pouvoirs de la sensibilité, d'introduire la passion dans l'écriture afin qu'elle en conserve la trace comme un signe d'authenticité.

Rousseau ressent l'urgence, alors qu'il écrit ses *Confessions*, d'« inventer un langage aussi nouveau que [son] projet », capable de traduire l'intériorité et de restituer le ton de l'émotion. Il s'agit pour le scripteur d'obtenir du langage qu'il coïncide avec les mouvements premiers du cœur, d'opérer la réconciliation de l'écriture et du sentiment; de réduire l'écart entre la parole et l'écriture en faisant du langage un instrument propre à accueillir et à véhiculer l'affectivité. « Le langage est devenu le lieu d'une expérience immédiate, tout en demeurant l'instrument d'une médiation » [36]. Cette volonté de synthétiser la spontanéité du sentiment et l'élaboration de l'écriture correspond à une démarche poétique, à la préoccupation de récupérer les vertus de l'émotivité à la faveur de la métaphore et du mythe. Ce n'est pas au hasard que Rousseau s'est posé la question fondamentale:

---

[35] *La Nouvelle Héloïse*, *O. C.*, t. II, p. 241.
[36] Jean Starobinski, *op. cit.*, pp. 238-239.

« Comment être poète en prose ? », à une époque où le poème en prose n'était pas né en tant que genre autonome. La seule réponse alors possible était que le langage devînt par la mélodie et les images le support de l'affectivité, qu'il se consacrât à transmettre la vérité mythique, qui continue à parler la langue sacrée des origines. L'écriture se justifie, lorsqu'elle est dictée par l'appel de la passion et qu'elle s'enracine dans les profondeurs de l'être ; elle peut exprimer un sens, dépassant les contingences du temps et de l'histoire. Elle porte en elle la potentialité de l'intemporel et s'apparente au mythe par son aspiration à la pérennité. Elle compense la réduction qu'elle opère en prolongeant l'émotion dans la durée et en l'assujettissant à une forme. L'écriture a le tort de fixer ce qui est mobile, mais la fixation des signes demeure ouverte sur les résonances du cœur et le devenir du déchiffrement. Elle acquiert le privilège de l'atemporalité.

II

DE LA CONTINGENCE DE L'HISTOIRE AU MYTHE

L'Histoire en procès

De son *Mémoire* adressé à M. de Mably « sur l'éducation de son fils » (1740) à *Emile* et même au-delà, Rousseau n'a cessé de méditer sur le sens de l'histoire, en tant qu'instrument de la pédagogie et surtout que mode de réflexion sur le destin de l'humanité. Cette méditation correspond davantage à une vision qu'à une philosophie de l'histoire, parce qu'elle est commandée par l'exigence de la subjectivité et par le refus d'adhérer à un système idéologique préétabli, puis par le sentiment de la distance, qui confère aux événements la dimension de l'exemplarité mythique. Rousseau s'insurge contre la tyrannie de l'historicité, préoccupé qu'il est par la vérité intérieure et morale qui procède de la considération des faits, par la volonté de dépasser les frontières du réel pour déboucher sur la réalité de l'imaginaire. Sa démarche propre consiste à se placer dans la perspective génétique, à remonter aux racines de l'humanité, à choisir la méthode expliquant la nature des choses par une projection de l'esprit dans l'originel. Cette vision, déterminée par le recul spatial et temporel, par le dessein de se transporter dans l'univers des commencements et des éclosions, n'implique pas seulement le recours à la conjecture, mais aux forces de l'imagination, recréatrice des mythes. L'histoire qui séduit l'esprit de Rousseau, c'est l'histoire hypothétique de la genèse ou des genèses qu'il inventa en marge des obstacles et des contraintes de la réalité contemporaine, celle qui se prête à une idéalisation et revêt une signification éthique par les prestiges de la distance. L'histoire qu'il juge exemplaire est celle de la Bible et des

Anciens, parce qu'elle comporte une valeur mythique et un sens
moral, laissant carrière à l'activité de l'imagination, à son aptitude à
ressusciter les temps de la préhistoire et ceux les plus reculés de l'humanité, soustraits à la curiosité scientifique.

Tout en ayant subi une certaine évolution, la vision que Rousseau
propose de l'histoire révèle une permanence ou tout au moins des
constantes, qui s'affirment dès le *Discours sur les sciences et les arts*.
Seul le *Mémoire* rédigé à l'intention de M. de Mably présente de
sensibles divergences avec les œuvres postérieures, comme en témoigne
la confrontation avec le programme pédagogique, élaboré par Saint-
Preux en vue de l'éducation de Julie. Rousseau suggère dans son
Mémoire de ne donner à l'adolescent qu'« une teinture aisée de l'histoire », en évitant les excès de la mémorisation et de l'érudition, en
écartant « tout ce qui sent trop la sécheresse et l'étude »; il observe
aussi que l'enseignement se complaît exagérément dans l'histoire de
l'antiquité et qu'il sacrifie l'histoire moderne et nationale, féconde en
modèles, en actions, capables de susciter la réflexion.

> Au reste, m'écartant un peu du plan ordinaire des études, je m'attacherai
> beaucoup plus à l'histoire moderne qu'à l'ancienne, parce [...] qu'elle
> n'abonde pas moins en grands traits que l'histoire ancienne et qu'il n'a
> manqué que de meilleurs historiens pour les mettre dans un aussi beau jour [1].

L'étude de l'histoire doit être générale et concrète afin de contenir
une portée didactique, elle ne doit pas se contenter de présenter les
faits, mais remonter à leurs causes pour montrer que « les actions
les plus droites en apparence n'ont pas toujours les motifs les plus
louables ». L'enseignement de l'histoire, associé à celui des sciences,
s'impose par ses vertus pragmatiques, dans la mesure où il permet
d'identifier les caractères spécifiques des diverses nations, d'apprécier
leur comportement, de s'interroger sur les motifs qui provoquent les
mouvements de croissance et de déclin d'un Etat. La fin de l'histoire
consiste à fournir à l'adolescent des instruments de comparaison,
par lesquels il parvient à concevoir une idée de l'aventure humaine,
de la disparité politique et morale qu'elle signifie dans son devenir.

---

[1] *O. C.*, t. IV, p. 29.

C'est alors que je tâcherai de lui en faire tirer tout le profit qu'on peut espérer de cette étude, et de lui faire distinguer le génie et les mœurs des différentes nations, leurs vices et leurs vertus, les causes de leurs progrès et de leurs décadences, les grands hommes qu'elles ont produits et les caractères des différents historiens [2].

Tout en étant persuadé de sa valeur formatrice, Saint-Preux bannit de son programme pédagogique l'histoire des temps modernes, parce qu'elle lui paraît dépourvue de grandeur et qu'elle n'offre guère de véritables types d'héroïsme. La seule exception qu'il consente est l'histoire de son pays, qui présente des analogies avec celle de l'antiquité dans sa quête de la liberté, acquise au prix du dépouillement et de l'austérité. L'histoire de l'antiquité et celle de la Suisse ont en commun une sorte d'exemplarité, fondée sur la recherche de l'élévation et de la vertu dans le cadre d'un gouvernement républicain. L'histoire importe par son contenu éthique et sa valeur instructive, par la multiplicité enrichissante des modèles qu'elle suggère à l'esprit humain comme objets de méditation. Ce sont les hommes qui font l'histoire par la nature différenciée de leurs caractères, de leurs habitudes et de leurs comportements.

Nous renoncerons pour jamais à l'histoire moderne, excepté celle de notre pays; encore n'est-ce que parce que c'est un pays libre et simple, où l'on trouve des hommes antiques dans les temps modernes. [...] L'histoire la plus intéressante est celle où l'on trouve le plus d'exemples, de mœurs, de caractères de toute espèce; en un mot, le plus d'instruction. [...] Donnez matière à de bonnes histoires, et les bons historiens se trouveront [3].

Entre le temps qui sépare la rédaction du *Mémoire* et la publication de *La Nouvelle Héloïse*, Rousseau n'a pas seulement opté pour l'histoire ancienne, mais il a acquis le sens de la relativité de la vérité historique, comme le confirme l'examen des textes, révélant une méfiance presque constante à son endroit et une conscience accrue de ses limites. Dans son projet d'*Essai sur les événements importants dont les femmes ont été la cause secrète* (vers 1745), il défend l'idée

---

[2] *O. C.*, t. IV, p. 31.
[3] *La Nouvelle Héloïse*, *O. C.*, t. II, p. 60. De même dans les *Considérations sur le gouvernement de Pologne*, Rousseau recommande aux Polonais de s'informer, dès l'âge de quinze ans, de « toute l'histoire » de leur pays. Cf. t. III, p. 966.

que « toute l'histoire du théâtre humain » s'explique par les *passions*, qui constituent le principe de l'action, et il s'en prend à la formation insuffisante des historiens, incapables de discerner les « ressorts primitifs toujours cachés » des événements. L'histoire, telle qu'elle s'écrit la plupart du temps, a le tort de s'attacher à la pure extériorité, de relater les faits, sans s'interroger sur leurs causes. L'historien entreprend une œuvre narrative dans laquelle il ne se préoccupe pas d'éclairer les fondements et les conséquences des actions, la part de mystère inhérente à leur origine et à leur déroulement. « Qu'on ne vante donc plus les avantages de l'histoire et qu'on avoue que ce n'est qu'une histoire de prétextes et d'apparences spécieuses dont on éblouit le public » [4]. Les actions n'importent guère en elles-mêmes, elles valent par le mobile auquel elles renvoient et par la signification qu'elles comportent. Bien que l'histoire se situe plus au niveau de l'apparence que de l'intériorité, Rousseau ne la rejette pas dans le développement de son *Discours sur les sciences et les arts*. La méthode qu'il adopte repose sur la complémentarité des « raisonnements » et des « inductions historiques ». Il part des faits et du témoignage des historiens en vue de prouver la décadence des peuples, la dégradation progressive de l'humanité. L'histoire, pleine du récit des guerres et des conquêtes, des ambitions et des crimes de l'orgueil humain, lui fournit les éléments dont il a besoin pour étayer sa démonstration. A partir de la considération des faits historiques il dégage une vérité qu'il prétend appliquer globalement au destin de l'humanité. La raison et les événements s'appuient réciproquement pour fonder l'authenticité de la thèse défendue par Rousseau. « Voyons ce qui doit résulter de leur progrès [des sciences et des arts]; et ne balançons plus à convenir de tous les points où nos raisonnements se trouveront d'accord avec les inductions historiques » [5]. La méthode inductive ne consiste pas à *écarter les faits*, comme dans le *Discours sur l'origine de l'inégalité*, mais à les rassembler et à les choisir pour témoigner de la dégénérescence des mœurs. L'histoire sert dans le *Premier Discours* à établir et illustrer la vérité générale que Rousseau souhaite

---

[4] *O. C.*, t. II, pp. 1258-1259.
[5] *O. C.*, t. III, p. 16.

exprimer; elle propose un vaste enchaînement des causes et des effets, sur lequel s'exerce l'activité de l'entendement, créatrice du sens.

C'est dans quelques textes intermédiaires entre les deux *Discours*, réunis sous le titre de *Fragments politiques*, que Rousseau précise sa conception de l'histoire et formule certaines de ses options fondamentales, qui, dans *Emile*, se retrouveront plus élaborées. Il acquiert alors trois certitudes auxquelles il demeurera fidèle: la supériorité de l'antiquité sur les temps modernes, la valeur étiologique de l'histoire et la portée éthique de l'enseignement qu'elle dispense. Il s'écarte de la réalité historique contemporaine, qui ne lui présente que des « objets de douleur et de désolation »: des récits de guerre, des traités rompus, des détails fastidieux sur la vie publique et privée des Princes, la description des misères du peuple; il ne consent à « voir parmi [ses] contemporains que des maîtres insensibles et des peuples gémissants, des guerres qui n'intéressent personne et désolent tout le monde » [6]. Il est rebuté par la sécheresse de la chronologie, par la primauté accordée aux intérêts du personnel et du particulier sur l'universalité humaine. Le monde moderne a perdu la dimension de la grandeur, sinon dans les événements, du moins au niveau de la qualité des hommes, confinés dans la médiocrité et dans la banalité. « L'histoire moderne n'est pas dépourvue de traits admirables mais ce ne sont que des traits, j'y vois quelques grandes actions, mais je n'y vois plus de grands hommes » [7]. Conscient des « droits sacrés de l'histoire », Rousseau se détourne de l'univers moderne et contemporain pour porter son regard et son esprit vers l'histoire de l'antiquité, parce qu'elle lui propose les archétypes de la grandeur et de l'héroïsme, attachés à la pratique de la vertu. En choisissant ses modèles dans Lacédémone et dans la Rome républicaine, il opère une sorte de retour aux sources et adopte le parti de la vision à distance, qui favorise l'idéalisation, l'embellissement mythique, accompli par les pouvoirs de l'imagination. De toute manière, l'histoire ancienne se prête mieux à cette recherche étiologique et éthique, qui demeure la préoccupation centrale de l'écrivain. Il est vain d'étudier les actions historiques pour

---

[6] *O. C.*, t. III, p. 538.
[7] *O. C.*, t. III, p. 558.

elles-mêmes, dans leur continuité et leur évolution; les mobiles des événements importent plus que les événements dans la perspective d'une réflexion génétique, axée sur la connaissance de l'humain. L'étude de l'histoire ne revêt sa mesure authentique et ne découvre son profit que si elle contribue à éclairer le processus de l'action, à en déterminer les causes externes (les révolutions cosmiques, la fonction des éléments, le climat, les mœurs) et les causes internes, dues au déclenchement des passions.

> Pour suivre avec fruit l'histoire du genre humain, pour bien juger de la formation des peuples et de leurs révolutions, il faut remonter aux principes des passions des hommes, aux causes générales qui les font agir. [...] Sans ces recherches, l'histoire n'est d'aucune utilité pour nous, et la connaissance des faits dépourvue de celle de leurs causes ne sert qu'à surcharger la mémoire, sans instruction pour l'expérience et sans plaisir pour la raison [8].

La recherche des causes est associée à une exigence morale: l'histoire n'est instructive qu'à la condition de s'appliquer à l'établissement de la vérité intérieure, de révéler les desseins providentiels de Dieu, d'exhorter au bien et de dénoncer le mal. Elle sert à stimuler la vertu par la confrontation de l'homme et de son action. La valeur pédagogique de l'histoire ne résulte pas de la relation des faits, mais de la signification qu'ils postulent; elle consiste dans le dévoilement de la vérité humaine, résultant de la relation existentielle que les hommes entretiennent avec leurs actes sous le sceau de la responsabilité.

> Si l'histoire a rarement le même avantage [que la poésie de créer des fables illustrant « l'union du mérite et de la fortune »] elle en tire en revanche un plus grand effet et quand à l'image de la sagesse heureuse se joint le sacré caractère de la vérité elle apprend aux hommes à respecter les décrets de la providence et donne aux cœurs droits et sensibles un nouveau courage à bien faire. L'histoire peut suppléer encore à ce qui manque à ses récits pour l'instruction des lecteurs en réunissant sous un même aspect les faits et les héros propres à s'éclairer mutuellement [9].

---

[8] *O. C.*, t. III, p. 529.

[9] *O. C.*, t. III, p. 539. Dans un autre des *Fragments politiques*, Rousseau écrit à propos de l'exemplarité morale que peut enseigner l'histoire: « [...] Comme si la principale utilité de l'histoire n'était pas de faire aimer avec ardeur tous les gens de bien et détester les méchants ». *O. C.*, t. III, p. 545.

Tout en exprimant déjà une certaine défiance à l'égard de l'histoire, Rousseau ne lui dénie pas tout mérite dans la mesure où elle comporte un enseignement sur la condition physique et morale de l'humanité. Pourtant, dans le *Discours sur l'origine de l'inégalité*, il choisit le parti méthodologique de se situer antérieurement à la naissance du temps historique et à l'insertion de l'homme dans la trame de l'histoire. C'est pourquoi il ne s'en remet plus aux « inductions historiques », ainsi que dans le *Premier Discours*, mais décide d'« écarter tous les faits » comme étrangers à la nature de son projet et de ne point « recourir aux témoignages incertains de l'histoire ». Dans son dessein de remonter au surgissement originel et d'expliquer « la nature des choses », il substitue l'hypothèse et la conjecture à la considération des événements. Il se soustrait à la continuité fatale de l'histoire afin d'ordonner les présomptions de sa pensée autour d'un récit mythique, qui se fonde sur la réalité des possibles, conçus par l'imagination.

Commençons donc par écarter tous les faits, car ils ne touchent point à la question. Il ne faut pas prendre les recherches, dans lesquelles on peut entrer sur ce sujet, pour des vérités historiques, mais seulement pour des raisonnements hypothétiques et conditionnels; plus propres à éclaircir la Nature des choses qu'à montrer la véritable origine, et semblables à ceux que font tous les jours nos physiciens sur la formation du Monde [10].

L'histoire de l'humanité, telle que Rousseau entend l'écrire, ne saurait être déchiffrée ni dans les événements, ni « dans les livres [...] qui sont menteurs » — entendez les livres des philosophes, des historiens et des hommes de lettres; cette histoire conjecturale, affranchie des contingences de l'historicité, n'est inscrite que dans le livre de la nature, dont le langage échappe à l'emprise de l'artifice et du mensonge. La vérité sur le destin de l'homme et sa condition est mieux décelable dans les signes de la nature que dans la succession événementielle, soumise au devenir et à la discontinuité. « Cette histoire sans faits est une étiologie », précise Victor Goldschmidt, en ce sens qu'elle recherche « l'universalité des causes » dans la relation qui s'établit

---

[10] *Discours sur l'origine de l'inégalité*, O. C., t. III, pp. 132-133.

entre l'univers humain et le monde de la nature [11]. Dans son *Discours sur l'origine de l'inégalité*, Rousseau condamne le devenir de l'histoire, placé sous le signe de la perfectibilité, en tant qu'il fonde les structures de la société et favorise les progrès de l'intelligence. L'homme, engagé dans la durée de l'histoire, est nécessairement sujet à la dégradation et soumis à la loi de la *dénaturation*; en passant de la condition anhistorique de la nature à l'état social, marqué par la prédominance du temps historique, il accomplit une descente dans le Mal, source de son aliénation. « L'histoire [...] est essentiellement dégradation. Le salut ne peut donc pas survenir dans ou par l'histoire, mais dans l'opposition au devenir destructeur » [12]. Le refus de l'histoire se légitime par le combat que Rousseau soutient contre la fatalité du devenir et par une option d'ordre méthodologique. Soucieux d'éclairer les commencements et de ne pas se priver des éléments de la description mythique, il souhaite approfondir la connaissance de l'homme plutôt que celle des hommes, selon une démarche qu'il définit en ces termes dans l'*Essai sur l'origine des langues*: « Quand on veut étudier les hommes il faut regarder près de soi; mais pour étudier l'homme il faut apprendre à porter sa vue au loin; il faut d'abord observer les différences pour découvrir les propriétés » [13]. La fonction de l'histoire est d'établir un lien entre les faits jugés conformes à la réalité « par une suite de faits intermédiaires ». Elle est relationnelle, elle veille à préserver les chaînons de la continuité, mais ne saurait expliquer l'univers des genèses et de la nature. Un tel projet appartient à l'art de la conjecture, suppose de « porter sa vue au loin » dans l'espace et dans le temps, d'acquérir le don de la vision aiguisée par la distance. Persuadé de la disjonction du passé et du présent, Rousseau est tenté de rejoindre par l'imagination ce passé originel, anhistorique et atemporel, à partir duquel peuvent se concevoir les fondements de « la condition humaine ». Il importe de découvrir par la probabilité des hypothèses ce que

[11] *Anthropologie et politique, les principes du système de Rousseau*, p. 164. « Le *Discours*, en dépit des apparences, n'est pas un récit historique, mais un ouvrage de droit naturel ». *Ibid.*, p. 639.

[12] Jean Starobinski, *J.-J. Rousseau, la transparence et l'obstacle*, pp. 353-354.

[13] P. 89.

l'homme a été antérieurement à son incarnation dans l'histoire pour comprendre ce qu'il est devenu dans la durée fatale de l'histoire.

Dans une optique sinon identique, du moins parallèle, *Emile* se présente comme une étude de « la condition humaine », dont l'apprentissage se fait par l'intermédiaire de la nature. L'éducateur a « refermé tous les livres » pour n'ouvrir que « celui de la nature », où il puise les principes de sa pédagogie. La nature est un maître dont l'autorité s'exerce avec plus de constance et de solidité que celle de l'histoire, qui requiert à l'excès le concours de la mémoire. L'enseignement de l'histoire est rigoureusement banni de l'âge où prédomine la sensation, où le jugement et la mémoire n'ont pas atteint le développement, permettant de tirer profit d'une telle étude. Les mots et les faits de l'histoire ne correspondent ni ne renvoient à des idées précises; ce sont des signes dépourvus de sens, puisque l'enfant ne possède pas l'aptitude à saisir la relation entre « les signes représentants » et « l'idée des choses représentées ». Le signe éveille des impressions et des sensations, mais il n'appelle encore aucun signifié; il revêt une valeur purement sensible et verbale, qui ne représente rien aux yeux de l'esprit et du jugement. « Les mots de l'histoire ne sont [pas] l'histoire », parce qu'ils demeurent vides de toute signification abstraite ou concrète et ne sont que prétexte à un effort stérile de mémorisation. L'étude de l'histoire ne saurait consister en « un catalogue de signes » et de faits, envisagés dans leur pure extériorité, elle implique de discerner les liens qui les unissent et les idées qui se dégagent de leur confrontation. Les événements doivent être interprétés en fonction de leur portée éthique, car l'univers de la politique est, au regard de Rousseau, indissociable de celui de la morale. Une telle tâche n'est pas à la mesure de l'enfant à l'âge de la sensation, de sorte que l'enseignement de l'histoire doit être retardé au moment où Emile a pleinement acquis les facultés de la mémoire et du jugement, où sa conscience a découvert les fondements de la morale, sur lesquels repose toute vision de l'homme et du monde.

Par une erreur encore plus ridicule on leur fait étudier l'histoire; on s'imagine que l'histoire est à leur portée parce qu'elle n'est qu'un recueil de faits; mais qu'entend-on par ce mot de faits ? Croit-on que les rapports qui déterminent les faits historiques soient faciles à saisir que les idées s'en forment sans peine dans l'esprit des enfants, croit-on que la véritable connaissance des événements soit séparable de celle de leurs causes, de celle de leurs effets, et que l'historique tienne si peu au moral qu'on puisse connaître l'un sans l'autre ? Si vous ne voyez dans les actions des hommes que les mouvements extérieurs et purement physiques qu'apprenez-vous dans l'histoire ? Absolument rien, et cette étude dénuée de tout intérêt ne vous donne pas plus de plaisir que d'instruction. Si vous voulez apprécier ces actions par leurs rapports moraux, essayez de faire entendre ces rapports à vos élèves et vous verrez alors si l'histoire est de leur âge [14].

Lorsque le temps est venu d'en entreprendre utilement l'étude, Rousseau se livre à un examen critique de l'histoire, commandé par une réticence constante ou tout au moins par une conscience aiguë des limites qu'il convient de lui assigner. Sa critique tend à déprécier l'histoire, en insistant plutôt sur « ses dangers » et « ses inconvénients » que sur ses avantages. Cette sévérité s'explique en partie par l'indifférence de l'écrivain à l'endroit de la vérité historique et son hostilité à toute forme de l'érudition. La recherche de l'exactitude en tant qu'objet d'une science ne préoccupe guère Jean-Jacques, qui redoute les mines savantes et surtout la réduction de l'histoire à une vision idéologique, selon le mode de Voltaire. Les historiens du XVIIIe siècle ont certes le mérite de s'interroger sur « les causes morales » des événements qu'ils relatent, mais ils le font en cédant à l'apriorisme et au dogmatisme, non dans l'optique de l'impartialité. Leur philosophie de l'histoire obéit à une doctrine préétablie, elle est dictée par une idéologie préconçue, à travers le prisme de laquelle sont vus les événements. Les faits ne servent pas de prétexte à confirmer quelque système, ils sont matière à réflexion sur les principes, qui les déterminent et les éclairent.

L'esprit philosophique a tourné de ce côté les réflexions de plusieurs écrivains de ce siècle; mais je doute que la vérité gagne à leur travail. La fureur des systèmes s'étant emparée d'eux tous, nul ne cherche à voir les choses comme elles sont, mais comme elles s'accordent avec son système [15].

Le premier tort de l'histoire est de s'attarder aux spectacles du mal et de taire le bien, de s'intéresser davantage aux faits militaires qu'à

---

[14] *Emile, O. C.*, t. IV, p. 348.
[15] *Ibid., O. C.*, t. IV, pp. 529-530.

la paix, de peindre avec une prédilection marquée le destin des
nations dans le temps de leur déclin au lieu de s'attacher aux temps
de leur croissance et de leur équilibre dans la prospérité. Les historiens
se complaisent à évoquer les guerres et les luttes, les conquêtes et les
usurpations, les crimes et les malheurs de l'humanité; ils mettent en
évidence les désirs et les passions, les partis pris, qui agitent le cœur
humain. La peinture de l'amour-propre et de l'ambition a pour effet
de communiquer « à chacun le regret de n'être que soi », de l'inciter
à sortir de son moi pour devenir un autre, « étranger à lui-même »,
à renoncer à sa nature spécifique, à sa singularité, pour emprunter
un masque et vivre au niveau du paraître social. Plus gravement,
l'histoire, centrée sur le récit des combats et des rivalités, inculque
le sens de la nécessité; elle montre que la plupart des actions humaines
débouchent sur la sujétion et la servitude. Alors qu'elle devrait
exalter la conquête de la liberté, elle témoigne de la corruption de la
liberté, du triomphe de la contingence et de la fatalité. Elle se confond
en quelque sorte avec l'histoire de la *dénaturation*, de la chute dans
l'univers politico-social, où dominent le mal et l'esclavage. Elle
illustre par son contenu la dégradation et la négativité; au lieu de
célébrer la grandeur morale et l'indépendance de l'homme, elle se
consacre à peindre les tableaux du mal, qui défigurent le vrai visage
de l'humanité.

Un des grands vices de l'histoire est qu'elle peint beaucoup plus les
hommes par leurs mauvais côtés que par les bons.[...] Nous avons fort
exactement celle des peuples qui se détruisent, ce qui nous manque est celle
des peuples qui se multiplient; ils sont assez heureux et assez sages pour
qu'elle n'ait rien à dire d'eux. [...] Nous ne savons donc que le mal, à peine
le bien fait-il époque. Il n'y a que les méchants de célèbres, les bons sont
oubliés ou tournés en ridicule; et voilà comment l'histoire ainsi que la
philosophie calomnie sans cesse le genre humain [16].

Le second grief que Rousseau adresse aux historiens est leur partialité, leur intervention personnelle dans la relation des faits, un peu
semblable à celle du romancier, qui se substitue ou se superpose au
narrateur. L'histoire comprend d'abord une part d'inexactitude et de

---

[16] *Emile, O. C.*, t. IV. pp. 526-527.

mensonge, parce qu'elle repose sur des témoignages incertains et tendancieux. De même que les faits divins, pour qui n'est pas disposé à croire à la révélation, les « faits humains » ne sont « attestés » que dans les limites « des témoignages humains », dont la relativité ne peut être qu'évidente au regard de la critique. « Tout fait dont nous ne sommes pas les témoins, n'est établi pour nous que sur des preuves morales, et toute preuve morale est susceptible de plus et de moins » [17]. Non seulemnt les témoignages sont empreints d'une relativité qui en limite la véracité, mais ils présentent la réalité historique sous un angle déformant. La peinture des événements modifie et défigure leur vérité, parce que la vision et la parole historiennes sont marquées du sceau de la subjectivité, qu'elles varient d'un historien à l'autre par la nature de l'information, au gré des préjugés et des jugements personnels. « L'ignorance ou la partialité déguise tout. » Rousseau dénonce comme une entorse à l'objectivité l'intervention de l'historien dans la narration, intervention qui peut se produire soit par le poids du jugement, soit sous la forme de la fiction. La tâche de l'historien ne consiste pas à porter des appréciations critiques sur les faits qu'il raconte, mais à les présenter avec le plus d'impartialité possible dans leur déroulement et leur continuité. « Les pires historiens pour un jeune homme sont ceux qui jugent. » L'historien exemplaire, dont Thucydide est « le vrai modèle », se contente d'être exhaustif dans l'exposé des événements, il ne les juge pas, mais suscite le jugement de son lecteur par la vision objective qu'il lui propose. « Loin de s'interposer entre les événements et les lecteurs, il se dérobe. » En effaçant du récit sa personne et ses propres conceptions, en écartant tout discours idéologique, il facilite, chez le lecteur, l'essor d'une pensée personnelle. Souvent l'historien, plus particulièrement celui des temps modernes, manque du sens de la sobriété, il cède au goût de la rhétorique, pare son discours d'ornements et de « détails de son invention ». Il se croit le devoir d'embellir son récit, de l'agrémenter par le recours à la fiction, de telle sorte qu'il finit par peindre « des tableaux de fantaisie », qui sont issus de son imagination et n'entretiennent plus aucune relation avec la

---

[17] *Lettre à Christophe de Beaumont, O. C.*, t. IV, p. 987.

réalité historique — il est vrai que l'exemple fourni par Rousseau est celui des romans de La Calprenède. L'historien, qui use dans son récit des facultés du jugement et de l'imagination, dénature son entreprise, trahit les vertus de l'exactitude et de la fidélité. Dans la mesure où elle souhaite approfondir la connaissance de l'homme, l'histoire s'attribue la fonction de présenter les actions, non des discours qui appartiennent à l'ordre de l'apparence. « Pour connaître les hommes, il faut les voir agir. Dans le monde on les entend parler; ils montrent leurs discours et cachent leurs actions; mais dans l'histoire elles sont dévoilées, et on les juge sur les faits » [18]. Le privilège spécifique de l'histoire est de peindre l'homme, non en paroles, mais en actes, seuls révélateurs de la conjonction ou de la disjonction de l'être et du paraître.

Toutefois l'histoire ne saurait se contenter de relater les faits, en les coupant de leur causalité interne. *Emile* confirme sur ce point une vérité exprimée dans plusieurs textes antérieurs. Rousseau assigne à l'histoire une mission philosophique, qu'elle ne remplit que très imparfaitement: expliquer et interpréter les événements en remontant à leurs sources, en dévoilant leurs causes. Si l'histoire n'éclaire pas les motifs des actions et qu'elle n'établit pas le rapport entre l'effet et la cause, elle faillit à l'une de ses tâches fondamentales et s'ampute de la dimension du sens, en se confinant dans la pure description. L'univers événementiel ne saurait se séparer de l'univers éthique et l'historien ne parvient à saisir la portée des actions que s'il s'interroge sur le processus qui les a déclenchées. La plupart du temps il imagine les causes par hypothèse ou bien il les établit faussement, démontrant une fois de plus que la critique historique se meut dans l'espace de la relativité, qu'elle présente une approximation de la vérité et demeure une approche des événements sujette à l'erreur ou à la contrevérité.

Or que m'importent les faits en eux-mêmes, quand la raison m'en reste inconnue, et quelles leçons puis-je tirer d'un événement dont j'ignore la vraie cause ? L'historien m'en donne une, mais il la controuve, et la critique elle-même, dont on fait tant de bruit, n'est qu'un art de conjecturer, l'art de choisir entre plusieurs mensonges celui qui ressemble le mieux à la vérité.

[18] *Emile, O. C.*, t. IV, p. 526.

[...] L'histoire en général est défectueuse en ce qu'elle ne tient registre que de faits sensibles et marqués qu'on peut fixer par des noms, des lieux, des dates; mais les causes lentes et progressives de ces faits, lesquelles ne peuvent s'assigner de même, restent toujours inconnues [19].

En tant que relation brute des faits, l'histoire n'intéresse pas Rousseau, elle ne requiert son attention que si elle se livre à une analyse des causes et débouche sur la connaissance du cœur humain, c'est-à-dire dans la mesure où elle implique une signification, exprime un contenu, défini par son exemplarité morale. Elle devrait permettre de lire « dans les cœurs », en se passant des « leçons de la philosophie ». La vérité historique, telle qu'elle se dégage de la considération des mœurs et des traits distinctifs, importe en vue de la compréhension de l'humain, de l'instruction que l'on en peut tirer. L'intérêt de l'histoire n'est pas dans l'établissement de l'exactitude scientifique des faits, mais dans la possibilité d'en extraire une vérité. L'extériorité de l'événement doit être dépassée afin de découvrir en lui la présence de l'être. Les historiens s'en tiennent souvent à rapporter les faits, alors qu'il s'agit de les interpréter et de les déchiffrer dans le dessein d'accroître la connaissance que l'on peut acquérir de l'homme. Rousseau reproche à l'histoire de privilégier les aspects les plus extérieurs de l'existence au détriment de la vie intérieure, affective et spirituelle.

[...] L'histoire montre bien plus les actions que les hommes, parce qu'elle ne saisit ceux-ci que dans certains moments choisis, dans leurs vêtements de parade; elle n'expose que l'homme public qui s'est arrangé pour être vu. [...] Elle ne le peint que quand il représente; c'est bien plus son habit que sa personne qu'elle peint [20].

L'histoire méconnaît les exigences de l'intériorité, elle ne s'attache pas suffisamment à la vie intime et concrète de l'être; la peinture des actions dans le devenir ne se révèle efficace que si elle contribue à signifier une vérité éthique sur les capacités virtuelles de l'humanité. « Le vrai parti que l'homme sensé tire de l'histoire est moral: elle

---

[19] *Ibid., O. C.*, t. IV, pp. 527-528 et 529.
[20] *Ibid., O. C.*, t. IV, p. 530.

enseigne l'homme dans la diversité de ses possibilités » [21]. La connaissance des actions humaines n'a de sens que si elle contribue à faire progresser la connaissance de l'homme. Aussi les portraits, à la condition qu'ils soient véridiques, non imaginaires, et les vies de héros à la manière de Plutarque ne peuvent-ils qu'enrichir le savoir anthropologique. La démarche, préconisée par Rousseau, procède du particulier vers le général; il s'agit d'étudier concrètement l'être tel qu'il se comporte dans la sphère de l'individuel avant de le projeter dans celle de la multitude et du collectif. « Il n'est pas moins vrai qu'il faut commencer par étudier l'homme pour juger les hommes, et que qui connaîtrait parfaitement les penchants de chaque individu pourrait prévoir tous leurs effets combinés dans le corps du peuple » [22]. Seule la connaissance de l'homme, de son cœur et de ses passions, peut introduire à la connaissance de l'humanité.

Dans son *Essai sur l'origine des langues*, Rousseau ne distingue pas seulement l'étude de l'homme de celle des hommes, mais précise que la première repose sur le choix de la distance, tandis que la seconde implique la proximité. Dans *Emile*, il opte également pour cette vision à distance qui envisage l'histoire de l'homme « dans d'autres temps ou dans d'autres lieux », c'est-à-dire qu'il opte pour l'histoire de l'antiquité contre celle des temps modernes. Celle-ci a perdu sa *physionomie*, parce qu'elle s'est détournée des voies de la nature et que l'humanité s'est dépouillée de sa grandeur héroïque. D'une part elle est devenue l'histoire des progrès et des lumières, elle s'est théâtralisée sous l'influence de la littérature, en représentant les hommes comme sur une scène et non dans l'épaisseur de la vie; elle a renoncé au langage du naturel pour adopter celui de la *décence*, conforme aux usages de la société. D'autre part elle raconte les actions d'hommes qui ne se distinguent plus de la multitude, se définissent par leur uniformité, leur médiocrité et leur absence de relief individuel. L'histoire moderne, plus sujette à la contingence, est dénuée de toute valeur d'exemplarité mythique. Au contraire, l'histoire ancienne propose à l'imagination des modèles éternels de vertu et d'héroïsme;

[21] Pierre Burgelin, « Rousseau et l'histoire » dans *De Ronsard à Breton, Hommages à Marcel Raymond*, Paris, Corti, 1967, p. 111.
[22] *Emile, O. C.*, t. IV, p. 530.

elle demeure plus proche de l'univers de la nature que de celui de la
culture, acquise par la multiplication des voyages et des livres, par les
progrès de la science et des arts. « En général Emile prendra plus de
goût pour les livres des anciens que pour les nôtres, par cela seul
qu'étant les premiers les anciens sont les plus près de la nature et que
leur génie est plus à eux » [23]. Emile, comme Jean-Jacques, incline à
se croire « Grec ou Romain », en s'identifiant avec ces archétypes de
la grandeur, fournis par l'histoire de l'antiquité, qui se caractérise
plus par le sens psychologique et la leçon éthique que par la véracité
des faits, objet d'une encombrante et fastidieuse érudition. L'histoire
ancienne, par le prestige de la distance, son auréole légendaire et la
qualité de ses modèles, comporte des récits instructifs, parle un langage qui exalte l'imagination et privilégie la méditation sur la nature
humaine.

Les anciens historiens sont remplis de vues dont on pourrait faire usage
quand même les faits qui les présentent seraient faux: mais nous ne savons
tirer aucun vrai parti de l'histoire; la critique d'érudition absorbe tout,
comme s'il importait beaucoup qu'un fait fût vrai, pourvu qu'on en pût
tirer une instruction utile. Les hommes sensés doivent regarder l'histoire
comme un tissu de fables dont la morale est très appropriée au cœur
humain [24].

Rousseau n'a cessé d'être sensible à cet écart entre le monde antique
et le monde moderne, entre le spectacle de l'héroïsme et celui de la
servitude. Sa pensée repose sur la dichotomie du passé et du présent,
favorisant la projection dans l'espace du mythe. L'antiquité offre à
l'esprit humain de tels exemples de noblesse et de perfection qu'ils
paraissent dépasser les possibilités du réel. Grâce à la distance,
l'imagination s'empare de ces modèles pour les idéaliser et en valoriser
la signification; elle découvre l'hiatus irrévocable, qui sépare l'humanité antique de la société moderne, en proie à des passions mesquines,
à des systèmes politiques et sociaux, déterminés par leur imperfection.

[23] *Ibid.*, *O. C.*, t. IV, p. 676.
[24] *Ibid.*, *O. C.*, t. IV, p. 415. Cette note n'est nullement « curieuse », comme
le déclare le commentaire de l'édition de la Pléiade; elle correspond exactement
à la conception rousseauiste de l'histoire, selon laquelle l'exigence de la vérité
morale l'emporte sur celle de la vérité scientifique.

Quand on lit l'histoire ancienne, on se croit transporté dans un autre univers et parmi d'autres êtres. Qu'ont de commun les Français, les Anglais, les Russes avec les Romains et les Grecs ? Rien presque que la figure. Les fortes âmes de ceux-ci paraissent aux autres des exagérations de l'histoire. Comment eux qui se sentent si petits penseraient-ils qu'il y ait eu de si grands hommes ? Ils existèrent pourtant, et c'étaient des humains comme nous : qu'est-ce qui nous empêche d'être des hommes comme eux ? Nos préjugés, notre basse philosophie, et les passions du petit intérêt, concentrées avec l'égoïsme dans tous les cœurs par des institutions ineptes que le génie ne dicta jamais [25].

La supériorité des anciens n'est pas seulement perceptible dans leur plus grande fidélité à la nature et dans les exemples qu'ils ont donnés de la morale héroïque, elle se manifeste dans la sobriété et la simplicité de leur langage. Ils ne s'adressent pas à la seule raison, mais recourent à « la langue des signes qui parlent à l'imagination », à la vue et à l'ouïe ; cette *langue des signes*, le plus sensible et « le plus énergique des langages », exerce la persuasion, en touchant les « affections de l'âme » et en se traduisant par le pouvoir immédiat du geste. L'histoire et l'éloquence des anciens n'usent pas exclusivement de la parole et de l'écriture, elles substituent au langage verbal le langage gestuel, qui affirme spontanément la présence de l'objet et par lequel « le signe a tout dit avant qu'on parle ».

Ouvrez l'histoire ancienne, vous la trouverez pleine de ces manières d'argumenter aux yeux, et jamais elles ne manquent de produire un effet plus assuré que tous les discours qu'on aurait pu mettre à la place : L'objet offert avant de parler ébranle l'imagination, excite la curiosité, tient l'esprit en suspens et dans l'attente de ce qu'on va dire [26].

L'histoire ancienne disposait d'un langage que les modernes ont perdu, le langage de l'expressivité directe, qui frappe l'imagination, sans qu'il soit nécessaire de passer par l'intermédiaire de l'intellection. Déjà riche de sa communication avec la nature et de sa relation avec

[25] *Considérations sur le gouvernement de Pologne*, O. C., t. III, p. 956.
[26] *Essai sur l'origine des langues*, p. 31. La même idée est reprise dans les mêmes termes au livre IV d'*Emile* à propos de l'éloquence des anciens : « Ce qu'on disait le plus vivement ne s'exprimait pas par des mots mais par des signes ; on ne le disait pas, on le montrait. L'objet qu'on expose aux yeux ébranle l'imagination, excite la curiosité, tient l'esprit dans l'attente de ce qu'on va dire et souvent cet objet seul a tout dit ». O. C., t. IV, p. 647.

l'univers des signes, elle dépasse l'histoire moderne par sa portée
didactique. Elle stimule les goûts héroïques et les penchants à la
vertu, en les hissant au niveau du mythe, qui se soustrait aux accidents
de la temporalité et aux entraves du devenir.

Quoi qu'il en pense pédagogiquement, Rousseau ne peut s'abstenir
de juger l'histoire, en prônant les temps anciens et en condamnant
les temps modernes. Mais ce jugement s'inscrit dans la cohérence de
sa doctrine, axée sur la nostalgie du passé, de la préhistoire ou des
temps les plus reculés de l'histoire, sur la nostalgie d'une condition
paradisiaque dont l'unité est à jamais perdue. L'histoire, engagée
dans un devenir irréversible, ne peut être que celle d'une chute dans le
multiple et d'une dégradation; elle concerne « l'homme de l'homme »,
non plus « l'homme de la nature », et elle signifie l'impossibilité de
rejoindre l'univers transparent des genèses. L'histoire est soumise à
la contingence et à la fatalité; en tant que telle, elle constitue une
sphère soumise à l'entrave, comme le précise Pierre Burgelin: « L'histoire, prise dans son déroulement, appartient au fond à la catégorie de
l'obstacle » [27]. Obstacle à revivre dans l'originel et à reconquérir la
vraie liberté, antérieure au surgissement de l'histoire. Est-ce à dire
qu'elle est vouée à une condamnation sans appel, qu'elle est dépourvue
de toute autorité? La sévérité de Rousseau est tempérée, en ce sens
qu'il reconnaît une supériorité à l'histoire sur la philosophie: celle de
s'exercer dans l'espace du concret et dans le champ de l'expérience.
L'histoire vaut existentiellement dans la proportion où elle parvient
à enrichir la connaissance particulière et générale de l'homme, où
elle propose des normes archétypales qui servent de références. C'est
par la préoccupation éthique et l'approfondissement de l'intériorité
que l'histoire s'impose à l'esprit, car la vérité affective et morale
conserve la primauté sur la vérité historique, comme en portent
témoignage *Les Confessions* dans leur projet de vaincre l'angoisse
du devenir par l'écriture, investie du pouvoir de fixer l'identité
mythique de l'être dans un présent intemporel.

---

[27] *La Philosophie de l'existence de J.-J. Rousseau*, p. 208.

LE RÉCIT D'UNE ÂME

La confrontation des *Confessions* et des *Mémoires d'outre-tombe* convainc le lecteur que ces deux œuvres sont séparées par une rupture, en ce sens que la première se distance de l'histoire, cherche à se soustraire à une durée circonscrite par la seule trame du temps et que la deuxième est engagée dans les dimensions de la temporalité, dominée par la hantise de l'histoire. L'une insiste sur la vision d'un destin unique, offert au regard de Dieu, l'autre sur la vision d'un homme mis en présence de l'histoire, comme l'observe Julien Gracq, en signifiant qu'il s'introduit entre les deux œuvres une *faille* perceptible « dans la conscience que l'homme a de son univers » :

> La différence entre le livre de Rousseau et celui de Chateaubriand, c'est la différence entre une vie — celle de Rousseau — qui se conçoit comme un exemple absolument intemporel, qui se propose sur l'autel de Notre-Dame au jugement de Dieu beaucoup plus qu'aux attendus de l'Histoire, — et une autre, celle de Chateaubriand, entièrement, dramatiquement, consciemment replongée dans le lit de l'histoire, une vie allongée de tout son long dans le fil du fleuve qui jamais ne remontera vers sa source [28].

Cette transformation de la perspective est certes due au fait que *Les Confessions* et les *Mémoires d'outre-tombe* sont divisés par l'irruption violente de la Révolution dans le courant de l'histoire, mais elle résulte aussi d'une différence fondamentale au niveau du projet et du genre littéraire dont procèdent les deux œuvres. Bien que Rousseau ait assez longtemps hésité entre le titre de *Mémoires* et celui de *Confessions,* sa création se distingue de la tradition des Mémoires pour se rattacher à l'autobiographie. Les Mémoires se présentent comme la relation d'événements par un témoin soucieux de brosser le tableau contemporain de l'histoire et de la société; l'auteur considère un objet qui se situe au-delà de lui-même et la narration tend à se confondre avec un témoignage qui s'accompagne de commentaires. Au contraire l'œuvre autobiographique, dans laquelle le héros et le narrateur s'identifient à travers le récit à la première personne, correspond à un discours centré sur la revendication de la subjectivité;

[28] *Préférences*, Paris, Corti, 1961, p. 97.

elle apparaît comme une interprétation et une justification personnelles des faits rapportés. Les événements historiques et la peinture
politico-sociale s'effacent devant l'histoire du moi, de son âme, de
son tempérament et de ses gestes; l'extériorité le cède aux exigences
de l'intériorité, à l'expression de la vérité morale et spirituelle. *Les
Confessions* sont, dans cette optique, le modèle d'« une auto-interpré-
tation » [29] dans laquelle l'écrivain assume la projection de sa subjectivité dans le corps verbal de l'œuvre.

Cette présence impérieuse du moi fait que la part de l'histoire
est singulièrement réduite dans *Les Confessions*. Rousseau peint
d'assez nombreux portraits ou esquisses de portraits des personnages
historiques les plus marquants de son époque: le duc de Choiseul,
ministre des Affaires étrangères de Louis XV, le prince de Conti,
Frédéric II, le maréchal de Luxembourg, Malesherbes, le directeur
de la Librairie, Milord Maréchal, gouverneur de la principauté de
Neuchâtel, le comte de Montaigu, ambassadeur de France à Venise,
la marquise de Pompadour, le marquis de Saint-Lambert, etc. Il est
en revanche révélateur d'observer que les allusions à des événements
historiques contemporains sont rares dans *Les Confessions*. Si l'on
fait abstraction des faits de la vie littéraire et artistique pour s'en
tenir strictement aux faits de l'histoire, on n'en relève guère qu'une
dizaine dans l'ensemble de l'œuvre. Le livre V évoque le passage en
Savoie des troupes françaises qui se rendent en Italie à l'occasion
de la guerre de succession au trône de Pologne et les troubles politiques
de la République de Genève en 1737. Le livre VII contient à lui seul
cinq allusions historiques à la peste de Messine (1734), à la tentative
de l'Autriche de reconquérir le royaume de Naples (1744), à la victoire
de Fontenoy dans la guerre de succession d'Autriche (1745), au projet
de la France de soutenir le débarquement en Ecosse du prétendant
au trône d'Angleterre (1745) et, dans une note, aux défaites militaires
de la France en Bavière et en Bohême à propos de la comédie, *Les
Prisonniers de guerre*. Quant au livre IX, il rappelle brièvement
l'attentat de Damiens, perpétré contre la personne du Roi et, dans le
livre suivant, Rousseau précise que le maréchal de Luxembourg s'est

[29] La formule est de Jean Starobinski, *La Relation critique*, p. 85.

vu confier par le Roi les fonctions de gouverneur de Normandie. A ces allusions rapides il convient d'ajouter les jugements sévères de l'écrivain sur le gouvernement tyrannique de Frédéric II, son hostilité à l'égard de la marquise de Pompadour et quelques remarques sur la politique de Choiseul. Le seul passage des *Confessions*, comportant un développement historique, est, dans le livre XI, la peinture du « prochain délabrement » politique, financier et économique de la France. Rousseau se livre dans cette page à une analyse sociologique des causes de la ruine dont le pays est menacé: les échecs militaires pendant la guerre de Sept Ans, la confusion extrême de la situation et les divisions internes de l'administration. Cette dégradation suscite « le mécontentement général du peuple et de tous les ordres de l'Etat »; elle est en outre aggravée par « l'entêtement d'une femme obstinée qui sacrifiant toujours à ses goûts ses lumières, si tant est qu'elle en eût, écartait presque toujours des emplois les plus capables pour placer ceux qui lui plaisaient le plus » [30]. La « grande machine » de l'Etat, ébranlée dans son fonctionnement, menace de s'effondrer, si elle n'est pas soumise à une réforme indispensable et urgente. Enfin dans le livre XII Rousseau parle de la révolte de la Corse contre la domination gênoise et de son aspiration à l'indépendance sous l'impulsion du général Paoli. Ce sont les livres V, VII et XI qui comprennent la plupart des références historiques, ne faisant que rarement l'objet d'un commentaire ou d'un développement.

Ce maigre recensement est révélateur: il témoigne que l'histoire conserve le statut de la marginalité, que Rousseau recompose la chaîne de son existence en dehors de la relation des événements et que *Les Confessions* ne sauraient en aucune manière se ramener à des mémoires situés dans l'épaisseur de l'histoire. Il permet d'affirmer que Rousseau ne s'attache guère dans les douze livres de son œuvre aux circonstances de l'histoire contemporaine, dépourvue de vraie grandeur, privée de ces modèles héroïques, dignes de Plutarque, mais qu'il est préoccupé essentiellement par le récit de sa propre existence. Il n'éprouve pas le besoin d'insérer les faits de sa vie dans la trame événementielle de l'histoire, il préfère l'envisager en elle-même à

[30] *Les Confessions*, O. C., t. I, p. 565.

travers tout ce qu'elle représente d'unique, d'exemplaire et d'exceptionnel, en dépit des faiblesses et des turpitudes. Il s'agit pour lui de retracer la genèse de son moi, de remonter aux sources de son être et de reconstruire sa vie en marge de l'histoire, déterminée par la contingence et la relativité. Cette absence de la dimension historique dans Les Confessions peut s'expliquer d'abord par la vision critique que l'écrivain se fait de l'histoire et surtout par le dessein qui préside à l'élaboration de son œuvre autobiographique.

La pensée de Rousseau est dominée par le couple antithétique Nature/Histoire, comme l'a montré Henri Gouhier [31], ou nature / culture pour user de la terminologie de Claude Lévi-Strauss. La nature, dans la permanence de l'imaginaire, figure l'originel, l'absolu, la bonté et la liberté acquises en dehors des catégories de la morale, tandis que l'histoire signifie le devenir, le relatif et la fatalité; elle coïncide avec l'irruption du mal dans le monde et les progrès néfastes de la raison, avec l'organisation de la société qui implique que la liberté civile repose sur des garanties politiques et des fondements éthiques. Il en résulte, dans la société moderne, une disjonction entre celui qui choisit de se conformer aux normes de la nature et celui qui s'accepte engagé dans le devenir historique. Jean-Jacques choisit dans Les Confessions le parti de se peindre selon « la vérité de la nature » et non point selon celle de l'histoire. « Je forme une entreprise qui n'eut jamais d'exemple, et dont l'exécution n'aura point d'imitateur. Je veux montrer à mes semblables un homme dans toute la vérité de la nature; et cet homme, ce sera moi » [32]. Il prétend se découvrir au lecteur conformément à l'idéal de la nature, dans une durée affranchie du temps, en quelque sorte dans la perspective de l'éternité. L'optique adoptée dans Les Confessions est certes temporelle dans la mesure où l'écrivain raconte la genèse et le déroulement de son existence en respectant le plus souvent la succession de la chronologie; mais elle dépasse le temps historique en ce sens que Rousseau isole souvent son moi, en le considérant comme un tout séparé de la société et détaché des servitudes de la temporalité. D'une part

[31] Les Méditations métaphysiques de J.-J. Rousseau, pp. 11-47.
[32] Les Confessions, O. C., t. I, p. 5.

l'être est contenu dans les limites du temps, d'autre part il s'inscrit dans la trajectoire de l'éternité ou plus exactement dans le temps circulaire et mythique qui s'étend entre le Principe et la Fin, la Genèse et l'Apocalypse. *Les Confessions* apparaissent comme une entreprise unique par la volonté de transcender le monde pour en appeler en dernière instance au jugement souverain de Dieu, qui est le modèle du Lecteur, le Lecteur par excellence et dans la totalité. Rousseau est en quête de l'authenticité de son moi, au-delà de ses contradictions personnelles et des entraves du réel; il se place délibérément, non dans l'ordre de la vérité historique, mais dans l'atemporalité de la vérité mythique. Davantage qu'il ne raconte sa vie, il reconstruit le *mythe de sa vie* [33], comme la seule entreprise qui permette de restituer le contenu de l'intériorité.

La sincérité que Rousseau a choisie comme critère d'authenticité et justification de l'écriture ne consiste pas seulement à ne rien taire, à ne rien déguiser du mal et à ne rien cacher du bien, mais plus encore à exprimer, par un effort volontaire et constant, la nature de son âme, à révéler les ressorts de son être et ce qu'il appelle ses « dispositions intérieures ». Il écrit l'histoire de sa vie psychique plus qu'il ne fait le récit de son existence extérieure; il cherche à saisir la complexité de son moi, à approfondir et élucider la substance spirituelle de son être « C'est l'histoire la plus secrète de mon âme, ce sont mes confessions à toute rigueur », déclare-t-il dans le préambule du manuscrit de Neuchâtel [34]. Il se concentre en lui-même, descend dans les profondeurs de son âme pour en scruter les recoins obscurs et en déceler les mystérieuses sinuosités. Ecrire ses confessions, c'est avant tout pénétrer dans les replis de son moi par une introspection lucide pour en tirer la quintessence intime et les éléments de la vérité intérieure.

L'objet propre de mes confessions est de faire connaître exactement mon intérieur dans toutes les situations de ma vie. C'est l'histoire de mon âme que j'ai promise, et pour l'écrire fidèlement je n'ai pas besoin d'autres

---

[33] C'est l'expression que C. G. Jung applique à son projet dans *Ma Vie*, p. 19.
[34] *O. C.*, t. I, p. 1155.

mémoires; il me suffit, comme j'ai fait jusqu'ici, de rentrer au dedans de moi[35].

Rousseau ne s'attache pas en priorité au récit des circonstances de sa vie, il ne les rapporte que dans le dessein d'éclairer les mobiles de sa vie affective. Son projet n'est pas d'insister sur la succession des événements qui composent la trame linéaire de son existence, mais de les rapporter pour en dégager la signification morale et psychologique. Les faits n'importent pas fondamentalement par eux-mêmes, mais par les répercussions qu'ils ont sur la vie psychique, par les relations qu'ils entretiennent avec l'activité de la pensée et du sentiment. Rousseau écrit d'Angleterre à Milord Maréchal en 1766: « L'occupation pour les jours de pluie, fréquents en ce pays, est d'écrire ma vie; non ma vie extérieure comme les autres, mais ma vie réelle, celle de mon âme, l'histoire de mes sentiments les plus secrets » [36]. Il ne se soucie nullement de proposer une peinture des événements contemporains ou de brosser une fresque politique et sociale de l'époque; la narration objective des faits et l'exactitude de la chronologie ne le préoccupent pas au premier chef; le récit des événements sert de prétexte à étudier les mouvements de l'âme, de support à l'expression de l'intériorité. La vérité spirituelle conserve sans cesse la primauté sur la vérité des faits dans le projet de Rousseau. « J'écris moins l'histoire de ces événements en eux-mêmes [ceux de sa vie] que celle de l'état de mon âme, à mesure qu'ils sont arrivés. [...] Les faits ne sont ici que des causes occasionnelles » [37]. La connaissance des faits, immédiatement accessible, ne présente guère d'intérêt; ce qui importe, ce sont l'analyse des causes et l'explication des faits grâce à l'élucidation étiologique. Seul l'auteur peut accomplir sur lui-même et sa vie ce travail de sondage, d'éclaircissement des profondeurs et d'exégèse existentielle. « Les faits sont publics, et chacun peut les connaître; mais il s'agit d'en trouver les causes secrètes. Naturelle-

---

[35] *Les Confessions, O. C.*, t. I, p. 278. L'expression, « l'histoire de mon âme », appliquée à l'œuvre autobiographique, est reprise dans le texte destiné à introduire la lecture des *Confessions, O. C.*, t. I, p. 1185, et dans les *Dialogues, O. C.*, t. I, p. 903. Cf. Jean-Louis Lecercle, *Un Homme dans toute la vérité de sa nature* dans *Revue des sciences humaines*, 1976, N° 161, pp. 5-17.

[36] *Correspondance générale*, t. XV, p. 338.

[37] *O. C.*, t. I, p. 1150.

ment personne n'a dû les voir mieux que moi; les montrer c'est écrire l'histoire de ma vie » [38]. Les événements rapportés sont au service de la peinture du moi, au service d'une entreprise subjective, dictée par les choix que l'écrivain ne peut manquer d'opérer et l'exigence de la vérité intérieure qu'il s'impose. La continuité et la succession de son moi dans le temps ne sont assurées que par « la chaîne des sentiments », par l'activité de la mémoire affective, qui relie le passé vécu au présent de l'écriture. Les Confessions sont une narration vue du dedans et établie sur la vérité du sentiment.

Rousseau veut peindre son âme en nous racontant l'histoire de sa vie, ce qui compte par-dessus tout n'est pas la vérité historique, c'est l'émotion d'une conscience laissant le passé émerger et se représenter en elle. Si l'image est fausse, du moins l'émotion actuelle ne l'est pas. La vérité que Rousseau veut nous communiquer n'est pas l'exacte localisation des faits biographiques, mais la relation qu'il entretient avec son passé [39].

L'exactitude et la sincérité que Rousseau revendique sont tout intérieures. La démarche qui lui est la plus familière dans Les Confessions consiste à remonter du récit des effets à l'examen de leurs causes, de l'exposé des faits de l'existence à la perception de leur essence. Il narre les événements de sa vie dans la mesure où ils permettent le dévoilement du moi, la manifestation des principes qui en déterminent le comportement. Il se préoccupe de satisfaire à l'idéal de la limpidité et de dissiper toute trace d'opacité, en variant « les points de vue », en multipliant les angles de la vision, afin que le lecteur parvienne à déchiffrer son être, à saisir les mobiles et les impulsions qui l'animent. Le projet véritable des Confessions est la quête de la transparence à l'intérieur de soi et à l'égard de son lecteur.

Je m'applique à bien développer partout les premières causes pour faire sentir l'enchaînement des effets. Je voudrais pouvoir en quelque façon rendre mon âme transparente aux yeux du lecteur, et pour cela je cherche à la lui montrer sous tous les points de vue, à l'éclairer par tous les jours, à faire en sorte qu'il ne s'y passe pas un mouvement qu'il n'aperçoive, afin qu'il puisse juger par lui-même du principe qui les produit [40].

---

[38] O. C., t. I, p. 1151.
[39] Jean Starobinski, J.-J. Rousseau, la transparence et l'obstacle, p. 236.
[40] Les Confessions, O. C., t. I, p. 175.

Rousseau entend découvrir les puissances génétiques de son moi et les faire découvrir au lecteur, pénétrer dans les couches profondes, dans « le labyrinthe obscur et fangeux » de son âme; il prétend scruter sa vie secrète, consciente et inconsciente, afin de la faire affleurer à la surface de l'être et de la révéler dans toute sa complexité au regard du lecteur. Il s'agit d'une descente dans les ténèbres du moi pour les explorer impitoyablement, d'un effort d'introspection qui s'applique à dévoiler les ombres et les mystères en les projetant dans la plénitude de la lumière.

> Dans l'entreprise que j'ai faite de me montrer tout entier au public, il faut que rien de moi ne lui reste obscur ou caché; il faut que je me tienne incessamment sous ses yeux; qu'il me suive dans tous les égarements de mon cœur, dans tous les recoins de ma vie [41].

La fin des *Confessions* est d'atteindre à la transparence de l'âme dont l'éclat et le rayonnement sont destinés à se prolonger indéfiniment dans la durée. La vérité et la clarté que Rousseau veut perpétuer n'appartiennent pas à l'ordre des circonstances historiques, mais ressortissent à l'éthique en se fondant sur « les directions morales » de la conscience, comme il le précise dans la *IVe Promenade*: « La profession de véracité que je me suis faite a plus son fondement sur des sentiments de droiture et d'équité que sur la réalité des choses » [42]. Les faits sont le miroir plus ou moins trouble à travers lequel l'âme de Jean-Jacques cherche à déceler les signes de sa clarté. L'écriture autobiographique est l'acte par lequel se produit le dévoilement de la lumière et qui revêt la propriété de rendre le cœur de Rousseau « transparent comme le cristal ».

La vérité prétendument historique est de toute manière altérée par les choix auxquels se livre l'écrivain, par les vides inévitables et les infidélités de la mémoire. La vie est marquée par l'alternance des temps forts et des temps faibles, tantôt par des événements riches de signification, tantôt par « peu d'événements mémorables », indignes de retenir l'attention du narrateur et du lecteur. Rousseau fait un filtrage entre ce qu'il juge important ou insignifiant à l'aide d'une

[41] *Ibid., O. C.*, t. I, p. 59.
[42] *Les Rêveries, O. C.*, t. I, p. 1038.

opération commandée par une conception personnelle du sens et de la valeur. Puis sa mémoire n'est ni égale ni continue, elle lui restitue certains épisodes de sa vie avec une extrême précision, alors que d'autres lui échappent, lui apparaissent « par intervalles » ou à travers une brume qui estompe les formes du souvenir. Rousseau reconnaît qu'il lui arrive de « faire des omissions dans les faits, des transpositions, des erreurs de dates » et que la réminiscence ne s'exerce pas toujours avec la même exactitude. Le plus souvent il ne dispose que des éléments enregistrés par sa mémoire, soit qu'ils ressuscitent avec netteté dans le présent, soit qu'ils demeurent indistincts ou même qu'ils se perdent. La mémoire est un guide faillible et inconstant, elle s'obscurcit ou s'égare dans le labyrinthe du passé, comporte des lacunes que l'auteur se doit de combler pour préserver la cohérence du récit. La vie errante, mouvementée de Rousseau et l'absence de documents font que le courant de la mémoire est irrégulier, discontinu par la succession des pleins et des vides.

Il est difficile que dans tant d'allées et venues, dans tant de déplacements successifs, je ne fasse pas quelques transpositions de temps et de lieu. J'écris absolument de mémoire, sans monuments, sans matériaux qui puissent me la rappeler. Il y a des événements de ma vie qui me sont aussi présents que s'ils venaient d'arriver; mais il y a des lacunes et des vides que je ne peux remplir qu'à l'aide de récits aussi confus que le souvenir qui m'en est resté [43].

Rousseau compense l'inexactitude relative des faits que la mémoire lui restitue, en usant des ressources de l'imagination. Les événements, vus à travers le prisme de l'imagination mémoriale, subissent l'action de l'embellissement, de ce que Baudelaire appelle l'« idéalisation forcée ». Ils sont à la fois transposés à l'aide d'« ornements » ou de « charmes étrangers » et reliés entre eux par le lien de la continuité. La littérature autobiographique recourt aux ressorts de l'imagination pour remédier aux omissions de la mémoire et préserver la cohérence du récit; elle ne peut éviter l'intrusion de la fable et de la fiction, quelque répréhensible que soit cette démarche au regard des exigences absolues de la sincérité.

[43] *Les Confessions, O. C.*, t. I, p. 130.

> Je les [mes *Confessions*] écrivais de mémoire; cette mémoire me manquait souvent ou ne me fournissait que des souvenirs imparfaits et j'en remplissais les lacunes par des détails que j'imaginais en supplément de ces souvenirs, mais qui ne leur étaient jamais contraires [44].

Bien qu'il respecte la succession chronologique dans le récit de sa vie, Rousseau est loin de s'assujettir à une stricte linéarité et il use du temps avec une certaine liberté. Il joue avec les dimensions de la temporalité, soit qu'il anticipe en faisant allusion à des événements qui seront racontés ultérieurement, soit qu'il opère des retours à un passé déjà évoqué. Il recourt constamment dans la trame temporelle du récit à ce que Gérard Genette nomme la *prolepse* et l'*analepse* [45] — encore que les anticipations soient sensiblement plus fréquentes dans le texte que les rétrospections, comme si l'écrivain était, malgré lui, sollicité dans l'écriture par une espèce d'urgence à empiéter sur l'avenir. Ecartelé entre le temps de l'aventure vécue, revivifiée par le souvenir, et le temps présent de la composition du récit, Rousseau parvient à les réconcilier par la durée de la vérité affective et par la vertu recréatrice de l'écriture. Le sentiment et l'écriture ont le pouvoir d'intégrer le passé dans le présent grâce à la collaboration de la mémoire et de l'imagination. Il s'agit d'une transmutation par laquelle l'écrivain reconstruit l'unité et la succession de son existence. Rousseau « transforme sa vie en roman », écrit Jean-Louis Lecercle [46], je serais plutôt tenté de dire qu'il la transforme en mythe. L'impossibilité de proposer au lecteur une relation objective des faits biographiques et de satisfaire à quelque critère évident de la notion de sincérité implique que le récit des *Confessions* soit soumis à une transposition mythique. En recomposant sa destinée par les moyens du langage, Rousseau lui confère l'exemplarité d'une fable ou d'une légende. Le récit autobiographique débouche sur l'élaboration d'un « mythe du Moi » [47], en tant qu'il est le moyen privilégié de signifier le message de l'intériorité et la relation

---

[44] *Les Rêveries, O. C.*, t. I, p. 1035.

[45] Cf. *Figures III*.

[46] *Rousseau et l'art du roman*, p. 376.

[47] La formule est de Philippe Lejeune, *L'Autobiographie en France*, p. 105.

du Je avec l'univers. Il dépasse les données de l'histoire, rejetées à l'arrière-plan de la narration, qui se concentre sur la recherche d'une vérité spirituelle et ontologique. « L'autobiographie, écrit Georges Gusdorf, est animée par une intention métahistorique; elle se situe selon l'ordre d'une ontologie de la vie personnelle » [48]. Le récit auto-biographique accède à l'unité de l'être, non au niveau de l'histoire, mais à celui du vécu transposé en mythe, de telle sorte que *Les Confessions* apparaissent dans la littérature comme une entreprise nouvelle qui s'attache à inventer une mythologie du moi, résultant de la métamorphose des éléments de l'existence, ressuscités dans l'espace du dedans.

On ne saurait toutefois se contenter d'une telle affirmation géné-rale, il importe de la vérifier à partir du texte. Peut-être serait-il imprudent de prétendre que le mythe constitue la structure ou le principe de la cohérence des *Confessions*; en revanche il paraît plau-sible de discerner une trame mythique autour de laquelle l'œuvre s'or-ganise par le phénomène de la répétition thématique qui s'inscrit dans le cadre d'une perspective cyclique: le paradis est sans cesse perdu et reconquis dans les moments divers de la vie, selon une succession où alternent les mouvements de chute et d'élévation. Il en est ainsi parce que la mémoire et l'imagination de Rousseau aiment à remonter à l'originel, à rechercher ce que Bernard Gagnebin et Marcel Raymond appellent d'une heureuse formule « une sorte d'enracinement para-disiaque » [49]. Le projet des *Confessions* ne consiste pas seulement à récupérer le passé par la conjugaison de la mémoire et de l'écriture, mais à se reporter aux sources du moi et à la genèse de son existence pour en fixer les traits de manière à les arracher à l'écoulement de la durée. « [...] Comme si, sentant déjà la vie qui s'échappe, je cher-chais à la ressaisir par ses commencements » [50]. Cette démarche génétique, qui s'accomplit en marge de l'histoire, est proprement mythique chez Rousseau, dans la mesure où elle est liée à la nostalgie

---

[48] *De l'autobiographie initiatique à l'autobiographie genre littéraire*, *Revue d'Histoire littéraire de la France*, novembre-décembre 1975, p. 971.

[49] *O. C.*, t. I, p. XLIII.

[50] *Les Confessions*, *O. C.*, t. I, p. 21.

du paradis perdu que l'écrivain s'applique à retrouver dans certains épisodes majeurs de sa vie. Cette nostalgie, tantôt détrompée, tantôt satisfaite, représente l'une des lignes de force des *Confessions*, de telle sorte qu'elle s'exprime avec plus ou moins d'insistance dans la plupart des douze livres, même dans ceux qui s'attachent à évoquer les chutes, les déchéances et les ruptures. Le mythe du paradis, dans *Les Confessions*, répond en partie à celui de l'âge d'or, tel qu'il apparaît dans les *Discours*, l'*Essai sur l'origine des langues*, *La Nouvelle Héloïse* et *Emile* [51].

Marcel Raymond a justement observé que le livre I des *Confessions* s'articule selon la succession de trois principaux mouvements thématiques: la possession du bonheur défini par l'innocence et la transparence de l'âme, la chute dans l'univers social dénaturé par la présence du mal et le spectacle de l'injustice, et le recours à l'imaginaire qui compense les imperfections du réel par l'invention d'un royaume chimérique; il a également montré que le récit du séjour à Bossey revêt « la valeur d'un mythe », parce que Rousseau renouvelle à son compte l'expérience adamique et déchoit de la condition édénique, en éprouvant que « l'enfance est le berceau terrestre du paradis » [52]. A Bossey, Jean-Jacques a vécu le bonheur de l'innocence originelle et « la simplicité de cette vie champêtre », comparable à la pureté du jardin d'Eden et aux douceurs paisibles de l'âge d'or. Mais la révélation du mal l'a séparé de son enfance et l'a exclu des joies innocentes du paradis, en lui imposant l'épreuve de la rupture.

Là fut le terme de la sérénité de ma vie enfantine. Dès ce moment je cessai de jouir d'un bonheur pur, et je sens aujourd'hui même que le souvenir des charmes de mon enfance s'arrête là. Nous restâmes encore à Bossey

---

[51] Philippe Lejeune, dans *Le Pacte autobiographique*, a déchiffré la cohérence du livre I des *Confessions* en se référant à la mythologie de l'âge d'or, telle qu'elle est présentée dans *Les Travaux et les jours* d'Hésiode et dans *Les Métamorphoses* d'Ovide. Il s'est attaché à montrer que le mouvement général du livre obéit à une « dégradation progressive » où la chute est suivie d'une remontée et d'une nouvelle rupture. Le livre est composé de la succession des quatre âges et de cinq ruptures, la dernière rupture coïncidant avec l'exil. Cf. pp. 87-144 et le schéma de la p. 96. Une telle lecture, pertinente dans le cas du livre I, ne saurait toutefois s'appliquer à l'ensemble de l'œuvre.

[52] *Jean-Jacques Rousseau, la quête de soi et la rêverie*, p. 106.

quelques mois. Nous y fûmes comme on nous représente le premier homme encore dans le paradis terrestre, mais ayant cessé d'en jouir [53].

Rousseau est dominé par le tourment de la division et le sentiment de l'exil sur une terre en proie à la faute, au mensonge et à l'injustice; l'innocence enfantine s'est à jamais altérée et la vision même de la nature s'est ternie derrière un *voile* d'obscurité. La « dépense » où le graveur Ducommun entrepose sa provision de pommes semble à Jean-Jacques « le jardin des Hespérides » ou l'équivalent d'un Eden, protégé par un interdit qu'il est séduisant de transgresser. Mais ce paradis tout matériel n'apporte pas l'immortalité, comme les pommes d'or des Hespérides, il est dégradé par la servitude sociale. Ce faux paradis, conçu avec la complicité de l'imagination adolescente, est un lieu de convoitise, associé à l'apprentissage du vol; il signifie une nouvelle rupture, une nouvelle étape sur le chemin de la chute et de l'exil.

Bien qu'il se déploie sous le sceau des figures idéalisées de Mme de Warens et de Mme Basile, le livre II est presque dépouillé de réminiscences paradisiaques, tout consacré à la chute de l'adolescent dans la vie sociale, à ses faiblesses, ses misères et ses trahisons. En traçant le premier portrait de Mme de Warens, idéalisé par la poésie mémoriale, le futur converti se persuade qu'« une religion prêchée par de tels missionnaires ne pouvait manquer de mener en paradis ». Le catholicisme, paré des prestiges physiques de Mme de Warens, apparaît à Jean-Jacques comme une invitation à jouir d'un bonheur terrestre et plus encore supraterrestre. L'établissement à Annecy rappelle, dans le livre III, le séjour à Bossey et préfigure celui des Charmettes. Rousseau y découvre les joies de la vie champêtre et de la contemplation, suscitée par la vision de la verdure. « C'était, depuis Bossey, la première fois que j'avais du vert devant mes fenêtres. » La présence de Mme de Warens s'identifie avec le décor végétal et surtout avec la renaissance du printemps, qui est, au regard de Rousseau, la vraie saison paradisiaque, « le signe mémoratif » du temps harmonieux de l'âge d'or. « Je la voyais partout entre les fleurs et la verdure; ses

[53] *Les Confessions*, O. C., t. I, p. 20. Dans le manuscrit de Neuchâtel, Rousseau avait précisé, en parlant d'Adam, *après sa chute*.

charmes et ceux du printemps se confondaient à mes yeux » [54]. Le livre IV, consacré à la liberté du vagabondage, est l'un des plus riches par les allusions implicites ou explicites à la mythologie du paradis. L'idylle des cerises associe le sentiment de l'innocence édénique à la sensualité joyeuse. Au cours de ses errances, Rousseau découvre les plaisirs modestes du quotidien et les jouissances perçues dans l'immédiateté, qui lui paraissent supérieures à la félicité et aux « biens futurs » de l'au-delà. « Le moindre petit plaisir qui s'offre à ma portée me tente plus que les joies du Paradis. » Parmi ces bonheurs, le plus sensible est celui du voyage à pied, qui déclenche mille pensées et stimule la contemplation. Le mouvement de la marche procure une extase, ressentie comme une participation à la nature, une conquête de l'espace et une ouverture par laquelle on accède au paradis terrestre. « Je sentais qu'un nouveau paradis m'attendait à la porte; je ne songeais qu'à l'aller chercher » [55]. La marche fixe l'attention de Rousseau sur les objets de la nature et l'incite à découvrir ici-bas les traces de l'Eden, en l'arrachant au spectacle intérieur de l'*empyrée* où son imagination se plaît à vaguer. Au contraire le livre V est pauvre en images édéniques, qui ne sont guère qu'ébauchées à travers la vocation de la musique et surtout l'arrivée aux Charmettes, consacrant, après le temps de l'exil, le retour en paradis, la possession « du bonheur et de l'innocence », recouvrés dans la solitude. Le livre VI célèbre le temps idyllique des Charmettes, de l'enfance reconquise sous la protection maternelle de Mme de Warens, le bonheur durable, destiné à être vécu et senti de l'intérieur, mais impossible à narrer, à circonscrire par l'imperfection des mots. Le retour aux Charmettes après l'hiver devient le symbole de la renaissance spirituelle dans l'Eden retrouvé. « Revoir le printemps était pour moi ressusciter en paradis. » Le libre épanouissement de l'affectivité, la félicité de la rêverie, les charmes de l'oisiveté et le sentiment de vivre dans un éternel présent correspondent à « ces tranquilles jouissances [qui] ont la sérénité de celles du paradis ». Mais les saisons des Charmettes, comme le séjour à Bossey, s'achèvent par la rupture et l'exil, par la

[54] *Ibid.*, *O. C.*, t. I, p. 105.
[55] *Ibid.*, *O. C.*, t. I, p. 163.

destruction du bonheur dont la permanence est inaccessible dans le flux incessant du temps. « Je sentis mon ancien bonheur mort pour toujours. » Jean-Jacques est désormais exclu de son paradis et contraint de lier son destin aux dégradations de l'existence sociale.

De l'aveu même de Rousseau, la seconde partie des *Confessions* est assombrie par l'engagement dans l'univers social et dans la carrière des lettres, par les luttes, les querelles et le complot tramé contre lui. Le ton change et s'écarte de sa limpidité initiale, marqué qu'il est par l'inquiétude, par le recul du lyrisme poétique qui a fortement empreint de ses couleurs la première partie de l'œuvre. Pourtant le mythe du paradis, bien qu'il perde de son importance, ne s'efface pas; il se déplace pour s'inscrire dans un contexte différent, il n'est plus associé à la quête du bonheur, mais surtout à l'enthousiasme de la création littéraire. Rares sont les références à la joie paradisiaque dans le livre VII: la seule qui soit frappante concerne la révélation de la musique italienne à Venise. Alors qu'il s'est endormi au concert, Jean-Jacques est brusquement réveillé par la douceur d'un air qui lui communique une jouissance extatique, traduite en raccourci par cette phrase: « Ma première idée fut de me croire en paradis ». Si les charmes de la musique sont réellement édéniques, ceux de la Zulietta, bien qu'ils dépassent ceux des « houris du paradis », sont trompeurs, fondés sur la séduction des apparences et procurant l'illusion d'une jouissance charnelle pour laquelle Rousseau se sent peu d'aptitude. Comme « le jardin des Hespérides » du livre I, ils proposent un faux paradis qui ne satisfait que les appétits. Au début du livre VIII, Rousseau décrit l'illumination de Vincennes, qui suscite en lui la vision d'« un autre univers » et produit une brusque transformation de son être. Le *Deuxième Dialogue* précise que cet « autre univers » correspond à « un véritable âge d'or », débarrassé des préjugés et des servitudes dont la société est prisonnière. Ou bien, pour méditer le *Discours sur l'origine de l'inégalité*, Rousseau *s'enfonce* dans la forêt de Saint-Germain afin d'y découvrir « l'image des premiers temps », les vestiges de cet état de nature dont l'existence conjecturale est au centre de son système. Le livre IX commence par l'installation à l'Ermitage et le retour à la vie champêtre, évoquant le souvenir des Charmettes par le contact avec le monde liquide et végétal, par les promenades accompagnées du chant des oiseaux. Rousseau se croit *transporté* « en idée au bout du monde »; il projette le délire de sa passion dans « le pays des chimères » et recherche le paradis, non plus dans l'espace terrestre, mais dans l'empyrée, parmi des « sociétés de créatures parfaites », forgées de toutes pièces par l'essor compensateur de son imagination. Le printemps concourt à exalter son amour pour Sophie d'Houdetot, en compagnie de laquelle il pénètre « dans un pays enchanté ». C'est avec la substance de ces souvenirs paradisiaques qu'il compose *La Nouvelle Héloïse*, nourrie de ses « brûlantes extases ». L'Eden est associé dans le livre X au phénomène de la création et au sentiment de l'insularité, éprouvé au Petit Château de Montmorency. Le dernier livre d'*Emile* emprunte son enchantement au décor dans lequel il a été rédigé: l'alliance de la verdure et de l'eau; la fusion harmonieuse des sensations visuelles, auditives et olfactives stimule l'inspiration de Rousseau. Le plaisir de l'écriture, la solitude paisible et la simplicité de l'existence lui restituent cette innocence qui est le signe du paradis retrouvé.

C'est dans cette profonde et délicieuse solitude qu'au milieu des bois et des eaux, aux concerts des oiseaux de toute espèce, au parfum de la fleur d'orange je composai dans une continuelle extase le cinquième livre de l'*Emile* dont je dus en grande partie le coloris assez frais à la vive impression du local où je l'écrivais.

[...] J'étais là dans le Paradis terrestre; j'y vivais avec autant d'innocence, et j'y goûtais le même bonheur [56].

Le livre XI ne contient guère de réminiscences de caractère mythique, sinon l'idée que *La Nouvelle Héloïse* est dictée par des amours vécues « avec des sylphides » et la volonté de préserver dans *Le Lévite d'Ephraïm* le ton idyllique qui convient à la simplicité de l'âge patriarcal. Il s'achève également par l'exil et le livre XII ne serait consacré qu'à la peinture de ce monde de ténèbres dans lequel l'écrivain est emprisonné, s'il n'évoquait le séjour à l'île de Saint-Pierre, ressenti comme une nouvelle et dernière reconquête d'un paradis. L'insularité concentre en elle tous les charmes de l'Eden, tels que Rousseau les a vécus à Bossey, aux Charmettes et à Mont-

[56] *Ibid.*, *O. C.*, t. I, p. 521.

morency: la contemplation de la verdure et de l'eau, la promenade et l'herborisation, la solitude et l'oisiveté propices au rêve éveillé. La décision de se confiner dans l'espace insulaire procure à Jean-Jacques des joies paradisiaques; la perception de la succession du temps est abolie et les loisirs de la méditation délivrent des embarras de l'acte d'écrire. Les extases de la rêverie persuadent l'écrivain qu'il connaît par anticipation la félicité de l'au-delà. « C'est la vie des bienheureux dans l'autre monde, et j'en faisais désormais mon bonheur suprême dans celui-ci » [57]. Mais le sentiment d'avoir rejoint le paradis par ses propres moyens est de courte durée, brutalement détruit par un nouveau bannissement, comme s'il était impossible de le satisfaire dans les limites de l'espace terrestre et humain. L'espérance de se construire ici-bas un royaume d'élection est soumise aux vicissitudes incessantes de la chute et de l'exil.

Le thème du paradis retrouvé ou perdu figure dans la plupart des livres des *Confessions* comme un cycle de moments ou de relais qui ponctuent la composition de l'œuvre, sans en commander nécessairement l'architecture. Rousseau convertit en récits mythiques les temps heureux de son existence, il les transfigure pour les soustraire aux variations de la durée et aux contraintes de l'histoire. En suggérant au lecteur une interprétation et une transposition subjectives de certains épisodes de sa vie, il se hisse au niveau de l'exemplarité mythique, capable de traduire les mystères de l'intériorité dans un temps arraché à la pure linéarité. Le mythe du paradis est, dans *Les Confessions*, circulaire par le phénomène de la répétition, il est un *leitmotiv* qui tantôt sourd discrètement tantôt éclate comme un rythme périodique, s'imprimant dans la trame du récit. Il permet à Rousseau d'exprimer le drame ontologique qu'il a vécu dans l'alternance des mouvements d'élévation et de chute, puis d'harmoniser ces pôles contraires par le pouvoir unificateur du langage. Le mythe, porteur de l'affectivité, est le modèle de cette représentation archétypale de l'être à travers laquelle l'écrivain est en quête de l'identité de son moi. Il réconcilie le vécu et l'imaginaire, soudés indissolublement par le geste de l'écriture qui dépasse, en les sublimant, les fluctuations du temps et de l'histoire.

[57] *Ibid.*, *O. C.*, t. I, p. 640.

III

MYTHES COLLECTIFS ET INDIVIDUELS

Le thème du paradis n'est pas lié à la seule expérience du vécu telle qu'elle est rapportée dans *Les Confessions*, il se retrouve dans l'œuvre de Rousseau comme un motif plus ou moins constant, comparable au mythe de l'âge d'or [1]. Mais le paradis et l'âge d'or ne s'identifient pas, en ce sens que le premier peut à chaque instant être perdu et reconquis dans la trame de l'existence et que le second représente une phase de la condition humaine, qui se situe dans un passé disparu, impossible à récupérer, sinon au niveau de l'intériorité. Chez Rousseau, l'expérience édénique appartient plutôt à la mythologie individuelle, incessamment revécue dans l'ordre de l'affectivité subjective, tandis que l'âge d'or appartient à la mythologie collective, dans la mesure où il incarne un moment préhistorique d'un destin commun à l'ensemble de l'humanité. Bien que le mythe revête toujours la portée de l'exemplarité, il s'applique dans l'œuvre de Rousseau tantôt à un être individualisé, tantôt à un être collectif: d'une part la quête personnelle du paradis, certains personnages historiques tels que Lycurgue, Caton ou Socrate, des figures mythiques telles que Narcisse, Pygmalion ou Robinson, d'autre part l'état de nature — pour autant que l'on soit en droit de le définir comme un mythe —

---

[1] Ce mythe a été étudié dans mon ouvrage, *Jean-Jacques Rousseau et la réalité de l'imaginaire*, chapitre VI, « L'âge d'or est insulaire », pp. 137-162, puis par Jean Terrasse, *Jean-Jacques Rousseau et la quête de l'âge d'or*. Les deux ouvrages appellent des objections: le premier a le tort de confondre le paradis et l'âge d'or, alors qu'il convient de les distinguer dans leur nature, le deuxième a le tort de considérer l'âge d'or dans une extension trop souple et dans une optique trop générale, de ne pas spécifier qu'il correspond à une étape intermédiaire entre l'état de nature et l'état civil.

l'âge d'or, la cité antique ou idéale (Sparte, Rome au temps de la
République, Genève), l'image idyllique du peuple et la fête éprouvée
comme un temps et un espace où l'homme redécouvre l'innocence et
la simplicité des commencements. Ce sont quelques-uns de ces mythes
individuels et collectifs qu'il importe de considérer: le paradis et l'âge
d'or, l'image archétypale du peuple dans les temps modernes, Narcisse
et Pygmalion, puis Robinson, afin de discerner comment Rousseau
les a renouvelés, en leur imprimant un sceau personnel à travers le
contenu existentiel ou idéologique dont il les a enrichis.

LE PARADIS

Rousseau n'a jamais eu ni la prétention ni la tranquille assu-
rance qui font proclamer à Voltaire:

Le Paradis terrestre est où je suis.

Le paradis ne saurait être pour lui l'objet d'une propriété attachée à
la présence, mais bien d'une quête remise en question dans tous les
instants de la vie, puisqu'il ne peut être gagné durablement dans
l'espace de l'ici-bas. Jean-Jacques n'appartient pas à la catégorie de
ceux qui ont adopté « cette commode philosophie des heureux et des
riches qui font leur paradis en ce monde »[2], c'est-à-dire à la fois
Voltaire, les philosophes matérialistes du siècle et les privilégiés de
la classe possédante; il est au contraire de ceux qui recherchent sur la
terre un paradis précaire et provisoire, en attendant de mériter celui
de l'au-delà, soustrait aux variations et aux vicissitudes de l'existence.
Il le découvre dans l'estime et la jouissance de soi, en assumant sa
solitude et en se mettant en harmonie avec sa conscience; il en connaît
la fragilité plus que quiconque, pourtant cette quête n'en demeure pas
moins un des fondements éthiques de la vie, en tant qu'elle exige un
effort constant sur soi-même.

L'enfer du méchant est d'être réduit à vivre seul avec lui-même, mais
c'est le paradis de l'homme de bien, et il n'y a point pour lui de spectacle
plus agréable que celui de sa propre conscience[3].

[2] *Dialogues, O. C.*, t. I, p. 971.
[3] *Mon Portrait, O. C.*, t. I, p. 1124.

Si le paradis est, dans *Les Confessions*, un mythe existentiel, associé à la marche et au paysage, à la musique et à l'écriture, il apparaît dans *La Nouvelle Héloïse* et *Emile* comme un mythe de l'amour, débarrassé des obstacles de la sensualité ou de l'érotisme. Selon la seconde préface, le projet de *La Nouvelle Héloïse* tend à prouver que la véritable passion crée par son propre mouvement « un autre univers », un univers fictif auquel elle confère une réalité intérieure et le monde de l'éternité en lequel elle trouve son accomplissement. Puisque « l'enthousiasme de l'amour » se traduit par l'intermédiaire d'un langage *figuré* et hymnique dont le *Cantique des cantiques* offre le modèle, Rousseau considère que la mythologie du *Paradis*, que « les délices du séjour céleste » servent d'images propres à signifier le sacré de l'amour. Si « le pays des chimères » est le royaume de la passion, il ne peut s'édifier, se perpétuer que par les ressources religieuses de l'écriture, amplifiée par le prestige des souvenirs édéniques dont elle se pénètre. En attendant d'accéder au paradis céleste, les amants échafaudent ici-bas un paradis fait de l'harmonie entre la passion et la vertu, entre l'amour et l'exigence de la pureté. « Et l'accord de l'amour et de l'innocence me semble être le paradis sur la terre », écrit Julie à Saint-Preux [4]. Accord difficile et temporaire, qui est brisé par la possession charnelle, puisque l'acte de la possession coïncide avec « une crise de l'amour ». Au livre V d'*Emile*, le précepteur tient le même langage à son élève : l'alliance du désir et de la pureté représente le temps paradisiaque de l'amour, le temps passager du bonheur dont l'équilibre est rompu par l'irruption de la sexualité. Ce moment d'harmonie et de plénitude est précaire, mais, s'il est destiné à s'évanouir, il survit dans la mémoire comme le temps de la jouissance parfaite, qui fait présager à l'âme la béatitude céleste. Bien que les paradis que l'on se crée sur terre ne puissent être qu'éphémères, ils sont une image annonciatrice du Paradis, délivré des servitudes de la chair et des contingences du temps.

O bon Emile, aime et sois aimé ! Jouis longtemps avant que de posséder; jouis à la fois de l'amour et de l'innocence; fais ton paradis sur la terre en attendant l'autre: je n'abrégerai point cet heureux temps de ta vie. J'en

---

[4] *La Nouvelle Héloïse, O. C.*, t. II, p. 51.

filerai pour toi l'enchantement; je le prolongerai le plus qu'il sera possible. Hélas, il faut qu'il finisse, et qu'il finisse en peu de temps; mais je ferai du moins qu'il dure toujours dans ta mémoire, et que tu ne te repentes jamais de l'avoir goûté [5].

Le paradis terrestre peut-il être vécu dans le mariage, sous la forme de cette convenance de l'amour et de l'innocence ? Cet espoir ou cette illusion correspond à un rêve impossible, ainsi que le déclare le précepteur à Emile et Sophie: « J'ai souvent pensé que si l'on pouvait prolonger le bonheur de l'amour dans le mariage on aurait le paradis sur la terre. Cela ne s'est jamais vu jusqu'ici » [6]. Les fragments d'*Emile et Sophie* et surtout *La Nouvelle Héloïse* confirment que cette espérance est chimérique et que le mariage, fondé sur une relation de sérénité, n'est pas compatible avec l'exaltation de l'amour, qui s'accompagne la plupart du temps d'un trouble et d'une inquiétude. Si la passion amoureuse fait entrevoir le paradis par éclairs fugitifs, le mariage procure des joies paisibles, mais non point édéniques.

En revanche tout jardin peut devenir un morceau de paradis, un souvenir vivant et concret du jardin d'Eden, composé de l'amalgame de la verdure et de l'eau. L'Elysée de Julie est l'image immanente de l'Eden, la « recréation mythique du paradis terrestre » [7], où l'on peut goûter par anticipation la félicité de l'au-delà. Julie dit à Saint-Preux: « [...] Des jours ainsi passés tiennent du bonheur de l'autre vie, et ce n'est pas sans raison qu'en y pensant j'ai donné d'avance à ce lieu le nom d'Elysée » [8]. Au regard de l'imagination lyrique, le jardin est empreint des couleurs du mythe, en associant le spectacle des bois et des fleurs au chant des oiseaux et des ruisseaux. Il est l'espace propice à l'herborisation, à cette profonde solitude où Rousseau redécouvre le sentiment de l'existence, le contentement de soi et l'apaisement de la conscience. L'exercice de la botanique métamorphose la nature en une image mémoriale du paradis perdu et lui suggère l'idée qu'« il n'est pas aisé d'imaginer un jardin mieux assorti de plantes que celui d'Eden » [9]. Par opposition à la ville, la campagne est une repré-

[5] *Emile, O. C.*, t. IV, p. 782.
[6] *Ibid., O. C.*, t. IV, p. 861.
[7] La formule est de Bernard Guyon, *O. C.*, t. II, p. 1614.
[8] *La Nouvelle Héloïse, O. C.*, t. II, p. 486.
[9] *Les Rêveries, O. C.*, t. I, p. 1064.

sentation du paradis, où Rousseau découvre, comme Adam avant la naissance d'Eve, la solitude en présence de la végétation protectrice. Il parvient, dans un abri qu'il se compose, à se soustraire à la société importune et à *se circonscrire* de telle sorte qu'il éprouve, durant le temps de sa retraite, la plénitude de la jouissance de soi en accord avec l'univers végétal.

Le moment où j'échappe au cortège des méchants est délicieux et sitôt que je me vois sous les arbres au milieu de la verdure je crois me voir dans le paradis terrestre et je goûte un plaisir interne aussi vif que si j'étais le plus heureux des mortels [10].

Le monde de la nature incarne « le premier paradis de l'homme », situé en deçà de la connaissance du Bien et du Mal, dans l'éclosion de cette innocence, qui évoque « l'image de la simplicité des premiers temps ». Il est le paysage dépouillé dont l'homme conserve la nostalgie et s'efforce de retrouver les vestiges. « C'est un beau rivage, paré des seules mains de la nature, vers lequel on tourne incessamment les yeux, et dont on se sent éloigner à regret » [11]. Cette nostalgie d'un *rivage* de ruisseaux et de verdure est centrale dans la thématique lyrique de Rousseau, définie par une aspiration à rassembler les débris d'un paradis, dispersés dans les asiles les plus secrets de la nature.

C'est dans son œuvre la plus sombre, *Rousseau juge de Jean-Jacques*, que l'écrivain a développé le mythe du paradis ou plus exactement le mythe d'*un monde idéal*, élaboré à mi-chemin de la terre et du ciel, à l'intersection du réel et de l'imaginaire. L'édification de ce mythe s'organise autour de cinq composantes fondamentales qui la déterminent : son ordonnance spécifique, la conformité de l'univers passionnel au modèle de la nature, la distance à l'égard de l'action, la recherche du bonheur et la création d'un langage initiatique. Cet univers idéal et mythique présente des analogies et

[10] *Ibid.*, *O. C.*, t. I, p. 1083. L'herborisation n'est pas seulement un plaisir terrestre, mais une joie totale et digne de l'univers céleste. « J'herboriserai, mon cher hôte, jusqu'à la mort et au-delà ; car, s'il y a des fleurs aux Champs-Elysées, j'en formerai des couronnes pour les hommes vrais, francs, droits, et tels qu'assurément j'avais mérité d'en trouver sur la terre. » Lettre à Du Peyrou du 28 février 1769, *Correspondance générale*, t. XIX, p. 93.
[11] *Discours sur les sciences et les arts*, *O. C.*, t. III, p. 22.

des dissemblances avec l'univers humain. Il est calqué sur la même configuration de la nature et de l'homme, mais il se distingue par la qualité supérieure de sa disposition et de sa beauté, par l'équilibre qu'il instaure entre les choses et les perceptions sensibles. Sa cohérence, dans laquelle ne s'introduit aucune faille, aucun écart, suggère le goût de la contemplation sereine et la volonté de participer à cette totalité harmonieuse, perçue comme le royaume de la communication spontanée et des « jouissances immédiates ».

Figurez-vous donc un monde idéal semblable au nôtre, et néanmoins tout différent. La nature y est la même que sur notre terre, mais l'économie en est plus sensible, l'ordre en est plus marqué, le spectacle plus admirable; les formes sont plus élégantes, les couleurs plus vives, les odeurs plus suaves, tous les objets plus intéressants. Toute la nature y est si belle que sa contemplation enflammant les âmes d'amour pour un si touchant tableau leur inspire avec le désir de concourir à ce beau système la crainte d'en troubler l'harmonie [12].

Ce « monde idéal », dans sa perfection organique et sensible, demeure soumis à l'empire des passions; mais celles-ci, plus intenses et « plus ardentes » que celles des humains, sont aussi plus dépouillées, en quelque sorte décantées, parce qu'elles correspondent aux « premiers mouvements de la nature [qui] sont bons et droits ». Les passions y conservent leur immédiateté originelle, qui fait qu'elles assurent la conservation de l'être, en se fondant sur le « sentiment bon et absolu » de l'amour de soi, qui n'a point encore dégénéré en amour-propre. Elles se déploient dans un espace ouvert, limpide, affranchi de la contrainte des préjugés, des tumultes de la société et du conflit des intérêts. Les relations des êtres entre eux et avec l'harmonie du cosmos sont régies par la loi de la transparence.

Les habitants du monde idéal dont je parle ont le bonheur d'être maintenus par la nature, à laquelle ils sont plus attachés, dans cet heureux point de vue où elle nous a placés tous, et par cela seul leur âme garde toujours son caractère original. Les passions primitives, qui toutes tendent directement à notre bonheur, ne nous occupent que des objets qui s'y rapportent et n'ayant que l'amour de soi pour principe sont toutes aimantes et douces par leur essence [13].

[12] *Dialogues*, *O. C.*, t. I, p. 668.
[13] *Ibid.*, *O. C.*, t. I, p. 669.

Les habitants de cet univers préfèrent le désir à l'agitation, les charmes de la contemplation aux troubles de l'action. « La vie contemplative dégoûte de l'action », déclare Rousseau dans le *Deuxième Dialogue*. Ils sont dominés par leur aspiration à « l'état céleste », auquel ils tendent par une concentration des forces spirituelles, répugnant à affronter les obstacles. Leur désir est ardent, mais il se confine dans l'*inaction*, plutôt que de rompre des barrières ou de vaincre des entraves. Leurs « passions douces et primitives qui naissent directement de l'amour de soi » et sont en conformité avec les impulsions de la nature témoignent de leur énergie psychique et de leur attachement à la vertu. Ce peuple d'*initiés* n'est préservé ni de la faute, ni de l'erreur, mais il n'est jamais mû par la haine ou la méchanceté, par le dessein de porter un préjudice quelconque; il se distingue de la société humaine, non seulement par la droiture de ses intentions et l'innocence de ses penchants, mais par sa distance des préjugés et de l'opinion, son mépris de l'ambition et de la richesse. Le bonheur ne se découvre pas « dans l'apparence mais dans le sentiment intime », dans ce que Rousseau nomme « l'assentiment intérieur », dans le contentement de son être et le goût de l'autosuffisance. Il s'agit d'un mode d'existence, d'une aptitude à *l'art de jouir*, fondé sur le prestige de la liberté, sur une indépendance souveraine à l'égard de toute forme de richesse et de propriété. « Le tourment de la possession empoisonnerait pour eux tout le plaisir de la jouissance »[14]. Il s'agit d'une éthique qui s'établit sur la complémentarité de la *nature* et de la *raison*, réconciliées sous le signe du cœur.

Les habitants du monde idéal se différencient aussi de l'humanité par la nature de leur langage, qui doit être approprié à « l'expression de leurs sentiments et de leurs idées » dans ce qu'ils ont de singulier et de spécifique. Langage de la communication affective, il est perçu immédiatement par les *initiés* « dans la vivacité de son expression », comme le précise Michel Foucault: « Dans ce monde, qui s'enchante de la réalité elle-même, les signes sont dès l'origine pleins de ce qu'ils veulent dire. Ils ne forment un langage que dans la mesure où ils détiennent une immédiate valeur expressive »[15]. Le langage du signe,

---

[14] *Ibid., O. C.*, t. I, p, 672
[15] Introduction à *Rousseau juge de Jean-Jacques*, p. XX.

qui sert de ralliement au peuple des *initiés*, conserve la vertu de l'originel; il exprime la vérité du cœur et il est perçu comme tel de manière qu'il ne saurait être imité ou *contrefait*. Il tire son authenticité de la charge d'affectivité qu'il transmet et de l'identification par autrui du sens dont il est porteur; mieux que tout autre langage, il abolit la distance et instaure la communication directe entre les âmes.

C'est un signe caractéristique auquel les initiés se reconnaissent entre eux, et ce qui donne un grand prix à ce signe, si peu connu et encore moins employé, est qu'il ne peut se contrefaire, que jamais il n'agit qu'au niveau de sa source, et que quand il ne part pas du cœur de ceux qui l'imitent il n'arrive pas non plus aux cœurs faits pour le distinguer; mais sitôt qu'il y parvient, on ne saurait s'y méprendre; il est vrai dès qu'il est senti [16].

« Les habitants du monde enchanté » préfèrent la parole et le signe initiatique à l'écriture; ils écrivent « peu de livres, et ne s'arrangent point pour en faire », à moins qu'ils n'y soient contraints par quelque cause urgente, la défense d'une vérité supérieure ou l'expression d'une pensée originale. Même s'ils se résolvent à écrire sous la pression d'une exigence interne, ils se tiennent à distance du « tripot litté-raire » [17], ils ne considèrent pas l'écriture comme un métier et sont toujours disposés à se retrancher dans le silence ou dans le recours aux signes qui composent un espace où les *initiés* se retrouvent comme en une terre d'élection.

Quelle est la portée de ce mythe d'« un monde idéal » que Rous-seau a placé volontairement au début des *Dialogues*? Robert Osmont observe que cet univers s'édifie non dans l'ordre de la transcendance, mais au niveau de l'immanence: « Ce monde idéal n'est pas trans-cendant au réel comme celui des Idées platoniciennes; il est le monde sensible rendu à sa pureté première, à son harmonie originelle. [...] Ce monde idéal devient immanent puisque Rousseau le retrouve au plus profond de son être » [18]. Il est certes circonscrit par l'espace du réel et il côtoie l'univers humain avec lequel il présente des analogies dans son organisation. On peut toutefois se demander si la compo-

---

[16] *Dialogues, O. C.*, t. I, p. 672.

[17] Belle formule, encore plus vraie et plus actuelle au XXe siècle qu'elle ne l'était au XVIIIe.

[18] *O. C.*, t. I, p. 1619.

sante du réel ne s'enrichit pas de la composante de l'imaginaire, si ce paradis terrestre ne ressemble pas aussi à une sorte d'*empyrée*, conçu par la puissance créatrice de l'imagination. Jean-Jacques est un habitant de ce « monde enchanté », incarné dans l'espace terrestre, et d'« une autre sphère où rien ne ressemble à celle-ci »; l'univers qu'il invente appartient simultanément aux limites de la réalité humaine et au royaume illimité des « régions éthérées » vers lesquelles l'âme contemplative parvient à l'élever « sur les ailes de l'imagination ». Le « monde idéal » s'appuie sur le réel et s'en nourrit, mais il le dépasse en se rapprochant de la nature, en se composant d'une société choisie dont les rapports sont établis sur l'amour de soi, la transparence réciproque et le langage des signes. Il est tissé d'interférences entre le réel et l'imaginaire, de sorte qu'il apparaît comme leur amalgame et le lieu de leur réconciliation dialectique. Il s'intériorise au fur et à mesure que l'œuvre progresse, destiné qu'il est à signifier une expérience spirituelle. Il est une tentative d'insérer le moi individuel de l'écrivain dans une collectivité d'*initiés*, rassemblés par leurs affinités. Mais cette collectivisation du mythe finit par échouer, puisque Rousseau se retrouve seul dans cette société idéale qu'il a forgée au gré de son cœur. Il devient l'unique habitant de cette sphère, où il se réfugie dans sa solitude. Alors que le mythe était promu au début des *Dialogues* à l'ouverture sur le collectif, il se referme autour du noyau de l'être, dont il est chargé d'exprimer la condition unique et singulière. En s'intériorisant, il se coupe de la dimension du collectif, selon un mouvement familier à la pensée de Rousseau pour qui l'expérience du paradis, qu'il soit terrestre ou céleste, s'accomplit sous le signe de la responsabilité du moi. Le mythe du paradis qui se perd et se reconquiert sans cesse n'est vécu par chaque être que pour son compte et en fonction de son éthique.

L'ÂGE D'OR

Il en est autrement de l'âge d'or, célébré par les poètes grecs et latins comme le temps des origines de l'humanité sous le règne de Cronos, c'est-à-dire une condition et un destin propres à une collectivité. Selon *Les Travaux et les jours* d'Hésiode, les hommes, bien que mortels, étaient semblables aux dieux, affranchis de tout souci, « à l'abri des peines et des misères ». Ils demeuraient jeunes, comme s'ils n'étaient pas soumis à l'action du temps, et leur mort était comparable à une chute paisible dans le sommeil. Ils vivaient dans le contentement et éprouvaient un bonheur pacifique, tout en jouissant de la fécondité du sol et de biens multiples, dispensés par la nature. Avec l'avènement de Zeus, ils sont devenus « les bons génies de la terre », chargés de veiller au sort de l'humanité et de lui prodiguer la richesse [19]. Bien qu'il s'identifie avec Cronos dans la mythologie grecque, Saturne, chez les Latins, correspond à une divinité primitive, distincte par sa nature paisible et bienfaisante. L'âge d'or qui fut, selon Ovide, « le premier âge de la création », correspond, dans le Latium, au règne de Saturne, chanté à l'envi au point de devenir un thème courant de la poésie latine [20]. Les hommes vivaient alors dans un commerce familier avec les dieux, dans « la bonne foi et l'honnêteté », sans connaître les frontières de la loi et de la justice, sans éprouver la peur ou la menace du châtiment; ils pratiquaient naturellement la vertu et subsistaient dans la sécurité sur leurs terres, en marge de toute angoisse et des périls du voyage. Le siècle d'or est défini par la pureté et la quiétude: il n'est troublé ni par la haine de la guerre, ni par le bruit de la fabrication des armes. « Au temps de l'âge d'or, écrit Virgile à la fin du Livre II des *Géorgiques*, on n'avait pas encore entendu souffler dans les trompettes, ni crépiter les épées forgées sur les dures enclumes. » Et Tibulle dans ses *Elégies*: « Il n'y avait pas d'armée, pas de colère, pas de guerres, et l'art inhumain du forgeron cruel n'avait pas façonné l'épée ». Le bonheur paisible du peuple n'est pas seulement dû à l'ignorance de la guerre, mais aussi à l'absence du droit individuel de propriété. Les demeures ne sont pas fermées par des portes et les limites des champs ne sont pas

---

[19] Cf. *Les Travaux et les jours*, v. 109-126.

[20] Cette description de l'âge d'or, imaginé par les poètes latins et devenu chez eux un thème commun, s'appuie essentiellement sur les textes suivants: Virgile, *Les Géorgiques*, II, v. 136-176 et 458-540, Horace, *Epodes*, XVI, v. 41-65, Tibulle, *Elégies*, I, 3, v. 35-50, Ovide, *Les Métamorphoses*, I, v. 89-112 et *Les Amours*, III, 8, v. 35-44. L'âge d'or, évoqué par Virgile dans *Les Bucoliques*, IV, se situe dans l'avenir. Le poète n'use pas du passé, exprimant le regret d'une condition antérieure perdue, mais du futur, en tant qu'il traduit une attente, une promesse qui s'accomplira par la naissance de l'enfant.

fixées, comme pour signifier que les terres sont un bien communautaire. « Aucun arpenteur ne délimitait les parcelles du sol », rappelle Ovide. Si le peuple du siècle d'or est dépourvu du sens de la propriété, c'est qu'il n'a besoin de pratiquer ni le commerce ni l'agriculture et qu'il ne connaît pas l'usage des métaux, enfouis « dans les profondeurs ténébreuses de la terre ». La fertilité naturelle produit tous les biens nécessaires à la subsistance de l'humanité, sans qu'il soit besoin de recourir à « la blessure du sol ». Sous le règne de Saturne, les moissons et les légumes, les fruits, les vignes et les fleurs sont fécondés, sans être cultivés et sans exiger le moindre effort de la part des hommes; de même les boissons sourdent spontanément du liquide et du végétal.

Bientôt même la terre, sans l'intervention de la charrue, se couvrait de moissons, et le champ, sans aucun entretien, blanchissait de lourds épis; c'était l'âge où coulaient des fleuves de lait, des fleuves de nectar, où le miel blond, goutte à goutte, tombait de la verte yeuse [21].

L'espace terrestre, dans lequel s'inscrit l'âge d'or, est affranchi de la perception du temps. Les hommes ont le sentiment de vivre dans une sorte d'éternel présent, soustrait à l'écoulement de la durée. C'est l'image du « printemps perpétuel », du « printemps éternel » qui, dans *Les Géorgiques* et *Les Métamorphoses*, représente l'ère idyllique du siècle d'or, image que reprendra Rousseau dans son *Essai sur l'origine des langues*. La résurrection constante du printemps symbolise la perfection de ce présent dans lequel l'humanité mène une existence bienheureuse, dénuée de tout souci et comblée par l'abondance des richesses que la nature lui prodigue. Parfois les poètes latins ont exprimé l'espérance que cet âge d'or disparu renaisse de ses cendres et qu'il devienne une réalité dans le futur, espérance et nostalgie paradisiaques qui sont selon Baudelaire à la racine de tout dessein lyrique: « Tout poète lyrique, en vertu de sa nature, opère fatalement un retour vers l'Eden perdu » [22]. Le siècle d'or évanoui et le paradis disparu sont, pour le poète, l'objet d'une quête intérieure qui se poursuit inlassablement dans l'espace et le temps.

[21] *Les Métamorphoses*, I, v. 109-112.
[22] *Réflexions sur quelques-uns de mes contemporains*, VII, « Théodore de Banville ».

L'œuvre de Jean-Jacques Rousseau, toute pénétrée de vraie poésie, ne contredit pas l'affirmation de Baudelaire; elle n'est pas seulement dominée par la hantise du paradis, mais par la vision mythique de l'âge d'or. Elle contient deux descriptions de ce temps privilégié de la préhistoire, la première au début de la seconde partie du *Discours sur l'origine de l'inégalité*, la deuxième dans le chapitre IX de l'*Essai sur l'origine des langues*, « Formation des langues méridionales », et un certain nombre d'allusions dispersées qui, pour la plupart, vont dans le sens de la volonté d'intérioriser le mythe. L'âge d'or, tel que Rousseau le décrit dans le *Discours* et l'*Essai*, se situe dans un espace mythique, propre aux peuples du Midi, et dans un temps mythique, intermédiaire entre la nature et la société; il correspond à un passage, impossible à déterminer dans la durée historique, de l'innocence de l'état de nature à la fondation de l'état civil. Pendant cet âge patriarcal, les peuples barbares se sont déjà éloignés de ce que Rousseau appelle « le premier état de nature »; ils s'en sont distancés par l'acquisition de certaines *lumières* et par le recours au principe de l'« association libre », antérieure à la naissance de la société. Ils ne vivent plus dans l'ère du commencement absolu, mais dans celle du « progrès presque insensible des commencements »; ils subissent les premiers effets du *progrès* et de la *perfectibilité*, qui les séparent de l'animalité primitive [23]. L'âge d'or ne saurait en aucune manière s'identifier avec la condition originelle de l'état de nature, puisqu'il est engagé dans le processus fatal, qui aboutit à l'institution du langage et à la constitution de la société. Il n'en représente pas moins, en dépit de cette première évolution, un stade d'équilibre et d'harmonie, propice au bonheur de l'humanité.

Pendant le temps idyllique de l'âge d'or, la dispersion spatiale de la race humaine n'est plus aussi totale que dans l'état de nature, puisqu'elle a été réduite par l'organisation en familles et l'usage du langage gestuel. Le chapitre IX de l'*Essai sur l'origine des langues*

---

[23] Jacques Derrida établit la différence suivante entre le *Discours* et l'*Essai*: le premier « veut *marquer le commencement* », enraciné « dans l'état de pure nature », tandis que le second « veut faire *sentir les commencements*, le mouvement par lequel « les hommes épars sur la face de la terre », s'arrachent continûment, dans la société *naissante*, à l'état de pure nature ». *De la Grammatologie*, p. 358.

débute par cet axiome: « Dans les premiers temps les hommes épars sur la face de la terre n'avaient de société que celle de la famille, de lois que celles de la nature, de langue que le geste et quelques sons inarticulés ». Axiome que Rousseau complète et précise par la note suivante: « J'appelle les premiers temps ceux de la dispersion des hommes, à quelque âge du genre humain qu'on veuille en fixer l'époque »[24]. Que faut-il entendre par ces premiers temps qui ont déjà franchi l'état de nature ? Ils sont distincts et distants de la pure origine, mais ils ne sont pas encore insérés dans la durée de l'histoire; ils représentent un temps antérieur au surgissement du temps historique, en ce sens qu'ils « ne font référence à aucune date, à aucun événement, aucune chronologie » et constituent « une strate pré-historique et pré-sociale, pré-linguistique aussi »[25]. Ils coïncident avec une ère mythique, intermédiaire entre le monde originel et le monde engagé dans le déroulement de l'histoire. Les barbares du siècle d'or ne sont plus aussi solitaires que les sauvages de l'état de nature, ils sont groupés en familles qui forment des communautés réduites, régies par les liens de « l'amour conjugal » et de « l'amour paternel »; ils habitent des cabanes et leur mode de vie fortifie les relations familiales, tout en préservant leur indépendance. « Chaque famille devient une petite Société d'autant mieux unie que l'attachement réciproque et la liberté en étaient les seuls liens »[26]. Elle compose un tout autonome, ignorant les « affections sociales » et les clartés de l'intelligence. Le barbare ne connaît pas l'univers et ne se connaît pas lui-même, il n'éprouve que le sentiment de son existence en relation avec le milieu immédiat de la nature et de sa famille. Il se concentre et « se resserre », au lieu de céder au mouvement de l'expansion; il ne vit plus dans l'isolement total, mais selon le système de la séparation, qui satisfait à l'exigence de ses désirs et de ses besoins.

Ces temps de barbarie étaient le siècle d'or; non parce que les hommes étaient unis, mais parce qu'ils étaient séparés. Chacun, dit-on, s'estimait le maître de tout; cela peut être; mais nul ne connaissait et ne désirait que ce

---

[24] *Origine des langues*, p. 91.
[25] Jacques Derrida, *De la Grammatologie*, p. 357.
[26] *Origine de l'inégalité*, *O. C.*, t. III, p. 168.

qui était sous sa main: ses besoins loin de le rapprocher de ses semblables
l'en éloignaient. Les hommes, si l'on veut, s'attaquaient dans la rencontre,
mais ils se rencontraient rarement. Partout régnait l'état de guerre, et toute
terre était en paix [27].

Ce sont les temps de « la vie pastorale », durant lesquels les hommes,
divisés par la distance, s'adonnent à l'élevage, non à l'agriculture,
qui engendrera le droit de propriété et instaurera l'inégalité. La
condition de bergers procure la subsistance, l'habillement et l'habitation; elle se définit par le phénomène de l'autarcie, la vertu de
l'indépendance, qui n'est pas aliénée par le sens de la propriété.
« L'art pastoral, père du repos et des passions oiseuses, est celui qui
se suffit le plus à lui-même. Il fournit à l'homme presque sans peine
la vie et le vêtement; il lui fournit même sa demeure » [28]. Les pasteurs
de l'âge patriarcal jouissent pleinement de la liberté, qui se confond
avec l'indolence, parce que la nature met à leur disposition les forces,
les éléments indispensables à leur existence et que leurs besoins, fort
restreints et satisfaits, ne rendent pas nécessaire la constitution d'une
communauté sociale, soumise aux contraintes du travail et de la
servitude. En cédant aux plaisirs de la quiétude et de l'oisiveté, ils
ont émoussé en eux les énergies primitives et préféré l'indépendance
paisible à une liberté combative et orageuse. L'image du « printemps
perpétuel », empruntée aux poètes latins, exprime ce bonheur de
l'âge d'or, affranchi du temps et établi dans la durée d'un présent
qui n'est encore menacé par aucune altération, l'insistante répétition
du *supposez* adressé au lecteur signifie que Rousseau se place au
niveau de la conjecture et de la métaphore, conviées à fonder la
réalité imaginaire du mythe.

Supposez un printemps perpétuel sur la terre; supposez partout de l'eau,
du bétail, des pâturages: supposez les hommes sortant des mains de la nature
une fois dispersés parmi tout cela: je n'imagine pas comment ils auraient
jamais renoncé à leur liberté primitive et quitté la vie isolée et pastorale si
convenable à leur indolence naturelle, pour s'imposer sans nécessité l'esclavage, les travaux, les misères inséparables de l'état social [29].

[27] *Origine des langues*, pp. 95-97.
[28] *Ibid.*, p. 105.
[29] *Ibid.*, pp. 107-109.

Malgré sa stabilité apparente et son atemporalité, l'âge d'or n'échappe pas à la loi de l'évolution ou même d'un implacable devenir, d'abord imperceptible, puis manifeste: la dispersion tend à se réduire, les rapprochements deviennent les signes de « la société naissante », un « voisinage permanent » et une « fréquentation mutuelle » s'établissent entre les familles, qui forment peu à peu des ébauches ou des embryons de sociétés. Ces premiers rassemblements, produits par les catastrophes cosmiques, par l'essor des désirs et des besoins, favorisent les prémices du langage et contribuent à son perfectionnement. Ils sont « l'ouvrage des accidents de la nature »; les hommes éprouvent la nécessité de s'associer pour se protéger des cataclysmes, pour se liguer contre la violence des phénomènes cosmiques et des forces élémentaires: les déluges et les inondations, les temblements de terre, les volcans et les incendies. Ils s'unissent par instinct de conservation pour conjurer les puissances terrifiantes, destructrices de l'eau et du feu. Ils s'assemblent pour faire front aux « révolutions des saisons », pour tirer profit de la chaleur du feu ou de la fraîcheur des eaux, domestiqués, convertis en éléments tutélaires. Le « feu sacré » du foyer et les cours d'eau deviennent des centres où les relations s'affermissent, où les sociétés se forment et où les langues se développent grâce à l'épanchement de l'affectivité. Au fur et à mesure que « les liaisons s'étendent » et que « les liens se resserrent », les passions s'accroissent, gagnent en intensité et en vivacité; les désirs et les sentiments pénètrent l'âme de leur ardeur, ils se multiplient à l'intérieur des familles à la faveur des rencontres et des fêtes que favorise la vie pastorale. Les passions de l'amour engendrent la jalousie et communiquent au langage une nouvelle énergie. Les hommes acquièrent une espèce de civilité et s'acheminent vers l'inégalité; ils ne se fient plus au seul instinct, mais commencent à recourir à la raison et à concevoir les catégories de la morale. Ce premier éveil de la conscience suffit à témoigner de la distance qui s'instaure entre l'état de nature et « la société naissante ». Il n'en demeure pas moins que l'âge d'or représente le temps de l'équilibre et de la constance, qui règlent la nature des relations humaines, préservées de l'irruption du mal par la pitié.

[...] Rien n'est si doux que lui [l'homme] dans son état primitif, lorsque placé par la nature à des distances égales de la stupidité des brutes et des lumières funestes de l'homme civil, et borné également par l'instinct et par la raison à se garantir du mal qui le menace, il est retenu par la pitié naturelle de faire lui-même du mal à personne, sans y être porté par rien, même après en avoir reçu [30].

Le siècle d'or, qui coïncide avec la naissance des peuples, avec l'éclosion de l'amour et du langage, est le temps mythique durant lequel l'humanité connaît la plénitude de l'harmonie et du bonheur, découvre son assiette dans la complémentarité du repos et du mouvement, de l'oisiveté et de l'action. Il est « la véritable jeunesse du monde » où la félicité est vécue dans la conquête de la mesure, dans la jouissance de la liberté et l'essor naturel de l'affectivité. Cette jeunesse est aussi celle de l'humanité, qui s'initie à la parole et aux gestes du désir.

Ce période du développement des facultés humaines, tenant un juste milieu entre l'indolence de l'état primitif et la pétulante activité de notre amour propre, dut être l'époque la plus heureuse, et la plus durable. Plus on y réfléchit, plus on trouve que cet état était le moins sujet aux révolutions, le meilleur à l'homme, et qu'il n'en a dû sortir que par quelque funeste hasard qui pour l'utilité commune eût dû ne jamais arriver [31].

Dans les pays méridionaux, l'âge pastoral correspond à « l'origine des sociétés et des langues », au temps de la formation des peuples, facilitée par les rencontres de plus en plus fréquentes des sexes, par le commerce toujours plus assidu qui s'établit entre eux. En même temps que la solitude et la dispersion des hommes décroissent, leur sensibilité s'affine et leur cœur s'ouvre aux charmes de l'amour, après s'être dépouillé de sa sauvagerie primitive. C'est autour des espaces liquides que ces rencontres se multiplient, que se produisent les rassemblements de la fête, agrémentés du concours du chant et de la danse, ces « vrais enfants de l'amour et du loisir ». Le langage gestuel se révèle insuffisant dans ses moyens d'expression, il est amplifié par les ressources du langage articulé, chargé de signifier l'intensité de la passion et l'enthousiasme de l'amour. La fête se déploie dans un lieu situé en marge du temps ou lié à une perception purement affective du temps, dans un lieu où l'eau et le feu intérieur

---

[30] *Origine de l'inégalité, O. C.*, t. III, p. 170.
[31] *Ibid., O. C.*, t. III, p. 171.

s'unissent symboliquement. Pour évoquer le bonheur de l'âge d'or, Rousseau use du lyrisme et de la métaphore, comme il aime à le faire lorsqu'il décrit les périodes heureuses de la vie de l'humanité ou de sa propre existence. L'adverbe de lieu, *là*, répété au début et à la fin du paragraphe, ne sert pas seulement à circonscrire l'espace de la fête, mais à traduire la nostalgie qui habite le cœur et l'imagination de l'écrivain.

Là se formèrent les premiers liens des familles; là furent les premiers rendez-vous des deux sexes. Les jeunes filles venaient chercher de l'eau pour le ménage, les jeunes hommes venaient abreuver leurs troupeaux. Là des yeux accoutumés aux mêmes objets dès l'enfance commencèrent d'en voir de plus doux. Le cœur s'émut à ces nouveaux objets, un attrait inconnu le rendit moins sauvage, il sentit le plaisir de n'être plus seul. L'eau devint insensiblement plus nécessaire, le bétail eut soif plus souvent; on arrivait en hâte et l'on partait à regret. Dans cet âge heureux où rien ne marquait les heures, rien n'obligeait à les compter; le temps n'avait d'autre mesure que l'amusement et l'ennui. Sous de vieux chênes vainqueurs des ans une ardente jeunesse oubliait par degrés sa férocité, on s'apprivoisait peu à peu les uns avec les autres; en s'efforçant de se faire entendre on apprit à s'expliquer. Là se firent les premières fêtes, les pieds bondissaient de joie, le geste empressé ne suffisait plus, la voix l'accompagnait d'accents passionnés, le plaisir et le désir confondus ensemble se faisaient sentir à la fois. Là fut enfin le vrai berceau des peuples, et du pur cristal des fontaines sortirent les premiers feux de l'amour [32].

Le siècle d'or s'achève avec l'instauration du droit de propriété, avec l'avènement de l'agriculture et de la métallurgie; lorsque l'humanité a troqué son égalité primitive contre l'inégalité, sa liberté naturelle contre la servitude, elle s'est séparée de l'âge du bonheur et de l'harmonie pour s'engager dans la voie irréversible de la *décrépitude*. Dans le système de Rousseau, tout retour à l'originel est impossible, une fois que l'on s'en est écarté, la marche vers la *perfectibilité* est un mouvement implacable. Le temps de la simplicité et de la pureté est irrévocablement perdu. « Mais la nature humaine ne rétrograde pas et jamais on ne remonte vers les temps d'innocence et d'égalité quand une fois on s'en est éloigné » [33]. Cela est vrai, non seulement de l'état

---

[32] *Origine des langues*, p. 123.
[33] *Dialogues*, *O. C.*, t. I, p. 935.

de nature, objet d'une audacieuse conjecture, mais aussi de l'âge d'or, en tant que réalité mythique. En s'interrogeant sur les fondements de la société, Rousseau observe que l'humanité n'est plus faite pour obéir aux injonctions de la nature, qu'elle est désormais coupée de la liberté et de l'égalité, privée de l'innocence et de la quiétude. Le bonheur de l'âge d'or n'est connu ni des sauvages de l'état de nature, ni des civilisés, qui ont acquis les lumières de l'esprit. Il s'agit d'une condition dont l'humanité n'a pas véritablement pris conscience ou d'une condition disparue dans le temps, d'un mode d'existence dont les hommes ne paraissent jamais avoir été dignes soit par inconscience, soit par inaptitude. Le siècle d'or revêt l'exemplarité d'un mythe ou d'un idéal inaccessible à l'imperfection de la nature humaine.

Insensible aux stupides hommes des premiers temps, échappée aux hommes éclairés des temps postérieurs, l'heureuse vie de l'âge d'or fut toujours un état étranger à la race humaine, ou pour l'avoir méconnu quand elle en pouvait jouir, ou pour l'avoir perdu quand elle aurait pu le connaître [34].

Cette vie est associée à la vertu et à la simplicité, de sorte que le retour à l'âge d'or est impossible dans une société qui a cédé à la corruption et à la dégradation. Lorsqu'un peuple a renoncé à l'intégrité, il n'y revient pas, de même un peuple qui s'est écarté de la vie pastorale ne saurait la retrouver au prix d'un effort ou d'un artifice quelconque. Ce qui est perdu est relégué par les hommes dans le royaume des chimères. « On m'assure qu'on est depuis longtemps désabusé de la chimère de l'Age d'or. Que n'ajoutait-on encore qu'il y a longtemps qu'on est désabusé de la chimère de la vertu ? [35] » L'âge d'or n'est pas concevable en dehors de l'innocence, de l'égalité et de l'harmonie, placées sous la sauvegarde de la vertu.

Tout en étant persuadé que ce qui est perdu ne se reconquiert pas, Rousseau n'est pas de ceux que le scepticisme désabuse à jamais. Il garde au cœur l'espérance que l'âge d'or, perdu par la collectivité ou inconnu d'elle, peut être vécu par une petite communauté telle que celle de Clarens ou au niveau individuel de l'intériorité. Il peut être retrouvé dans l'agrément des travaux de la campagne et surtout

[34] *Du Contrat social*, première version, *O. C.*, t. III, p. 283.
[35] *Dernière Réponse*, *O. C.*, t. III, p. 80.

dans un univers imaginaire que l'écrivain invente à son usage. Aboli dans l'espace et le temps réels, il est recréé par l'imagination dans l'infini de l'espace intérieur et spirituel. Dans la troisième des *Lettres à Malesherbes*, Rousseau avoue qu'il aime à se forger « une société charmante », composée d'« êtres selon son cœur » et il ajoute: « Je me faisais un siècle d'or à ma fantaisie ». Dans le *Deuxième Dialogue*, il précise que l'illumination de Vincennes lui a fait entrevoir « un autre univers, un véritable âge d'or », débarrassé des contraintes et des préjugés qui déterminent le monde social. La dénonciation des insuffisances et des misères du réel suscite la vision d'un univers imaginaire, riche de toutes les perfections. Par un mouvement de compensation, Rousseau se projette dans la réalité du mythe, éprouvée comme la sphère de l'intériorité. L'âge d'or ne saurait ressusciter dans la durée, ni même peut-être dans le décor de la vie patriarcale, puisqu'il représente une condition disparue à jamais de l'espace terrestre. Il ne peut plus revivre que dans le secret du cœur, resurgir de ses cendres par les prestiges de l'amour et la force de l'affectivité.

On traite l'âge d'or de chimère, et c'en sera toujours une pour quiconque a le cœur et le goût gâtés. Il n'est pas même vrai qu'on le regrette, puisque ces regrets sont toujours vains. Que faudrait-il donc pour le faire renaître ? Une seule chose mais impossible; ce serait de l'aimer [36].

Le vrai siècle d'or n'est pas l'objet d'une thématique littéraire, mais d'une expérience spirituelle et d'une jouissance intime. Il ne s'agit pas de l'évoquer en fonction des données fournies par les œuvres poétiques ou par « les traditions », mais de le vivre du dedans, de renoncer à voir en lui une vérité extérieure pour le considérer comme une réalité psychique. Ni les recherches de la science, ni les ornements de la littérature ne contribuent à fortifier ce qui est de l'ordre de la certitude intérieure et de la nostalgie la plus profonde. Il ne suffit pas que l'âge d'or revive à travers les « regrets trop superflus » d'un passé perdu, il faut qu'il renaisse de l'union de deux cœurs, rapprochés par de solides affinités. Il ne se découvre ni dans la solitude ni dans la collectivité, mais dans la rencontre élective de deux âmes; il n'est pas perpétué par l'écriture, comme le croit la tradition poétique, il

---

[36] *Emile*, O. C., t. IV, p. 859.

l'est par les élans sincères de l'affectivité, par la seule épreuve convain-
cante du vécu. Tel est le dernier message contenu dans l'idylle, *Le
Siècle pastoral*, le plus beau et le plus riche des poèmes de Rousseau.

> *Mais qui nous eût transmis l'histoire*
> *De ces temps de simplicité ?*
> *Etait-ce au temple de mémoire*
> *Qu'ils gravaient leur félicité ?*
> *La vanité de l'art d'écrire*
> *L'eut bientôt fait évanouir;*
> *Et sans songer à la décrire,*
> *Ils se contentaient d'en jouir.*
>
> *Des traditions étrangères*
> *En parlent sans obscurité;*
> *Mais dans ces sources mensongères*
> *Ne cherchons point la vérité.*
> *Cherchons-la dans les cœurs des hommes,*
> *Dans ces regrets trop superflus*
> *Qui disent dans ce que nous sommes*
> *Tout ce que nous ne sommes plus.*
>
> *Qu'un savant des fastes des âges*
> *Fasse la règle de sa foi !*
> *Je sens de plus sûrs témoignages*
> *De la mienne au-dedans de moi.*
> *Ah ! qu'avec moi le Ciel rassemble,*
> *Apaisant enfin son courroux,*
> *Un autre cœur qui me ressemble;*
> *L'âge d'or renaîtra pour nous* [37].

Bien qu'elle emprunte quelques éléments aux poètes de l'antiquité
— l'indolence et l'harmonie, la fertilité du sol et les travaux rustiques,
l'absence du droit de propriété et l'image du « printemps perpétuel » —, la vision que Rousseau se fait de l'âge d'or est détachée des

---

[37] *Les Consolations des misères de ma vie, O. C.*, t. II, pp. 1169-1170.

conventions traditionnelles. Elle associe le temps mythique des peuples barbares à l'éclosion des désirs, à la naissance de la société et du langage. L'âge d'or coïncide avec les rassemblements de la fête, qui se situe dans le cadre de la nature et le contexte du sacré. Même s'il est un état disparu et impossible à reconquérir, il peut être revécu dans l'espace de l'intériorité; il ne correspond plus à l'existence d'une communauté, mais à une expérience affective et psychique que chacun est invité à poursuivre en lui. L'âge d'or est recréé par le cœur et recouvre sa valeur mythique en exprimant les contenus de l'âme individuelle. Rousseau est certes persuadé que les temps primitifs de l'innocence et de l'égalité sont à jamais révolus et que le siècle d'or a été englouti par le déferlement de l'histoire, mais il ne s'y résigne pas pour autant et s'applique à redécouvrir les vestiges de cette ère mythique dont la nostalgie l'habite. Il croit en retrouver les traces dans les fêtes publiques, offrant le spectacle de la rudesse et de la liberté, dans la sphère restreinte d'une communauté rustique dont *La Nouvelle Héloïse* propose le modèle, dans l'espace clos des îles ou dans les retraites secrètes de la nature, dans tout lieu propice à la manifestation du sacré. L'âge d'or ressortit désormais à ce langage du mythe, qui a toujours séduit l'imagination de Rousseau comme une réalité perçue dans la substance intime de l'être.

L'IMAGE MYTHIQUE DU PEUPLE

Parmi les sens multiples que revêt le mot *peuple* dans l'œuvre de Rousseau, quatre au moins ont une importance primordiale: les sens général, politique, social et mythique. Dans son acception générale, le peuple constitue l'essence de la nation ou, mieux encore, la composante fondamentale de l'humanité, son identité perçue « dans tous les états » et au-delà de « toutes les institutions civiles ». « C'est le peuple qui compose le genre humain; ce qui n'est pas le peuple est si peu de chose que ce n'est pas la peine de le compter » [38]. Au sens politique du terme, le corps du peuple est défini par l'acte de la souveraineté et par celui de la soumission; il est formé de l'ensemble

[38] *Emile, O. C.*, t. IV, p. 509.

des *citoyens* « comme participants à l'autorité souveraine » et des *sujets* « comme soumis aux lois de l'Etat » [39]. Il représente une communauté ou plutôt une totalité qui s'exprime par le truchement de la volonté générale. Il correspond à un « être collectif », qui, rassemblé, participe à l'autorité législative et s'identifie avec elle, qui établit les lois, s'y soumet de son plein gré, veille à leur respect et à leur application. La volonté du peuple se confond avec « la volonté souveraine, laquelle est générale ». Dans son sens social, le peuple coïncide avec la masse, la partie non possédante de la société par opposition aux classes dirigeantes et privilégiées. Il est issu du contraste entre la pauvreté et la richesse, entre la misère et l'opulence, du clivage instauré par le droit de propriété, par la puissance tentaculaire et corruptrice de l'argent. Souvent dans son œuvre Rousseau prête son attention à la condition misérable du peuple, qu'il dénonce comme un méfait de la civilisation, comme une résultante du luxe, provoquant l'inégalité sociale, et de la répartition injuste des richesses, source de l'asservissement du peuple. Quant à la signification mythique, elle est définie par la vision que Rousseau propose des peuples sauvages ou préservés de toute altération, vivant dans leur « institution primitive » et « dans la simplicité de leur génie originel », alors qu'ils jouissent encore des vertus de l'innocence, de la liberté, de l'égalité et de l'ignorance. Le bonheur idyllique de ces peuples tient au fait qu'ils n'ont pas été contaminés par la pratique des sciences et des arts, qu'ils sont protégés des ravages produits par l'acquisition du savoir philosophique et l'introduction de l'inégalité sociale, qu'ils n'ont pas exercé le commerce et l'industrie soumis à l'esclavage de l'argent. Cette vision du peuple attaché à la simplicité des mœurs, dictée par la méthode de la conjecture et par un phénomène d'idéalisation, est de nature mythique, dans la mesure où elle s'applique à recréer l'épopée de la naissance en se situant dans une perspective génétique. Elle est avant tout perceptible dans la peinture légendaire de Lacédémone et de la Rome républicaine, puis dans cette évocation de « la simplicité des antiques mœurs helvétiques », que Rousseau croit redécouvrir chez les Montagnons et les Valaisans.

---

[39] *Du Contrat social, O. C.*, t. III, p. 362.

La question se pose d'abord de savoir à quel moment de l'histoire hypothétique de l'humanité l'image mythique du peuple prend naissance. Ce ne peut être en aucune manière dans l'état de nature, atemporel, antérieur à l'éclosion de l'histoire, à la constitution des sociétés et à la formation du peuple. Les hommes sont dispersés dans l'univers, ignorant le principe de l'association et de la communauté. Livré à l'immédiateté de son tempérament et de ses instincts, l'homme primitif se concentre sur son être, vit en fonction de sa conservation, non en fonction de l'existence d'autrui. Dans le temps de l'isolement et de la simplicité, les idées de communication sociale lui sont étrangères et la notion de peuple, liée au rassemblement d'une collectivité, ne saurait s'appliquer ni à la condition de l'état de nature, ni aux « premiers temps » de « la dispersion des hommes ». C'est durant l'âge patriarcal que se constituent les sociétés primitives et qu'apparaît le peuple. Celui-ci s'ébauche, se forme peu à peu après la disparition de l'innocence originelle et antérieurement à l'établissement de la société civile, dans les temps de la barbarie, correspondant à « la véritable jeunesse du monde ». L'âge d'or où les hommes vivent de l'élevage du bétail représente une sorte de balance entre l'instinct et la moralité, il concilie les données de la nature et les rudiments de la culture. Le temps pastoral du siècle d'or coïncide avec l'apparition des premiers éléments de la sociabilité. C'est à ce niveau, équilibrant les exigences de la liberté individuelle et du rassemblement de collectivités restreintes, que se dessine l'image mythique du peuple. La communication s'établit entre les hommes et les sexes par l'organisation spontanée de fêtes et de divertissements; les passions naissantes suscitent le perfectionnement du langage. A la séparation originelle succède l'association, le besoin des rapprochements se substitue à la solitude. Dans son *Essai sur l'origine des langues*, Rousseau précise que les temps arcadiens de la barbarie correspondent au « vrai berceau des peuples », que la naissance du langage constitue une étape déterminante du processus de la socialisation. L'idée et la réalité sociale du peuple se concrétisent au cours de cette préhistoire de l'âge d'or, dans ce temps des prémices de la société que Rousseau aime à se figurer selon une vision imaginaire et mythique.

De même que l'homme originel s'est éloigné de l'état de nature, les peuples se sont distancés de la barbarie de l'âge d'or par la pratique conjointe de l'agriculture et de la métallurgie, par la reconnaissance du droit de propriété, l'apparition de l'inégalité sociale et la constitution de l'état civil. Cet éloignement fatal entraîne la décadence et la dégradation de l'humanité, corrompue par la pénétration des arts et des sciences, par l'avènement de la philosophie, mais surtout par l'envahissement de la richesse et du luxe. A ce stade de l'histoire de l'humanité, Rousseau oppose deux types de peuples: les peuples barbares ou sauvages, qui demeurent attachés à la liberté, à l'égalité et à une certaine simplicité naturelle, puis les peuples savants ou policés, qui ont adopté les progrès de la culture et se trouvent réduits à l'esclavage civil. Les premiers se sont « préservés de cette contagion des vaines connaissances » [40] pour sauvegarder leur bonheur et leur vertu, ils respectent une tradition qui les maintient en contact avec le monde de la nature, tandis que les seconds ont opté pour l'univers artificiel de la culture. Parmi les peuples soucieux de la conservation de leur patrimoine naturel, Rousseau range les anciens Perses, les Scythes, les Germains, les sauvages de l'Amérique et les Caraïbes, puis les deux peuples de l'antiquité qu'il n'a cessé de célébrer et dont l'éloignement dans l'histoire facilite la transposition mythique: les Spartiates et les Romains des premiers temps. Du *Discours sur les sciences et les arts* à la *Lettre à d'Alembert* Rousseau fait l'éloge constant de la vertu des Spartiates aux dépens de la civilisation athénienne; leur vertu morale est indépendante de la connaissance philosophique, préservée de la contamination produite par le goût des arts ou par l'ambition des sciences, elle est associée à l'esprit de liberté. Aux yeux de Rousseau, les Spartiates apparaissent comme un peuple exemplaire par « leur vie frugale et laborieuse, leurs mœurs pures et sévères, la force d'âme qui leur était propre » [41], par leur attachement à la vertu et à la simplicité, qui se traduit jusque dans les fêtes nationales, inspirées par l'exigence de l'autonomie. Sparte, « aussi célèbre par son heureuse ignorance que par la sagesse de ses

---

[40] *Discours sur les sciences et les arts. O. C.*, t. III, p. 11.
[41] *Lettre à d'Alembert*, p. 180.

Lois », offre le type d'une « République de demi-dieux plutôt que d'hommes, tant leurs vertus semblaient supérieures à l'humanité » [42]. Quant au peuple romain, il fut à ses origines « ce modèle de tous les Peuples libres » par « cette sévérité de mœurs et cette fierté de courage qui en firent enfin le plus respectable de tous les Peuples » [43]. Il donna à l'univers l'exemple de la rusticité et de la modération, jointes à l'exercice de la puissance et de la liberté. Selon Fabricius, le peuple romain était élu pour remplir la tâche « de conquérir le monde et d'y faire régner la vertu ». Cette représentation idéale que Rousseau se fait des peuples de Sparte et de Rome, conçus comme des archétypes de l'énergie morale, fondée sur la pratique de la vertu et la tension de la liberté, se retrouvera dans la pensée politique de Robespierre. Elle correspond à cette préoccupation éthique qui, à travers Plutarque, domine tout le système de l'écrivain, attentif à établir l'amour de la patrie sur la persévérance dans la vertu, sur les exigences de la liberté, garantie par l'inclination à la simplicité et à la frugalité [44].

Rousseau n'a pas seulement appliqué sa vision mythique aux peuples des temps de la barbarie et de l'antiquité, mais également aux Montagnons qu'il put observer au cours de l'hiver 1730-1731, alors qu'il parcourait les chemins du Pays de Neuchâtel, ainsi qu'il le rapporte au livre IV des *Confessions*. La vision mythique est ici dépendante de souvenirs personnels, il s'agit d'une optique mémoriale ou d'un « mythe-souvenir » [45], transposé par la distance temporelle — près de vingt-huit ans — et l'action recréatrice de l'imagination. Elle s'organise à partir des données plus ou moins confuses de la mémoire, propices à la transposition dans le monde de la chimère. Rousseau idéalise le souvenir qu'il a des Montagnons, de même qu'il poétise, dans la *Ve Rêverie*, son séjour à l'île de Saint-Pierre. Les habitants de la vallée de la Sagne et des Ponts constituent

---

[42] *Discours sur les sciences et les arts*, O. C., t. III, p. 12.

[43] *Origine de l'inégalité*, O. C., t. III, p. 113.

[44] Au sujet de « la fascination spartiate » et du « mythe romain » cf. l'ouvrage de Denise Leduc-Fayette, *J.-J. Rousseau et le mythe de l'antiquité*.

[45] Pierre Hirsch, *Le Mythe des Montagnons*, *Revue neuchâteloise*, n° 19, été 1962, p. 5.

une sorte d'univers patriarcal, autonome et clos, fidèle à l'idéal de la
simplicité, conciliant « le recueillement de la retraite et les douceurs
de la société »⁴⁶, satisfaisant au double principe, apparemment
contradictoire, de la séparation et de la communauté. Ils représentent
une petite société où la liberté et l'égalité sont préservées par l'absence
de tout gouvernement central et de tout système d'échanges établis
sur le numéraire. Leur solitude et leur repliement sur eux-mêmes ne
les empêchent pas de cultiver les liens de la solidarité. L'hiver, « où
la hauteur des neiges leur ôte une communication facile », les contraint
à s'accoutumer à cet isolement et à s'organiser pour en tirer le meilleur
parti possible. « La neige est imaginée comme une barrière propre à
protéger l'innocence, [...] c'est la neige qui garantit la liberté des
Montagnons »⁴⁷. Elle assure leur indépendance de même que la
clôture des eaux isole Jean-Jacques de toute intrusion importune à
l'île de Saint-Pierre. L'eau, la neige et le feuillage des forêts symbolisent la protection naturelle dont les âmes et les peuples solitaires
éprouvent le besoin afin de se prémunir contre les méfaits de la civilisation urbaine et industrielle. Les Montagnons, répartis en familles,
se suffisent grâce aux ressources qu'ils découvrent en eux et grâce au
« génie inventif que leur donna la Nature ». Dans leurs activités pro-
fessionnelles, ils s'opposent au morcellement du travail; chacun
cultive les terres pour soi, chacun exerce plusieurs métiers artisanaux
à son profit et dans l'intérêt commun. Ce rassemblement du travail
est particulièrement sensible dans l'horlogerie où le Montagnon
fabrique lui-même tous les instruments et les pièces nécessaires à la
manufacture de la montre. « Chacun réunit à lui seul toutes les pro-
fessions diverses dans lesquelles se subdivise l'horlogerie, et fait tous
ses outils lui-même »⁴⁸. Le peuple des Montagnons possède une
instruction pratique qui affermit la sûreté de leurs jugements, il exerce,
« pour ainsi dire, par tradition », les arts du dessin et de la musique,
de même qu'il s'adonne aux divertissements, dans la mesure où ils
resserrent les liens de la communauté. Ce peuple, « qui doit son bien-

---

⁴⁶ *Lettre à d'Alembert*, p. 81.
⁴⁷ Pierre Hirsch, *art. cit.* p. 3.
⁴⁸ *Lettre à d'Alembert*, p. 82.

être à son industrie », détient l'heureux privilège de combiner le travail et l'oisiveté, de vivre au niveau de la réalité de l'être, non au niveau de l'apparence et des ornements mensongers. S'il se distingue des peuples sauvages par la régularité du travail, comme eux, il vit en lui, circonscrit par sa condition et ses activités qui le gardent de la contamination des sociétés modernes.

Après avoir évoqué ce destin exemplaire des Montagnons, Rousseau avoue que ses observations incomplètes se sont dissipées sous l'action du temps. Il recompose un tableau idyllique à l'aide des morceaux épars du souvenir.

> Depuis trente ans, le peu d'observations que je fis se sont effacées de ma mémoire. Je me souviens seulement que j'admirais sans cesse en ces hommes singuliers un mélange étonnant de finesse et de simplicité qu'on croirait presque incompatibles, et que je n'ai plus observé nulle part. Du reste, je n'ai rien retenu de leurs mœurs, de leur société, de leurs caractères [49].

Bien qu'il ait parcouru le pays des Montagnons, Rousseau nous en propose une description presque aussi utopique que celle des peuples primitifs et barbares. Selon un mouvement propre à l'esprit de l'écrivain, les conjectures et les embellissements de l'imagination suppléent aux lacunes de la mémoire. Lorsque Rousseau se représente une image idéale ou mythique du peuple, sa vision est commandée par la nostalgie de l'âge d'or.

En s'installant à Môtiers dans le Val-de-Travers, il se rend compte avec le recul que le paysage et les habitants se sont transformés, que l'« antique simplicité », le goût de la rusticité et la passion de la liberté se sont maintenus, mais qu'ils ont été altérés en s'adaptant à l'évolution et en s'inspirant de l'exemple des autres peuples, plus attachés à la recherche et à l'artifice qu'au modèle de la nature. Il ne reconnaît pas les Montagnons, tels qu'il les a vus plus de trente ans auparavant, modifiés qu'ils sont par l'action irréversible du temps.

> J'y croyais retrouver ce qui m'avait charmé dans ma jeunesse ; tout est changé ; c'est un autre paysage, un autre air, un autre ciel, d'autres hommes, et ne voyant plus mes Montagnons avec des yeux de vingt ans, je les trouve beaucoup vieillis [50].

---

[49] *Ibid.*, p. 83.
[50] *Correspondance complète*, t. XV, p. 48.

Ce changement s'est-il produit dans le mode de vie des Montagnons ou dans la vision subjective de l'écrivain ? L'un n'exclut pas l'autre, mais Rousseau éprouve le regret du « bon temps d'autrefois » et il se persuade qu'il s'agit d'une métamorphose de l'angle de la vision, affectée davantage par la réalité du dedans et la charge de l'émotion que par le spectacle des choses extérieures. Le changement est perçu à l'intérieur de l'être plus que par l'observation attentive de l'univers.

> Nous attribuons aux choses tout le changement qui s'est fait en nous, et lorsque le plaisir nous quitte, nous croyons qu'il n'est plus nulle part. [...] Les diverses impressions que ce pays a faites sur moi à différents âges me font conclure que nos relations se rapportent toujours plus à nous qu'aux choses, et que [...] nous décrivons bien plus ce que nous sentons que ce qui est [51].

La description mythique des Montagnons, proposée dans la *Lettre à d'Alembert*, est soumise aux altérations du temps et la représentation mémoriale se transforme par les variations de la sensibilité à travers la durée. Le mythe, en conservant sa valeur d'exemplarité, se détache du réel par l'effet des modifications que lui impose la vision intérieure, tributaire des mouvements de l'affectivité.

Le mythe des Valaisans, dans la lettre XXIII de la première partie de *La Nouvelle Héloïse*, offre-t-il les mêmes caractères que celui des Montagnons ? Si ceux-ci sont protégés durant les longs hivers par l'enceinte de la neige, les habitants du Haut-Valais sont préservés par la rudesse du paysage alpestre, associant le minéral, le végétal et le liquide, de même que par « l'inaltérable pureté de l'air ». La nature, par le contraste de l'austérité et de la douceur, par la qualité du climat et de l'éclairage, favorise la simplicité des mœurs, la sérénité de l'âme, l'acquisition d'une « sagesse égale et sûre » Les Valaisans jouissent d'un bonheur paisible, dans un espace délimité et soustrait aux séductions de la civilisation; ils mènent une existence idyllique, comme en dehors du temps, dans laquelle il est possible de concilier les exigences de l'indépendance avec celles de la sociabilité, de satisfaire aux besoins de la liberté, sans se couper pour autant de toute espèce de communication et sans renoncer à accomplir « tous les devoirs de

[51] *Ibid.*, t. XV, p. 48.

l'humanité ». Leur vie est gouvernée à la fois par l'expansion vers le dehors et par le resserrement de l'être, comme le note Jean Terrasse: « Un double mouvement règle l'existence de ces hommes: un mouvement centrifuge les met en état de s'approprier le monde extérieur; un mouvement centripète les fait se replier sur eux-mêmes »[52]. Ces deux mouvements sont complémentaires de telle sorte que leur vie repose sur un équilibre entre l'individu et la communauté, conformément à l'idéal des sociétés primitives, et se caractérise par la fermeture dans l'espace et l'ouverture sous la forme de l'accueil. Plus encore que les Montagnons, les Valaisans sont mus par « le pur amour de l'hospitalité » et le désintéressement. Ils accueillent les étrangers fraternellement en les laissant disposer de leur liberté et en dédaignant toute somme d'argent en échange de leur hospitalité. Ces petites sociétés dirigent leur économie selon le principe de l'autosuffisance; elles consomment les produits de leurs terres sobrement — sauf le vin, car les Valaisans sont de « déterminés buveurs » — et refusent d'établir un commerce quelconque sur les pouvoirs de l'argent, qui ne leur inspire que du mépris. Leur travail, leur modestie, leur frugalité constituent leur vraie richesse que l'usage du numéraire ne ferait que perdre et altérer. « Si jamais ils ont plus d'argent, ils seront infailliblement plus pauvres. Ils ont la sagesse de le sentir, et il y a dans le pays des mines d'or qu'il n'est pas permis d'exploiter »[53]. L'introduction de l'argent aurait pour effet de corrompre leur bonheur et de les priver de cette vertu du désintéressement, qui est la source de leur grandeur dans la simplicité, de les réduire à la servitude de la vanité et de l'ambition. Les Valaisans composent une communauté agricole autarcique, affranchie des besoins du commerce et de l'industrie, où la liberté et l'égalité ordonnent les relations entre les individus. « La même liberté règne dans les maisons et dans la république, et la famille est l'image de l'Etat »[54]. Toutefois la liberté et l'égalité ne sont pas absolument semblables entre les sexes, puisque « la femme

---

[52] *Jean-Jacques Rousseau et la quête de l'âge d'or*, p. 164.
[53] *La Nouvelle Héloïse*, *O. C.*, t. II, p. 80. Dans la lettre III de la cinquième partie, Rousseau parle à nouveau de ces « mines d'or du Valais que le bien public ne permet pas qu'on exploite ». *Ibid.*, p. 567.
[54] *Ibid.*, *O. C.*, t. II, p. 81.

et les filles de la maison » ont la coutume de « servir à table » les hôtes
« comme des domestiques »; il s'agit d'un *usage*, inscrit dans la tradition de ce peuple qui conserve le privilège de vivre en marge des
conventions et des préjugés de la société citadine. Les Valaisans
connaissent encore la sagesse de l'existence patriarcale et l'innocence
de la rusticité, ils éprouvent les bienfaits de cette pureté dont le
paysage leur offre l'image. Au terme de son voyage en Valais, où
il souhaiterait habiter en compagnie de Julie, Saint-Preux s'écrie:
« Hélas ! j'étais heureux dans mes chimères ».

La vision que Rousseau suggère des peuples montagnon et valaisan est à coup sûr embellie, idéalisée par l'imagination mémoriale.
Elle entraîne le lecteur dans un temps et un espace mythiques, peints
selon les couleurs de l'âge d'or, en fonction d'une nostalgie intime
et d'une tradition poétique: « Il inventa un Valais idyllique et arcadien,
avec toute cette chimère de vie bienheureuse et champêtre, telle que la
veut la vieille tradition du genre qui s'est perpétuée de Théocrite à
Salomon Gessner » [55]. En revanche je ne pense pas que cette vision
se rattache à « la philosophie de l'état de nature », comme le prétend
L. Lathion; elle procède bien plutôt de l'image mythique du peuple
et de la mythologie de l'âge d'or, chères au cœur de Rousseau. L'état
de nature est une conjecture de l'esprit, il résulte de « raisonnements
hypothétiques et conditionnels » qui remontent au-delà de l'existence
des peuples et de toute organisation sociale. Nous sommes, avec la
peinture des Montagnons et des Valaisans, projetés dans l'univers
du mythe, en tant qu'il confère une réalité à l'imaginaire et qu'il nous
réintègre dans une condition plus parfaite que nous avons perdue.
Ces deux peuples, tels que Rousseau les voit, restituent le souvenir
immémorial de l'âge d'or, comme l'archétype d'une vie heureuse qui
survit dans les profondeurs de l'imagination.

Bien qu'il ait jugé entre-temps que le peuple helvétique s'était
corrompu sous l'influence de l'argent et qu'il présentait désormais
un « contraste bizarre de recherche et de simplicité », il en a une fois
encore évoqué l'image mythique dans le *Projet de constitution pour
la Corse*, comme un modèle dont les insulaires peuvent tirer profit,

---

[55] Lucien Lathion, *Jean-Jacques Rousseau et le Valais*, pp. 85-86.

d'autant plus que les deux peuples ont en commun « l'équité, l'humanité, la bonne foi ». Les Suisses sont rendus « laborieux » par leur situation, par leur isolement et la difficulté des communications, qu'ils soient « ensevelis durant six mois sous les neiges » ou « épars sur leurs rochers ». Leur dispersion les contraint à prendre des dispositions pour subvenir à leurs besoins, à adopter un système autarcique selon lequel chacun pratique « dans sa maison tous les arts nécessaires » et se nourrit des produits du sol qu'il cultive. Tous exercent les métiers utiles qui leur permettent d'user à leur profit des forces de la nature et de sauvegarder leur indépendance, grâce à laquelle ils vivent dans le calme et l'harmonie, sans subir les effets funestes des passions. La pauvreté est le garant de leur liberté et de leur égalité, de la concorde qui règne entre eux et des vertus qu'ils pratiquent naturellement dans cette sainte ignorance, propre aux peuples soustraits à l'empire de la civilisation.

> Ce peuple pauvre mais sans besoins dans la plus parfaite indépendance multipliait ainsi dans une union que rien ne pouvait altérer ; il n'avait pas des vertus puisque, n'ayant point de vices à vaincre, bien faire ne lui coûtait rien, et il était bon et juste sans savoir même ce que c'était que justice et que vertu [56].

Mais les Suisses se distinguent des peuples barbares par leur amour de la patrie, qui consolide leur union « par le concert dans les résolutions et le courage dans les combats », les engageant à défendre farouchement leur territoire de toute incursion étrangère. Leur vaillance, leur énergie et leur fidélité à l'idéal de la simplicité font qu'ils sont « sans maîtres, presque sans lois » et qu'ils ne conçoivent pas « l'idée de séparer leur vie de leur liberté ». Tout les incite, le climat et l'économie, les vertus politiques et morales, le courage et le sacrifice aux intérêts de la patrie, à persévérer dans l'attachement héroïque à l'indépendance.

Si le discours sur les Montagnons est essentiellement écrit au présent, celui-ci, inséré dans le *Projet de constitution pour la Corse*, est rédigé au passé, correspondant à une vision mythique qui appartient à un temps révolu. Tant que les Suisses ont vécu dans l'isolement

[56] *Projet de constitution pour la Corse*, *O. C.*, t. III, pp. 914-915.

et la frugalité, ils sont parvenus à maintenir leur liberté, mais ils l'ont perdue du jour où ils ont été séduits par la richesse. Leurs vertus se sont altérées et leur union s'est dissoute par la pratique du mercénariat et une ouverture trop grande sur les pays étrangers, par l'avènement du commerce et de l'industrie, qui ont introduit le luxe et compromis le rendement de l'agriculture. « L'amour de l'argent » a succédé à « l'amour de la patrie » et engendré le mal de l'inégalité. Le peuple des campagnes a émigré vers les villes ou à l'étranger, de sorte qu'il s'est soumis à la dépendance de l'Etat ou des autres Etats. Il a dénaturé la plupart de ses vertus originelles, émoussé son courage et son énergie, détruit les forces conservatrices de l'ordre ancien: l'autosuffisance, la simplicité, l'indépendance et l'égalité. Contrairement à l'évocation du peuple montagnon ou valaisan, la peinture s'accompagne ici de considérations sur les causes de la dégradation du mythe. Dès que le peuple cède à la tentation du progrès et de la richesse, il renonce à se suffire à lui-même et se distance de l'exemplarité mythique, image archétypale de la perfection.

Quelles sont les vertus prédominantes qui caractérisent les peuples mythiques, tels que Rousseau les a imaginés? Ce sont d'abord l'égalité et la liberté. A l'âge pastoral, on n'a pas encore procédé au partage des terres et l'égalité des biens n'a pas été détruite par l'introduction du droit de propriété. Les peuples heureux des temps de la barbarie ignorent le mal de l'inégalité qui divisera la société en pauvres et en riches. Chacun jouit de la liberté naturelle, faite de la disposition de soi et du charme de l'indolence, de l'agrément de céder à ses appétits et à ses penchants. Cette liberté est favorisée par le fait que la communication sociale n'est pas absolument établie et que les peuples se distinguent par la diversité de leurs mœurs et de leurs caractères. Puis l'âge d'or, tout en se séparant de l'innocence originelle, est un état fidèle aux inspirations de la nature et à la simplicité primitive; il signifie un univers lumineux qui se maintient dans cette rudesse et cette pauvreté capables de préserver la sévérité des mœurs. Il parvient à équilibrer l'idéal de la nature avec les rudiments de l'organisation sociale, la rusticité avec la justice si bien que l'homme n'éprouve pas le sentiment d'être divisé par des exigences contradictoires. De toute manière, c'est le peuple, plus particulièrement le peuple des campagnes, qui reste le dépositaire des vérités de la nature. « Les vrais sentiments de la Nature ne règnent que sur le peuple », proclame Rousseau dans une note à la *Lettre à d'Alembert*. Mais la vertu majeure des temps arcadiens est l'ignorance, possible dans une sphère qui n'a pas été corrompue par les inventions de la science, la culture des arts et des lettres ou la connaissance philosophique. Ces temps représentent le moment privilégié que les peuples anciens et barbares ont connu, alors que le savoir n'a altéré ni la simplicité originelle ni la pureté des mœurs. Rousseau définit l'ignorance, nécessaire à la conquête du bonheur, comme une force spirituelle qui, sans contredire à la raison, repose sur le sens des limites humaines et la recherche de la vertu, est associée à la concentration de l'être sur lui-même. Il précise dans sa *Réponse au roi de Pologne*:

> Il y a une autre sorte d'ignorance raisonnable, qui consiste à borner sa curiosité à l'étendue des facultés qu'on a reçues; une ignorance modeste, qui naît d'un vif amour pour la vertu, et n'inspire qu'indifférence sur toutes les choses qui ne sont point dignes de remplir le cœur de l'homme, et qui ne contribuent point à le rendre meilleur; une douce et précieuse ignorance, trésor d'une âme pure et contente de soi, qui met toute sa félicité à se replier sur elle-même, à se rendre témoignage de son innocence [57].

Cette ignorance, conçue comme un état de passivité, permet de sauvegarder la liberté et l'indolence des temps de l'âge d'or. Elle suscite implicitement l'énergie de la vertu, qui correspond à la « science sublime des âmes simples », c'est-à-dire des âmes qui ne se sont point écartées des lois de la nature. La vertu consiste à se dépouiller de tout masque afin que l'être et le paraître coïncident parfaitement. Les peuples sauvages ignorent cette périlleuse dissociation de l'être et du paraître, qui est l'un des produits les plus funestes de la société civile; le monde intérieur et le monde extérieur sont en harmonie au point de former une totalité. Il en est ainsi parce que « le sauvage vit en lui-même », concentré autour du noyau de son être, tandis que « l'homme sociable toujours hors de lui ne sait vivre que dans l'opinion des autres » [58]. Les peuples sauvages se maintiennent dans leur état par le respect de

---

[57] *O. C.*, t. III, p. 54.
[58] *Origine de l'inégalité, O. C.*, t. III, p. 193.

leurs coutumes et la fidélité à leurs traditions. Rousseau, qui redoute les innovations comme nuisibles à l'intégrité des mœurs, estime qu'un peuple ne se conserve que par la recherche de la stabilité et de la permanence. Il écrit dans la Préface de *Narcisse*: « Le moindre changement dans les coutumes, fût-il même avantageux à certains égards, tourne toujours au préjudice des mœurs. Car les coutumes sont la morale du peuple » [59]. La tradition ne représente pas seulement l'agent conservateur des peuples, mais le fondement de leur éthique, qui devrait les préserver des dérèglements de la contagion sociale et urbaine.

Les peuples barbares demeurent fidèles à l'idéal de la vie rustique et s'adonnent à la culture de leurs terres, grâce à laquelle ils conservent leur indépendance. Mais ce système autarcique ne signifie pas une fermeture sur soi, il s'accompagne du sens de la justice et de la pratique de l'hospitalité, propres à toutes les communautés que Rousseau a évoquées dans son œuvre. Même si ces peuples ignorent le concept de la vertu, ils « honorent cependant toujours la vertu », sous la forme de la simplicité austère qu'ils s'imposent, de la persévérance dans la frugalité et l'innocence, protectrice de l'intégrité des mœurs.

A travers l'obscurité des anciens temps et la rusticité des anciens Peuples, on aperçoit chez plusieurs d'entre eux de fort grandes vertus, surtout une sévérité de mœurs qui est une marque infaillible de leur pureté, la bonne foi, l'hospitalité, la justice, et, ce qui est très important, une grande horreur pour la débauche, mère féconde de tous les autres vices. La vertu n'est donc pas incompatible avec l'ignorance [60].

L'exercice de la vertu n'implique pas la conscience des notions du Bien et du Mal, de la relativité des valeurs éthiques, il s'accomplit naturellement, sous l'impulsion d'un instinct inné et à la faveur des qualités du milieu. Les peuples primitifs pratiquent la vertu sans s'embarrasser des catégories instaurées par la morale et la philosophie, puisqu'ils en découvrent le modèle permanent dans les énergies de la nature.

Emile et *La Nouvelle Héloïse* surtout tendent à montrer que ces vertus primitives ou patriarcales ne sont pas irrémédiablement per-

---

[59] *O. C.*, t. II, p. 971.
[60] *Dernière Réponse, O. C.*, t. III, pp. 74-75.

dues, mais qu'elles se perpétuent chez les peuples ou les communautés des campagnes, qui ont gardé le goût de la simple innocence et le sentiment du sacré, exprimé par le rituel de la fête. Ce n'est point dans les capitales et dans les villes que l'on découvre le peuple « sans mélange » et dans son « génie originel », mais dans les campagnes et les provinces lointaines, là où il est attaché à la terre, en se tenant à l'écart de l'industrie et du commerce, là où il maintient le contact avec la nature et se distance de la culture, qui produit la dépravation des esprits et des mœurs. « C'est la campagne qui fait le pays et c'est le peuple de la campagne qui fait la nation » [61]. Ce peuple constitue le fond solide de la nation, le principe de sa conservation étant fondé sur l'ignorance et la simplicité. Dans *Julie*, le peuple se réduit à « la petite sphère » des élus, à « la petite communauté » et à « la société des cœurs », conçue comme « une sorte d'initiation à l'intimité » qui associe les âmes par affinités dans un espace restreint où il est encore possible d'être gai, de se dépouiller des masques et des préjugés sociaux, de faire coïncider l'être avec le paraître. On tente de revivre à Clarens « en vrais Patriarches », en s'adonnant aux plaisirs de la nature et aux travaux de la campagne, en préservant « la simplicité des antiques mœurs helvétiques » dans un cadre propice à l'épanouissement d'un rêve arcadien qui s'incarne dans une terre et dans le comportement des personnages. La communauté de Clarens, calquée sur le modèle de la nature, ne se caractérise pas seulement par son indépendance économique, mais par l'union des cœurs, par l'harmonie morale et psychologique, établie sur les principes de l'ordre et de la convenance réciproque.

Plus que la description de l'Elysée, l'évocation des vendanges se place sous le signe de l'image mythique du peuple et dans un espace sacralisé par la nature religieuse des actes qui s'y accomplissent. « Le travail de la campagne » ranime en l'âme les souvenirs de l'âge d'or et émeut l'imagination, qui réinvente les temps mythiques où la fécondité du sol procurait aux humains un bonheur pur et paisible.

Le travail de la campagne est agréable à considérer [...] C'est la première vocation de l'homme, il rappelle à l'esprit une idée agréable, et au cœur tous

[61] *Emile, O. C.*, t. IV, p. 852.

les charmes de l'âge d'or. L'imagination ne reste point froide à l'aspect du labourage et des moissons. La simplicité de la vie pastorale et champêtre a toujours quelque chose qui touche [62].

La fête des vendanges soustrait l'esprit à l'action du temps et ramène l'imagination à l'époque heureuse des patriarches, à ces « temps d'amour et d'innocence », vécus par Rachel et Ruth dans la douceur de la simplicité. Elle évoque la mémoire de l'antiquité biblique où la possession du bonheur était associée aux travaux et aux agréments innocents de la campagne. Les charmes du présent se dérobent à la durée et sont accrus par la relation qu'ils entretiennent avec le passé mythique, ressuscité par l'aptitude de l'imagination à remonter au niveau de l'originel.

On oublie son siècle et ses contemporains ; on se transporte au temps des patriarches ; on veut mettre soi-même la main à l'œuvre, partager les travaux rustiques, et le bonheur qu'on y voit attaché. O temps de l'amour et de l'innocence, où les femmes étaient tendres et modestes, où les hommes étaient simples et vivaient contents ! O Rachel ! fille charmante et si constamment aimée, heureux celui qui pour t'obtenir ne regretta pas quatorze ans d'esclavage ! O douce élève de Noémi, heureux le bon vieillard dont tu réchauffais les pieds et le cœur ! Non, jamais la beauté ne règne avec plus d'empire qu'au milieu des soins champêtres [63].

Dans sa lettre, Saint-Preux fait allusion aux « dons » et aux bienfaits de Dionysos, puis établit une comparaison avec les Saturnales, qui sont à Clarens « plus agréables et plus sages » qu'à Rome, puisque les vendanges instaurent entre les hommes « la douce égalité », correspondant à « l'ordre de la nature ». Le sens profond de cette lettre est dans la peinture d'une petite société paradisiaque, fondée sur le sentiment du sacré, qui s'exprime par les références à l'Ancien Testament et à la mythologie antique. Il est signifié, comme l'observe Bernard Guyon, « par la redécouverte de réalités primitives, de rites antiques et universels, qui symbolisent et réalisent la communion des hommes entre eux : pain fractionné, vin bu ensemble, travail en équipe, rite de la danse et du feu ; enfin par l'évocation d'un véritable *culte* célébré par la Communauté en l'honneur de l'être qui en est l'irra-

---

[62] *La Nouvelle Héloïse, O. C.*, t. II, p. 603.
[63] *Ibid., O. C.*, t. II, pp. 603-604.

diant foyer, le prêtre et le dieu: Julie ! » [64]. Davantage que le mythe des Montagnons ou des Valaisans, la vision mythique des vendanges à Clarens révèle une dimension religieuse, perceptible à travers la clarté des rapports qui unissent les membres de la communauté restreinte dans « une fête continuelle » et à travers leur accord rendu indissoluble par la présence de la nature. « La petite sphère », formée d'êtres choisis, réalise plus aisément que le peuple l'idéal d'une société où la relation entre l'individu et la collectivité se règle de manière privilégiée, parce qu'elle s'établit sur la communion des cœurs et la primauté de l'affectivité. Elle tire son harmonie et sa force de l'ordre éthique auquel elle s'est élevée avec le concours de la nature et de « l'assentiment intérieur ». Dépassant la réalité politique et sociologique, le mythe de Clarens exprime l'union des âmes enracinées dans une terre, avant qu'elles ne soient délivrées de leurs entraves; au-delà de son contexte communautaire, il signifie le langage du spirituel et la participation du sacré.

NARCISSE ET PYGMALION

Si l'on se réfère aux *Métamorphoses* d'Ovide, les deux mythes de Narcisse et de Pygmalion révèlent un lien commun, en ce sens qu'ils sont des mythes de la misogynie, inspirés par la quête d'une perfection qui est au-delà de la réalité de la femme. Narcisse, dédaigneux de tout le sexe féminin, représenté par Echo et les nymphes, recherche dans le miroir des eaux une image idéale de lui-même, tandis que Pygmalion, révolté par les vices des « impudiques Propoetides », recherche une image idéale de la femme à travers l'œuvre d'art. Epris tous deux de la beauté, l'un croit en découvrir le modèle dans les reflets liquides de son moi, l'autre dans la statue qu'il a façonnée au gré de son imagination. L'un projette son désir sur son double, l'autre le projette sur ce que Baudelaire appelle « un rêve de pierre », en recourant aux prestiges de la création artistique. Narcisse aime une « image mensongère » et inconsistante de lui-même, image dont il n'est séparé

[64] *O. C.*, t. II, p. 1709. Cf. au sujet de la fête et de l'égalité, Jean Starobinski, *J.-J. Rousseau, la transparence et l'obstacle*, pp. 116-129.

que par « une mince couche d'eau » et qu'il faudrait abolir pour qu'il puisse s'unir à elle et ne former qu'un être avec son double. Quant à Pygmalion, « plein d'horreur pour les vices que la nature a prodigalement départis à la femme » [65], il se distance d'elle et compense son refus en sculptant dans l'ivoire le corps d'« une véritable vierge » à laquelle il communique par la puissance de l'art « une beauté qu'aucune femme ne peut tenir de la nature ». Lorsque son œuvre est achevée, il éprouve pour elle de l'amour et « son cœur s'enflamme pour ce simulacre de corps », simulacre non point inconsistant comme celui de Narcisse, mais solide et tangible, dont il fait la « compagne de sa couche ». Le vœu qu'il adresse à Vénus est exaucé: Pygmalion sent que le corps de la statue devient tiède et s'anime peu à peu, que « l'ivoire s'amollit » et que « les veines battent au contact du pouce ». Alors que Narcisse dépérit sous l'action de la passion secrète qu'il conçoit pour son image, Galatée, la statue de Pygmalion, accède à la chaude lumière de la vie et incarne le rêve de la beauté parfaite. Narcisse meurt dans une solitude qui lui est consubstantielle, avant de subir la métamorphose florale; Pygmalion découvre le bonheur dans son œuvre, métamorphosée en une femme vivante, supérieure à toutes les autres femmes, par l'intervention du miracle divin.

A plusieurs années de distance, Rousseau a repris les mythes de Narcisse et de Pygmalion, l'un sous la forme d'une comédie en un acte, l'autre sous celle d'une brève « scène lyrique » ou d'un monologue poétique, qui propose une interprétation originale du mythe. La comédie *Narcisse ou l'amant de lui-même* pourrait s'intituler la guérison du narcissisme, puisque le personnage de Valère finit par se libérer de l'amour de soi et se convertir à l'amour pour autrui. Mais avant de se corriger de sa vanité et de son penchant à la féminité, il est soumis à l'épreuve ou au *piège* du portrait dans lequel il est représenté sous un déguisement féminin, selon la supercherie imaginée par sa sœur Lucinde: « Valère est, par sa délicatesse et par l'affectation de sa parure, une espèce de femme cachée sous des habits d'homme, et ce portrait ainsi travesti, semble moins le déguiser que le rendre à son

[65] Ovide, *Les Métamorphoses*, t. II, p. 137. Selon le témoignage des *Confessions*, Jean-Jacques a déjà lu les récits d'Ovide pendant son enfance.

état naturel » [66]. Il appartient à la catégorie narcissique de ces jeunes gens qui s'absorbent dans la contemplation de leur moi et qui perdent « les trois quarts de la journée à faire la roue devant un miroir ». Comme le Narcisse d'Ovide, il s'éprend de ses *charmes*, de la perfection de ses traits et devient amoureux de lui-même à travers le portrait qu'il ne songe pas à identifier. Narcisse, précisent *Les Métamorphoses*, « se désire, dans son ignorance, lui-même [...], il est l'aliment du feu qu'il allume ». Nature instable et capricieuse, Valère ne reconnaît pas son visage, masqué par le travestissement, et croit discerner la figure idéalisée d'une femme, « peut-être imaginaire, sur la seule foi d'un portrait tombé des nues et flatté à coup sûr ». Aveuglé par les illusions de son amour-propre, il ne perçoit ni l'ambiguïté inhérente à son moi, ni la projection de son double dans le portrait, qui lui apparaît comme l'image d'un être dépassant la nature humaine par la rareté de ses perfections. Angélique a beau lui objecter qu'« il vaut encore mieux n'aimer rien que d'être amoureux de soi-même », il ne saisit pas l'allusion et persévère dans une conscience vaniteuse de sa valeur, qui ne s'accompagne pas de la conscience de soi. En lui, l'être et le paraître sont dissociés par un défaut de lucidité, prisonnière des masques de l'apparence. A la faveur de la méprise, Valère est « devenu amoureux de sa ressemblance » et le portrait non identifié correspond à « l'unique objet de tout [son] amour ». Son valet dit subtilement que le portrait est *métaphorisé*, qu'il revêt la portée d'une métaphore à la faveur de la projection inconsciente du désir sur soi et de la substitution des sexes que Valère, entêté dans son « amour extravagant », ne discerne pas. Le Narcisse de la comédie ne meurt pas comme celui de la fable, il se corrige de son vice, de son attachement exclusif aux apparences de son moi, grâce à ce stratagème inventé par « le génie et le bonheur des femmes » préoccupées de dénoncer « les ridicules en ne songeant qu'à s'en amuser ». La leçon affranchit Valère de son désir narcissique, elle le virilise en quelque sorte ou tout au moins le dépouille de sa féminité et des « faiblesses qui dégradaient son sexe et son carac-

---

[66] *Narcisse, O. C.*, t. II, p. 977.

tère ». La comédie se dénoue par l'aveu de Valère à Angélique de sa métamorphose psychologique: « Vous m'avez guéri d'un ridicule qui faisait la honte de ma jeunesse, et je vais désormais éprouver près de vous que quand on aime bien, on ne songe plus à soi-même » [67]. Narcisse se libère de son amour-propre et de la hantise de la contemplation de soi; il découvre, grâce aux femmes, même si elles sont moqueuses, que le véritable amour consiste à se détacher de soi pour fixer son désir sur autrui. Le miroir de l'amour ne nous renvoie pas notre image, il réfléchit l'image de l'être aimé auquel il confère le visage de la beauté. Délivré de son ambiguïté ontologique, Narcisse reconnaît les périls de l'introversion et se persuade que l'amour ne s'accomplit que dans l'ouverture désintéressée à la présence de l'autre. L'amour ne s'achève pas dans la subjectivité dangereuse de l'imaginaire, mais dans l'identification de son objet, considéré comme une personne réelle et autonome.

Narcisse ne se livre en aucune manière dans la comédie de Rousseau à une quête de la connaissance, il se définit au contraire par l'ignorance de soi et surtout par cette ambivalence sexuelle, qui se retrouve dans *La Nouvelle Héloïse* et dans *Les Confessions*. Saint-Preux et Jean-Jacques révèlent des composantes féminines dans la forme de leur sensibilité: une imagination passionnée et romanesque, une âme expansive, la confiance dans le langage de l'affectivité, le goût de la chimère et de la contemplation passive. Rousseau est conscient de ce pôle féminin de son caractère qui s'accompagne d'une nature volontaire, courageuse et rebelle à toute espèce d'assujettissement; il discerne en lui « ce cœur à la fois si fier et si tendre, ce caractère efféminé mais pourtant indomptable » qui fait qu'il a vécu dans la *contradiction* [68]. Et il lui arrive de céder à la tentation du narcissisme, comme le révèle cette scène qu'il relate au livre IV des *Confessions*, lors d'un voyage à Vevey:

Mon cœur s'élançait avec ardeur à mille félicités innocentes; je m'attendrissais, je soupirais et pleurais comme un enfant. Combien de fois m'arrê-

[67] *Ibid.*, *O. C.*, t. II, p. 1018.
[68] *Les Confessions*, *O. C.*, t. I, p. 12.

tant pour pleurer à mon aise, assis sur une grosse pierre, je me suis amusé à voir tomber mes larmes dans l'eau [69].

Cette complaisance à regarder ses larmes couler dans l'eau exprime un penchant narcissique qui peut répondre à un trait du caractère de l'écrivain, sans qu'il le définisse fondamentalement. Aussi le mythe de Narcisse ne revêt-il pas dans son œuvre une signification originale; il est tributaire du marivaudage et de l'esprit du siècle, se développe plus en surface qu'en profondeur. Il en est tout autrement du mythe de Pygmalion que Rousseau associe au phénomène de la création artistique et romanesque. Il modèle avec attention les héroïnes de *La Nouvelle Héloïse* et s'éprend d'elles, comme le sculpteur s'est épris de son œuvre. Julie devient « cette image si tendre dont je suis le Pygmalion » [70]. En procédant à la mise au point des deux premières parties de son roman, il prend des soins délicats, dignes de l'affection qu'il porte à ses deux personnages féminins, « [...] ne trouvant rien d'assez galant, rien d'assez mignon pour les charmantes filles dont je raffolais comme un autre Pygmalion » [71]. Le sculpteur est l'archétype du créateur qui se consacre à inventer des êtres imaginaires, issus de la substance de son désir.

La « scène lyrique », écrite en 1762, évoque par l'intermédiaire du mythe une psychologie de la création, qui présente des analogies avec les conceptions esthétiques de Rousseau. Pygmalion est en proie au découragement et au sentiment de l'impuissance, il a perdu son enthousiasme et son « imagination s'est glacée », incapable désormais de féconder son génie, de sorte qu'il est acculé au geste du renoncement. Par une « étrange révolution » intérieure, il s'est détaché des arts et devient indifférent aux séductions de la gloire tant présente que future; il est à tel point dévoré par le démon de la stérilité que le spectacle des perfections de la nature et la mémoire de ses « modèles » sont à ses yeux dépourvus de tout attrait. Vide et désœuvré, il parcourt son atelier, en considérant ses sculptures inachevées et comme saisi d'« un charme inconcevable », qui est le signe d'un événement nou-

[69] *Ibid., O. C.*, t. I, p. 152.
[70] *Correspondance générale*, t. XIX, p. 279.
[71] *Les Confessions, O. C.*, t. I, p. 436.

veau. Le souvenir de sa statue, Galatée, qu'il a dérobée au regard
par un *voile*, réchauffe son âme; Pygmalion se persuade que, quoi
qu'il advienne de son génie, « cet immortel ouvrage » témoigne de
son aptitude à exprimer la beauté. Il hésite à dévoiler la statue, soit
pour le seul plaisir de la considérer, soit pour l'améliorer, tout en
espérant que la vision de son œuvre « ranimera [son] imagination
languissante ». Son hésitation lui est dictée par la crainte de porter
atteinte au sacré, de profaner cette part divine contenue dans sa création. Galatée est la représentation plastique de la beauté empreinte
du sceau de la divinité, comme le sont les plus grandes œuvres de
l'art, auxquelles un sentiment religieux est attaché.

> Je ne sais quelle émotion j'éprouve en touchant ce voile; une frayeur
> me saisit; je crois toucher au sanctuaire de quelque Divinité... Pygmalion !
> c'est une pierre, c'est ton ouvrage. Qu'importe ? On sert des Dieux dans nos
> temples qui ne sont pas d'une autre matière et qui n'ont pas été faits d'une
> autre main [72].

Au mouvement de découragement succède un mouvement
d'orgueil chez le sculpteur, qui prend conscience de la perfection de
son œuvre avec laquelle il s'identifie. « Je m'adore dans ce que j'ai
fait. » Pygmalion et sa statue ne composent plus qu'un être par la
transmutation du désir; l'artiste se retrouve dans son œuvre qui
coïncide avec lui et devient le miroir de son moi. Le créateur se
confond avec sa création à laquelle il ne doit plus apporter la moindre
retouche, parce qu'image idéale de la vie, elle est mue par la présence
du sacré. « Je sens la chair palpitante repousser le ciseau » ! Il ne lui
manque que le souffle de l'âme pour lui conférer l'existence, pour
qu'elle se transforme en un être distinct sur lequel Pygmalion puisse
fixer sa passion et se délivrer de l'amour qu'il se porte à lui-même à
travers son art. Par l'imagination anticipatrice, il substitue à la statue
« un être vivant » dont son cœur s'éprend comme si elle était la *figure*
de la beauté, revêtue d'un corps. Le sculpteur écarte la tentation
narcissique de se voir en elle et souhaite sortir de lui-même pour lui
communiquer la chaleur de la vie. Il ne la ramène plus à lui, mais la
considère comme un être voué à l'existence; il se dépersonnalise pour

---

[72] *Pygmalion, O. C.,* t. II, p. 1226.

qu'elle vive d'une vie autonome et qu'elle acquière une conscience propre. L'artiste désire se dédoubler, devenir *un autre*, afin que sa création se détache de lui et qu'une véritable relation amoureuse s'instaure entre eux.

Je crois, dans mon délire, pouvoir m'élancer hors de moi; je crois pouvoir lui donner ma vie, et l'animer de mon âme. [...] Si j'étais elle, je ne la verrais pas, je ne serais pas celui qui l'aime! Non, que ma Galatée vive, et que je ne sois pas elle. Ah! que je sois toujours un autre, pour vouloir toujours être elle, pour la voir, pour l'aimer, pour en être aimé [...] [73].

Mais, quels que soient ses pouvoirs démiurgiques, Pygmalion ne peut douer Galatée de la vie, c'est pourquoi il invoque « l'âme de l'univers, principe de l'existence », source de l'harmonie cosmique, capable d'animer l'inanimé, puis, conformément à la tradition du mythe, il invoque l'assistance de Vénus qui, par sa « force expansive », veille à la perpétuation de la vie et à l'assouvissement des désirs. Seule la « céleste Vénus » peut accomplir le *prodige* de communiquer à la statue « le sentiment et la vie », d'unir Pygmalion et Galatée par une passion réciproque. C'est elle qui dispose de la puissance transcendante de métamorphoser la perfection unique de l'imaginaire pour qu'elle habite le corps sensible de la réalité.

Oui, deux êtres manquent à la plénitude des choses. Partage-leur cette ardeur dévorante qui consume l'un sans animer l'autre. [...] Etends ta gloire avec tes œuvres. Déesse de la beauté, épargne cet affront à la nature, qu'un si parfait modèle soit l'image de ce qui n'est pas [74].

Pygmalion est persuadé, comme Julie, qu'« il n'y a rien de beau que ce qui n'est pas », mais il n'en espère pas moins que la beauté idéale du non-être s'incarne dans une figure vivante par l'effet d'un miracle. Sa prière à Vénus fortifie sa confiance et lui fait s'écrier: « Je crois me sentir renaître », pressentant que le *délire* de son imagination contient la force du possible. Le sentiment de la résurrection intérieure coïncide avec l'éveil de Galatée à la vie: la chair se colore, le regard s'anime et le corps esquisse ses premiers mouvements. Doutant du miracle, Pygmalion se prend pour « un homme à visions », victime d'une

---

[73] *Ibid.*, *O. C.*, t. II, p. 1228.
[74] *Ibid.*, *O. C.*, t. II, pp. 1228-1229.

illusion; mais le déplacement de la statue le convainc que Galatée est bien vivante par le « prestige d'un amour forcené » qui a recouru au ciel pour que son désir soit exaucé. Au long monologue de Pygmalion succède le dialogue; non seulement Galatée se meut, mais elle parle pour affirmer l'identité et la conscience de son être par ces seuls mots: « Moi » et « C'est moi », révélateurs dans leur raccourci de la plénitude de sa présence charnelle, paroles qui s'opposent à « ce n'est plus moi » qu'elle adresse à un marbre afin de se distancer de lui, de signifier qu'elle n'est plus un objet de l'art, mais un être prêt à manifester sa subjectivité. Galatée pourrait dire, comme Rousseau au début des *Confessions*: « Moi seul. Je sens mon cœur », dans le dessein de marquer le lien profond entre la conscience d'exister et les mouvements de l'affectivité. Pygmalion ne peut que confirmer en écho: « C'est toi, c'est toi seule » et ajouter: « Je t'ai donné tout mon être; je ne vivrai plus que par toi ». Il renonce à la création artistique pour jouir du vécu dont il vient de découvrir le prodige par la métamorphose de Galatée. L'artiste s'efface devant l'homme, préoccupé de la vocation de l'existence. Pygmalion ne s'aime plus à travers ses œuvres comme à travers un double, il aime Galatée comme un être dissemblable avec lequel il forme un couple. Le dénouement de la « scène lyrique » rejoint celui de *Narcisse* par l'ouverture du héros à la réalité indépendante d'autrui.

Tout en respectant assez fidèlement la tradition ovidienne, Rousseau renouvelle le mythe dans l'optique d'une morale et d'une esthétique personnelles. *Pygmalion* est défini par les deux champs sémantiques du désir (*imagination, feu(x), ardeur, charme(s), passion(s), vœu(x), délire*, etc.) et du sacré (*dieux, âme, prodige, extase, frayeur, terreur, effroi, trouble, tremblement*, etc). La statue n'est pas seulement l'œuvre de son génie et de ses *mains*, mais de son désir et de son *cœur*, qui recourent à la participation des dieux, à l'assistance du surnaturel afin que le prodige s'accomplisse. A la puissance créatrice de l'artiste se superpose la puissance magique du sacré que détiennent les dieux, capables de produire le miracle et de l'incarner. L'œuvre, édifiée à l'image du désir, est achevée par l'intervention du surnaturel, qui transforme le marbre froid en une créature de chair et de sang; seule la transcendance divine peut métamorphoser la matière inerte en un être vivant, doué d'une conscience et du sentiment d'exister. Le mythe de Pygmalion exprime aussi la relation que l'artiste ou l'écrivain entretient avec son œuvre à laquelle il s'identifie, soit en la ramenant à lui, soit en s'incorporant à elle. Dans un premier mouvement égotiste, le moi de l'artiste se retrouve, s'admire à travers la statue qui porte l'empreinte de son être; il possède et domine l'œuvre qu'il a créée. « Je m'adore dans ce que j'ai fait. » Dans un second mouvement plus altruiste, il brise le cercle de son moi, se porte vers son œuvre qui a acquis une existence indépendante et cherche à se fondre en elle par la dilatation de l'amour. D'une part le créateur s'assimile sa création par le geste subjectif de la concentration, d'autre part il s'unit à elle par un élan d'expansion. Ce double mouvement esthétique peut être représenté de la manière suivante:

$$
\begin{array}{lll}
\text{concentration} & = \text{créateur} \longleftarrow & \text{création} \\
\text{expansion} & = \text{créateur} \longrightarrow & \text{création}
\end{array}
$$

L'œuvre d'art, d'abord semblable à l'artiste, devient distincte de lui et le désir de soi se transforme en désir de l'objet créé. Aussi la « scène lyrique » s'achève-t-elle par un troisième mouvement qui se superpose aux deux premiers: le dépassement consiste à choisir la vie et à se distancer de la création artistique. Après avoir cru trouver son identité dans son œuvre, Pygmalion la découvre dans le bonheur que lui promet Galatée; il préfère au désir de l'imaginaire et aux tourments de la création le vécu dans lequel le désir se réalise concrètement. Il ne s'identifie plus à son œuvre, mais à l'amante, issue de son œuvre avec la complicité du divin. Narcisse et Pygmalion s'affranchissent tous deux par des voies différentes de leur égotisme pour découvrir le bonheur dans le couple; ils ne vivront plus en fonction d'eux-mêmes, du miroir qui leur renvoie une image flatteuse de leur moi, mais en fonction de la femme aimée, Angélique et Galatée, dignes d'accéder, l'une par elle-même, l'autre avec le secours des dieux, à l'authenticité de l'existence. Le Je se délivre du narcissisme de son désir, en choisissant le Tu, dans le cas de Narcisse par l'intervention salutaire du Tu, dans celui de Pygmalion par le dépouillement du Je, qui va à la rencontre de la beauté, incarnée dans la vie.

Au-delà de ce sens premier, il est possible de déceler dans *Pygmalion* une signification seconde en relation avec les desseins de l'écrivain. C'est durant les années 1761 et 1762 que Rousseau décide de renoncer à l'écriture, de *poser la plume*, comme il aime à dire; ou il choisit tout au moins de s'abstenir de publier les ouvrages qu'il serait encore tenté de composer. Cette résolution lui est dictée par le sentiment que ses livres contribuent à lui nuire, par le goût de retrouver l'indépendance et la volonté de préférer l'ordre paisible de l'existence à l'inquiétude de la création littéraire. Il écrit à Antoine-Jacques Roustan le 22 juillet 1761 :

> J'ai posé la plume pour le reste de ma vie autant par goût que par nécessité [...]. Mes maux [...] m'ont appris que quand j'aurais la santé que j'ai perdue et tous les talents que je n'eus jamais il vaudrait mieux vivre comme Roustan que d'écrire comme Rousseau [75].

La maladie et le besoin de sécurité l'obligent à abandonner le métier d'écrivain, qui n'a fait que lui causer des tourments, susciter la haine ou l'envie de ses ennemis. Le seul parti qui lui reste pour se protéger est de se retrancher dans le silence. « L'air enfumé d'auteur m'empoisonne et me tue », déclare-t-il à Dom Deschamps [76]. Il affirme à son éditeur Jean Néaulme, le 5 juin 1762, que la publication d'*Emile* constitue le dernier acte de sa carrière littéraire: « *Emile* est le dernier écrit qui soit sorti et qui sortira jamais de ma plume pour l'impression » [77]. C'est à son correspondant bernois, V.-B. Tscharner, qu'il formule de la manière la plus explicite sa résolution de renoncer à la création littéraire, qui est la source de tous ses maux physiques et moraux « [...] Vous ignoriez sans doute que vous vous adressiez à un pauvre malade qui après avoir essayé dix ans du triste métier d'auteur, pour lequel il n'était point fait, y renonce dans la joie de son cœur [...] » [78]. Pourtant le renoncement qu'il s'impose comme un

---

[75] *Correspondance complète*, t. IX, p. 69. On pourrait, dans les lettres de ces années, multiplier les références à ce projet d'abandonner la littérature, ressentie comme une entreprise néfaste à la quiétude de la vie.

[76] *Ibid.*, t. IX, p. 176. Et à Le Riche de la Popelinière il précise: « Du reste, j'ai fini ma courte tâche; je n'ai plus rien à dire et je me tais ». *Ibid.*, t. XI, p. 44.

[77] *Ibid.*, t. XI, p. 24.

[78] *Ibid.*, t. X, p. 226.

heureux sacrifice pourrait ne pas être définitif, si ses adversaires le réduisent à écrire quelque ouvrage, destiné à se justifier.

Je prendrai toujours un véritable intérêt au succès de votre entreprise, et si je n'avais formé l'inébranlable résolution de ne plus écrire, à moins qu'on ne me force à reprendre enfin la plume pour ma défense, je me ferais un honneur d'y contribuer [79].

De même que Pygmalion s'éloigne de la création pour se consacrer à la joie d'exister, Rousseau projette de choisir le vécu au détriment de l'écrit. Le mythe, interprété subjectivement devient l'image de son expérience intime. Jean-Jacques se sépare de son œuvre, qui appartient au passé, et souhaite s'absorber dans la relation du vécu, ressuscité par la mémoire en laquelle il reconnaît le principe de son existence et de son identité. Sa Galatée, ce seront *Les Confessions*; à la différence qu'il découvre sa raison de vivre dans le récit de sa vie, dans la recréation de sa vie par l'écriture. Le mythe de Pygmalion exprime la relation que l'écrivain entretient avec son œuvre; il lui sert à traduire la familiarité du romancier avec ses personnages et surtout il préfigure le destin de Rousseau, écartelé entre la tentation du silence et le parti de rédiger ses Mémoires pour la postérité, silence et entreprise qui se fondent sur la primauté de l'existant, conformément à l'espérance de Pygmalion.

Les mythes du paradis et de l'âge d'or, du peuple et de la sphère restreinte, de Narcisse et de Pygmalion, signifient chacun à leur manière, des vérités centrales: la nostalgie de la perfection perdue, les moyens mis à la disposition de l'homme pour tenter d'en reconquérir des vestiges, la conjonction du désir et de l'écriture, tendus vers la volonté d'incarner l'imaginaire dans la substance du réel, le projet de renoncer au risque de la création pour se vouer aux charmes paisibles du vécu. Le mythe conserve, chez Rousseau, sa valeur archétypale par le contenu psychique et ontologique qu'il véhicule, en proposant une image du destin de l'humanité. Il a la propriété de

---

[79] *Ibid.*, t. XII, p. 110. Deux mois plus tard, Rousseau confirme sa résolution à Charles Pictet de renoncer à écrire, à moins qu'il n'y soit contraint par les circonstances: « J'ai dit tout ce que j'avais à dire, je me tais pour jamais, ou si je suis enfin forcé de reprendre la plume ce ne sera que pour ma propre défense et seulement à la dernière extrémité ». *Ibid.*, t. XIII, p. 100.

représenter l'univers imaginaire dans l'espace du cœur, où il retrouve son énergie spirituelle. Il projette l'esprit du lecteur dans l'originel et, d'un même mouvement, réactualise toute genèse en l'insérant dans un présent atemporel. Le mythe demeure pour Rousseau un des langages spécifiques de l'intériorité; il se distance de sa portée sociale et collective pour s'appliquer à la fortune du moi ou d'une petite communauté, formée d'élus. Il recouvre son exemplarité, non dans le contexte d'une société, mais dans la sphère restreinte de l'être, investi de l'authenticité. Le sacré du mythe est perçu individuellement et il est transmis par la vertu de l'écriture à l'individualité du lecteur, chargé d'en déchiffrer et d'en assumer le sens.

IV

LE MYTHE DE L'INSULARITÉ

Rousseau retrouve l'exemplarité mythique, associée à l'unicité de l'être, dans le personnage de Robinson, issu de la société moderne et de la tradition de la mythologie littéraire, dans la mesure où il propose le modèle de l'« homme isolé », qui parvient à se distancer de la condition de l'« homme social », contraint par le poids des servitudes et des préjugés. L'œuvre de Daniel Defoe ne revêt sa valeur archétypale que si elle est dépouillée de « tout son fatras » romanesque, que si le récit, débarrassé de l'intrigue, est concentré sur l'aventure insulaire de Robinson, sur son mode d'existence et la découverte des moyens propres à assurer la conservation de son être dans l'univers de la séparation absolue. Rousseau ne considère pas Robinson comme un héros romanesque, mais comme un héros mythique, qui se livre à l'expérience de la solitude dans l'espace circonscrit d'une île, affranchi des normes de la société. Le mythe de Robinson constitue un instrument de comparaison pour apprécier la nature de la condition humaine, sa richesse consiste en sa signification didactique, centrée sur la question suivante : comment peut-on subsister en étant privé des ressources de la technique et de la communication sociale, comment peut-on se suffire à soi-même dans le dénuement complet, en ne recourant qu'à sa propre ingéniosité ? Il enseigne à l'homme le processus par lequel il se fabrique les outils nécessaires à son existence et se forme un jugement pratique, qui lui garantit l'indépendance. La solitude insulaire est le meilleur apprentissage de la liberté au niveau de l'exercice du corps et de l'esprit, elle révèle à l'être ses possibilités, sa grandeur et sa dignité par la confrontation avec les obstacles du réel.

Robinson Crusoé dans son île, seul, dépourvu de l'assistance de ses semblables et des instruments de tous les arts, pourvoyant cependant à sa subsistance, à sa conservation, et se procurant même une sorte de bien-être,
voilà un objet intéressant pour tout âge et qu'on a mille moyens de rendre
agréable aux enfants. Voilà comment nous réalisons l'île déserte qui me
servait d'abord de comparaison. [...] Le plus sûr moyen de s'élever au-dessus
des préjugés et d'ordonner ses jugements sur les vrais rapports des choses
est de se mettre à la place d'un homme isolé, et de juger de tout comme cet
homme en doit juger lui-même eu égard à sa propre utilité [1].

Le « merveilleux livre » de *Robinson Crusoé*, merveilleux en tant
que divertissement et que source d'enseignements, sera la première
lecture d'Emile et « composera durant longtemps toute sa bibliothé-
que », parce qu'il représente un modèle de réflexions utiles non seulement pour l'adolescence, mais pour la vie entière. Il importe qu'« Emile
pense être Robinson lui-même », qu'il s'identifie avec le personnage
créé par Daniel Defoe, proposant un archétype du comportement
humain, calqué sur l'idéal de la nature et les préceptes d'une éducation
concrète. L'établissement d'Emile dans l'espace insulaire, où il « borne
sa félicité », coïncide avec la satisfaction des besoins les plus indispensables et la découverte des prestiges de la liberté. L'île, délimitée et
préservée, devient le lieu réel et imaginaire, où Emile reçoit son instruction et éprouve le bonheur dans les prémices de son expérience.
« C'est le vrai château en Espagne de cet heureux âge, où l'on ne
connaît d'autre bonheur que le nécessaire et la liberté » [2]. Dans son
espace clos, l'île est l'image du monde où Emile achève sa formation
en conformité avec « les lois de la nature » et où il apprend un métier,
lui procurant la subsistance et sauvegardant son indépendance. La
solitude insulaire, même si elle est temporaire, dans l'attente de la
rencontre de Sophie, est centrale; elle ne représente pas seulement
le bonheur des commencements, mais les espérances de la fin, selon
un mouvement de circularité, distinctif du temps mythique. Tel est
bien le destin d'Emile qui, après avoir perdu Sophie, la retrouve dans
une île déserte, protégée des corruptions de la société urbaine et de la
civilisation décadente. Les témoignages de Bernardin de Saint-Pierre et

[1] *Emile*, *O. C.*, t. IV, p. 455.
[2] *Ibid.*, *O. C.*, t. IV, p. 455.

de Pierre Prévost, en dépit de leurs divergences, précisent que le roman inachevé d'*Emile et Sophie* devait, à la suite de péripéties invraisemblables, consacrer la réunion des amants dans une île sauvage et abrupte. Une ébauche, appartenant au manuscrit du roman, révèle qu'Emile est résolu à se confiner pour le reste de sa vie, dans cette île paradisiaque où sa mémoire se détache de toutes les vicissitudes du passé. En abordant sur l'île, en regardant s'éloigner le vaisseau qui l'a emmené et en considérant le spectacle du monde nouveau dans lequel il pénètre, il prononce ces simples paroles, révélatrices de son dessein : « Tout est oublié : cette Ile est désormais l'univers pour moi »[3]. L'île est l'espace préservé où « les solitaires » se rejoignent après leur séparation et où Sophie est justifiée au-delà de la mort. Elle est le lieu de l'exercice désintéressé de la vertu. Ayant renoncé à poursuivre la rédaction de son roman, Rousseau suggère à la marquise de Créqui d'imaginer elle-même par une vision subjective le décor et la vie des insulaires. L'œuvre, malgré son inachèvement, fournit les données, laissant carrière au fonctionnement de l'imagination du lecteur.

Vous ne m'imposez pas, Madame, une tâche aisée en m'ordonnant de vous montrer Emile dans cette Ile où l'on est vertueux sans témoins, et courageux sans ostentation. Tout ce que j'ai pu savoir de cette Ile étrangère est qu'avant d'y aborder on n'y voit jamais personne, qu'en y arrivant on est encore fort sujet à s'y trouver seul, mais qu'alors on se console aussi sans peine du petit malheur de n'y être vu de qui que ce soit. En vérité, Madame, je crois que, pour voir les habitants de cette Ile, il faut les chercher soi-même, et ne s'en rapporter jamais qu'à soi. Je vous ai montré mon Emile en chemin pour y arriver ; le reste de la route vous sera bien moins difficile à faire seule qu'à moi de vous y guider[4].

Le « nouvel épisode » d'*Emile*, que réclamait la curiosité de la marquise de Créqui, n'a pu être terminé, mais il est certain qu'il devait s'achever dans le cadre mythique d'une île déserte. Elevé dans l'insularité, au sens métaphorique du terme, Emile se transporte dans une île pour y accomplir son destin et refermer le cycle de son existence. L'île est, chez Rousseau, l'espace privilégié entre tous, l'espace sacré

---

[3] Cité par Charles Wirz, « Note sur Emile et Sophie ou les Solitaires » *Annales J.-J. Rousseau*, t. XXXVI, p. 299.

[4] *Correspondance générale*, t. XX, pp. 6-7.

où le paradis et l'âge d'or peuvent être recréés à l'intérieur d'un centre. Elle est, de même que le soleil auquel elle est associée, une image fondamentale, un archétype de l'esprit et un raccourci de la terre où l'homme peut exécuter tous les desseins de son expérience. « L'Ile du genre humain c'est la terre; l'objet le plus frappant pour nos yeux c'est le soleil » [5]. Maître de l'espace insulaire, Robinson représente un type particulier de la souveraineté, établie sur la solitude et détachée des contingences de la vie politico-sociale. Monarque sans sujets, il règne solitairement sur son île et sur lui-même, en jouissant d'une liberté qui ne porte nul préjudice à autrui et qui trouve sa fin dans le bonheur de l'autosuffisance. Entre l'île et Robinson s'instaure une relation de convenance réciproque et de complicité existentielle, à l'image du tempérament de Jean-Jacques ! [6]

Lorsqu'il parle de Robinson dans *Emile* ou qu'il se compare à lui, Rousseau a de manière tout à fait significative gommé Vendredi comme un personnage inutile ou qui ne serait appelé ni à jouer un rôle déterminant ni à satisfaire aux exigences de l'insularité. Evacuer Vendredi, c'est dépouiller plus complètement Robinson de toute dimension romanesque pour en faire un héros mythique, incarnant la solitude totale dans une île déserte, et c'est, comme le remarque Michel Tournier, l'écarter des périls de la société naissante.

Il [Rousseau] exclut expressément la présence de Vendredi, début de la société et de l'esclavage domestique. [...] Seul l'intéresse Robinson, héros industrieux, à la fois sobre et ingénieux, capable de pourvoir lui-même à tous ses besoins sans l'aide de la société [7].

Robinson est le héros exemplaire, apte à assumer la solitude en marge de toute organisation sociale et de toute assistance d'autrui, il est l'image mythique de l'autarcie, au sens économique et spirituel du terme.

[5] *Emile*, *O. C.*, t. IV, p. 429.
[6] « On ne peut disconvenir qu'Adam n'ait été souverain du monde, comme Robinson de son île, tant qu'il en fut le seul habitant. » *Du Contrat social*, *O. C.*, t. III, p. 354. Le ton du contexte, empreint d'ironie, n'infirme pas l'idée d'indépendance, attachée au destin de Robinson.
[7] *Le Vent Paraclet*, p. 222.

A la manière d'Emile, Rousseau, dans ses œuvres autobiographiques, aime à s'identifier avec le personnage mythique de Robinson, figure de l'indépendance acquise dans la solitude. Mis en quarantaine à Gênes, alors qu'il se rend à Venise, il peut choisir entre la séquestration à bord du vaisseau ou l'isolement dans un lazaret. Contrairement à ses compagnons, il s'installe dans un lazaret qu'il aménage à sa guise « comme un nouveau Robinson » afin de se composer un petit univers, conforme à son goût de la solitude volontaire. Lorsqu'il se promène dans la petite île, « inculte et déserte », dépendant de l'île de Saint-Pierre, il se plaît à s'y « bâtir comme un autre Robinson une demeure imaginaire ». Il n'est pas Robinson, contraint à résoudre des problèmes pratiques pour survivre, il se représente à la place de Robinson, enfermé dans l'espace insulaire et abandonné aux extases de la rêverie. L'univers qu'il se construit n'est pas solidifié dans l'épaisseur du réel, mais inventé de toutes pièces par les désirs de l'imagination. Dans le *Deuxième Dialogue*, Rousseau associe la passion de Jean-Jacques pour la solitude à son attachement au roman de Daniel Defoe, qui lui apparaît comme un modèle du comportement humain et de la forme de l'existence.

Son affection pour le Roman de *Robinson* m'a fait juger qu'il ne se fût pas cru si malheureux que lui, confiné dans son île déserte. Pour un homme sensible, sans ambition et sans vanité, il est moins cruel et moins difficile de vivre seul dans un désert que seul parmi ses semblables [8].

Mais le destin a fait que Jean-Jacques fut Robinson par un choix personnel et par une contrainte extérieure, qu'il fut aussi solitaire dans la capitale que dans une île, séparé par son penchant à la solitude et par les barrières humaines élevées autour de lui afin de l'enserrer dans un espace hostile. La volonté de Jean-Jacques et celle des autres contribuent à édifier dans Paris une prison, comparable à une île fermée par l'enceinte des eaux.

Je l'ai vu dans une position unique et presque incroyable, plus seul au milieu de Paris que Robinson dans son Ile, et séquestré du commerce des hommes par la foule même empressée à l'entourer pour empêcher qu'il ne se lie avec personne. Je l'ai vu concourir volontairement avec ses persé-

---

[8] *Dialogues, O. C.*, t. I, p. 812.

cuteurs à se rendre sans cesse plus isolé, et tandis qu'ils travaillaient sans relâche à le tenir séparé des autres hommes, s'éloigner des autres et d'eux-mêmes de plus en plus [9].

Rousseau s'assimile à Robinson par un sentiment commun de l'insularité, par un besoin de s'établir dans un espace restreint, dans un lieu soustrait aux méfaits de la culture. A la suite de son séjour à Venise, il n'a cessé de rêver d'îles qui lui offriraient un asile et un refuge où il pût *se circonscrire* à son gré. Sa vie et son œuvre sont dominées par une espèce de complexe de Robinson, non point né des couches de l'inconscient, mais entretenu avec l'acuité de la conscience. Tantôt émerge dans sa mémoire la réminiscence d'îles où il a vécu, qu'il a visitées ou sur lesquelles il a consulté de la documentation: les îles Borromées, Juan Fernandez dans l'archipel chilien du Pacifique, et Tinian dans l'archipel des Mariannes, l'île de Saint-Pierre, la Corse, qui, par sa « situation avantageuse », protège l'égalité et la liberté, favorise les mœurs pacifiques et « la simplicité de la vie rustique », Chypre et Minorque où il rêve d'aller s'établir pour échapper aux servitudes de la société. Il se persuade que seule la solitude insulaire peut lui offrir la tranquillité oisive à laquelle il aspire. « Mais quand les persécutions de Môtiers me firent songer à quitter la Suisse, ce désir [de passer en Corse] se ranima par l'espoir de trouver enfin chez ces insulaires ce repos qu'on ne voulait me laisser nulle part » [10]. Tantôt son imagination métamorphose en îles les coins de terre auxquels il demeure attaché et où il a éprouvé la plénitude du bonheur: les Charmettes, l'Ermitage, Montlouis, Clarens et l'Elysée, édifié par les soins de Julie. Peu importe que l'île soit inscrite sur la carte de la terre ou qu'elle corresponde à un espace imaginaire, elle évoque à l'âme de Jean-Jacques la proximité de l'état de nature ou de l'âge d'or; par l'alliance harmonieuse qu'elle compose entre la terre, la végétation et l'eau, elle rappelle invinciblement le souvenir nostalgique du Paradis et légitime l'espérance de le reconquérir. Elle est, avec la montagne et la forêt, une de ces retraites secrètes où la nature révèle son

[9] *Ibid., O. C.*, t. I, p. 826.
[10] *Les Confessions, O. C.*, t. I, pp. 649-650. Au sujet du projet d'un établissement à Chypre et à Minorque, cf. les lettres à Laliaud du 5 octobre 1768 et à Moultou du 5 novembre 1768, *Correspondance générale*, t. XVIII, pp. 338 et 372.

vrai visage et où elle manifeste la présence du sacré aux cœurs encore capables de le percevoir. Elle est un espace où la nature déploie le spectacle de ses sortilèges avec d'autant plus de fascination qu'ils sont cachés, que le contemplateur doit s'appliquer à les découvrir et à les pénétrer dans leur authenticité originelle.

D'ailleurs, la nature semble vouloir dérober aux yeux des hommes ses vrais attraits, auxquels ils sont trop peu sensibles, et qu'ils défigurent quand ils sont à leur portée: elle fuit les lieux fréquentés; c'est au sommet des montagnes, au fond des forêts, dans des Iles désertes qu'elle étale ses charmes les plus touchants [11].

L'île ne représente pas seulement, au regard de Rousseau, un centre pour l'âme du contemplateur, mais le théâtre propice à l'étude et à la réflexion, puisque la connaissance s'exerce et s'approfondit dans un espace délimité comme si la concentration spatiale favorisait la concentration de la pensée. « [...] Et de toutes les études que j'ai tâché de faire en ma vie au milieu des hommes il n'y en a guère que je n'eusse faite également seul dans une île déserte où j'aurais été confiné pour le reste de mes jours » [12]. Haut lieu de la rêverie et de la méditation, l'île est peut-être le berceau de la parole et de la société, selon l'hypothèse que Rousseau formule dans son *Discours sur l'origine de l'inégalité*. D'une part, les îles sont exposées aux cataclysmes et aux révolutions des éléments, d'autre part, elles constituent un espace où les rapprochements sont plus aisés, où les rencontres sont plus fréquentes et plus assidues. L'origine du langage est de toute manière liée à la présence de l'eau, aux puits et aux fontaines dans « les lieux arides », aux rivières et aux mers dans d'autres pays. « Le bord de l'eau est un point de concentration naturel, note Michel Butor.[...] C'est dans une île que l'on peut espérer recommencer pour ainsi dire l'histoire humaine » [13]. Rousseau conjecture que l'île est le lieu où les langues sont nées à la faveur des limites de l'espace et des échanges encouragés par la proximité de l'eau; que les insulaires ont inventé le principe de l'association et le recours au langage comme instrument de communi-

[11] *La Nouvelle Héloïse*, O. C., t. II, p. 479.
[12] *Les Rêveries*, O. C., t. I, p. 1013.
[13] « L'Ile au bout du monde », dans *Répertoire III*, p. 81.

cation et de protection, qu'ils ont transmis cette double institution aux peuples continentaux.

On conçoit qu'entre des hommes ainsi rapprochés, et forcés de vivre ensemble, il dut se former un Idiome commun plutôt qu'entre ceux qui erraient librement dans les forêts de la Terre ferme. Ainsi il est très possible qu'après leurs premiers essais de Navigation, des Insulaires aient porté parmi nous l'usage de la parole; et il est au moins très vraisemblable que la Société et les langues ont pris naissance dans les Iles, et s'y sont perfectionnées avant que d'être connues dans le Continent [14].

L'île n'est pas uniquement un espace sacré, favorable aux prémices du langage et de la société, mais l'abri où Rousseau s'abandonne au sentiment de l'existence, se livre aux extases de la rêverie et parvient à faire prévaloir les charmes du vécu sur les tourments de l'écriture. Qu'elle soit l'objet d'une vision réelle ou imaginée, elle est le royaume de la solitude ou de « la petite sphère », composée d'élus ou d'initiés. Telles sont les îles Borromées, Juan Fernandez, Tinian et l'île de Saint-Pierre, inscrites dans la mémoire mythique de Jean-Jacques.

C'est à son retour de Venise, en passant par Côme, le Simplon et le Valais, que Rousseau a vu les îles Borromées qui lui ont communiqué d'emblée une forte impression. Il a renoncé à les décrire au livre VII des *Confessions*, emporté par la hâte du récit car « le temps [le] gagne » et « les espions [l'] obsèdent »; mais il en a conservé un souvenir qui s'est empreint en son esprit et en son œuvre. Au moment où il se préoccupe de choisir le décor dans lequel il entend situer l'action de *La Nouvelle Héloïse*, il envisage un temps le projet d'établir ses personnages dans les îles Borromées, présentant l'avantage d'être « un lieu réel » qui ne sollicite pas le concours de l'imagination et se trouve naturellement lié à un cadre aquatique.

Les Vallées de la Thessalie m'auraient pu contenter si je les avais vues; mais mon imagination fatiguée à inventer voulait quelque lieu réel qui pût lui servir de point d'appui, et me faire illusion sur la réalité des habitants que j'y voulais mettre. Je songeai longtemps aux îles Borromées dont l'aspect délicieux m'avait transporté, mais j'y trouvai trop d'ornement et d'art pour mes personnages [15].

[14] *Origine de l'inégalité*, O. C., t. III, pp. 168-169.
[15] *Les Confessions*, O. C., t. I, pp. 430-431.

A un décor qu'il juge trop artificiel Rousseau finit par préférer le décor plus familier de Clarens, qu'il transformera spontanément en île, en demeurant par là fidèle à son dessein primitif; Clarens deviendra le milieu idéal, où s'harmonisent les prestiges de la nature et ceux de l'île séparée des désordres de la civilisation. De même, la situation du petit château de Montmorency, enveloppé d'eau et de verdure, lui suggère la vision mémoriale d'Isola Bella, figurée comme l'image de l'île édénique. « Quand on regarde ce bâtiment de la hauteur opposée qui lui fait perspective, il paraît absolument environné d'eau, et l'on croit voir une Ile enchantée ou la plus jolie des trois Iles Borromées appelée *Isola Bella* dans le lac Majeur » [16]. Lorsque Rousseau embellit par l'imagination un lieu où il a vécu, il le métamorphose en île, préservée par la barrière des eaux, sacralisée par l'isolement et la distance. L'île est une représentation du Paradis, un univers clos dans lequel souffle encore le vent tiède des genèses et où l'âme respire l'air limpide des origines.

Dans *La Nouvelle Héloïse*, Clarens devient l'équivalent métaphorique de l'île, après que Saint-Preux a parcouru le monde et passé à Juan Fernandez et Tinian. Dans son périple autour de l'univers, il aborde à Juan Fernandez dans le Pacifique où vécut Alexandre Selkirk, le modèle dont s'est inspiré Defoe pour créer le personnage de Robinson Crusoé [17]. En dépit de ses lectures et de sa documentation, Rousseau se refuse à tenter une description de l'île et préfère se livrer à des considérations éthiques sur les avantages de l'insularité: Juan Fernandez est une représentation exemplaire de la nature primitive par la solitude qu'elle offre aux âmes en quête d'un refuge distant des périls et des injustices de la civilisation moderne.

J'ai séjourné trois mois dans une Ile déserte et délicieuse, douce et touchante image de l'antique beauté de la nature, et qui semble être confinée au bout du monde pour y servir d'asile à l'innocence et à l'amour persécutés: mais l'avide Européen suit son humeur farouche en empêchant l'Indien paisible de l'habiter, et se rend justice en ne l'habitant pas lui-même [18].

[16] *Ibid., O. C.*, t. I, p. 521.

[17] Sur la *géographie* du roman et la *circularité* du voyage de Saint-Preux, cf. l'étude de Michel Butor, « L'Ile au bout du monde », dans *Répertoire III*, pp. 59-101.

[18] *La Nouvelle Héloïse, O. C.*, t. II, p. 413. Il est frappant que toutes les observations sur l'insularité soient concentrées dans la quatrième partie du roman.

L'autre île dans laquelle Saint-Preux est contraint d'aborder est Tinian, qu'il n'associe plus au destin des autres, mais à son propre destin et à son amour. Tinian qu'il préfère à Juan Fernandez est l'image de l'exil, au double sens du terme, c'est-à-dire de son isolement et de sa séparation d'avec Julie. Dans l'expérience de la solitude, Rousseau s'identifie avec Saint-Preux, en éprouvant que les hommes cherchent à l'arracher à sa retraite pour le soumettre aux impératifs de la société. Au début du livre X des *Confessions*, il compare son isolement à Montmorency à un établissement dans l'île chère à Saint-Preux: « Je vivais à quatre lieues de Paris, aussi séparé de cette capitale par mon incurie, que je l'aurais été par les mers dans l'Ile de Tinian » [19]. La solitude insulaire représente, pour Rousseau et Saint-Preux, l'espace élu de l'autosuffisance, le lieu par excellence où il est possible de vivre dans l'indépendance et le contentement de soi.

J'ai surgi dans une seconde Ile déserte plus inconnue, plus charmante encore que la première, et où le plus cruel accident faillit à nous confiner pour jamais. Je fus le seul peut-être qu'un exil si doux n'épouvanta point; ne suis-je pas désormais partout en exil? J'ai vu dans ce lieu de délice et d'effroi ce que peut tenter l'industrie humaine pour tirer l'homme civilisé d'une solitude où rien ne lui manque, et le replonger dans un gouffre de nouveaux besoins [20].

C'est le verbe *se confiner* qui exprime la spécificité de la condition insulaire, en insistant sur le mouvement de retraite et de repli dans un lieu désert, tandis que dans *Les Rêveries* Rousseau préférera le verbe *se circonscrire* qui implique une concentration de l'être dans un espace volontairement réduit.

Au retour de son voyage, Saint-Preux assimile Clarens à l'île de Tinian; il y découvre la même solitude et la même tranquillité, le même paysage fait de l'amalgame du liquide et du minéral, à la différence que les bords du lac de Genève ne constituent qu'« une imitation de l'île » [21], conçue par l'imagination mémoriale de Saint-Preux, soucieuse d'abolir les distances par son aptitude à occuper simulta-

---

[19] *O. C.*, t. I, p. 492.
[20] *La Nouvelle Héloïse, O. C.*, t. II, p. 414.
[21] La formule est de Michel Butor, *op. cit.*, p. 92.

nément les points les plus éloignés de l'espace. « La campagne, la retraite, le repos, la saison, la vaste plaine d'eau qui s'offre à mes yeux, le sauvage aspect des montagnes, tout me rappelle ici ma délicieuse Ile de Tinian » [22]. Plus encore que Clarens, le verger de Julie est l'image archétypale de l'île, qui, à travers ses « obscurs ombrages », suscite la combinaison harmonieuse des perceptions visuelles, déclenchées par le spectacle de la végétation, et des perceptions auditives, éveillées par « un gazouillement d'eau courante et le chant de mille oiseaux ». Grâce à l'activité de l'imagination, Saint-Preux transporte dans l'Elysée les îles du Pacifique, il concentre dans un même lieu une totalité spatiale et implante « le bout du monde » dans le décor idyllique de Clarens. Le jardin de Julie réalise le miracle de l'insularité, il condense en lui par une opération magique tous les charmes de l'île déserte, de sorte qu'il rend tout voyage inutile. Il devient au regard de Saint-Preux le raccourci des îles réelles et imaginaires, un véritable abrégé du Paradis.

Surpris, saisi, transporté d'un spectacle si peu prévu, je restai un moment immobile, et m'écriai dans un enthousiasme involontaire: O Tinian ! ô Juan Fernandez ! Julie, le bout du monde est à votre porte !

Et Julie de répondre:

Adieu Tinian, adieu Juan Fernandez, adieu tout l'enchantement ! Dans un moment vous allez être de retour du bout du monde [23].

Julie a fait aménager et aménagé elle-même l'Elysée de manière qu'il soit une image accomplie de l'île, que la nature y conserve un aspect sauvage, malgré les interventions discrètes de la culture, et que le concours des éléments s'épanouisse en elle; les jeux de la lumière et la protection des ombres bénéfiques, la fraîcheur de l'air et de l'eau, la prolifération de la verdure et des fleurs, masquant les artifices du jardinier et assurant la prédominance des formes sinueuses sur la raideur géométrique de la ligne droite. Abri de la rêverie et de la méditation, où « la jouissance de la vertu est tout intérieur », coupée

---

[22] *La Nouvelle Héloïse*, *O. C.*, t. II, p. 441.

[23] *Ibid.*, *O. C.*, t. II, pp. 471 et 472. Rousseau ajoute en note à propos des deux îles, chères à la mémoire de Saint-Preux: « Iles désertes de la mer du Sud, célèbres dans le voyage de l'amiral Anson ». On sait par la *Correspondance* que Rousseau demanda à Mme d'Epinay en 1757 de lui procurer le *Voyage de l'amiral Anson* dans la traduction de R. Walter, Genève, 1750.

d'une relation néfaste avec l'univers social, l'Elysée préfigure dans ses « bords » et ses frontières l'île de Saint-Pierre.

> Tout est verdoyant, frais, vigoureux, et la main du jardinier ne se montre point: rien ne dément l'idée d'une Ile déserte qui m'est venue en entrant, et je n'aperçois aucun pas d'homme. [...]
>
> Ce matin je me suis levé de bonne heure, et avec l'empressement d'un enfant je suis allé m'enfermer dans l'Ile déserte. Que d'agréables pensées j'espérais porter dans ce lieu solitaire où le doux aspect de la seule nature devait chasser de mon souvenir tout cet ordre social et factice qui m'a rendu si malheureux ! [24]

L'expérience de l'insularité, imaginée à Clarens, se concrétise en expérience vécue à l'île de Saint-Pierre, qui se définit par les dimensions de la spatialité, par le contraste de sa fermeture et de son ouverture sur de vastes horizons. L'île est d'un pourtour limité et n'occupe dans le lac de Bienne qu'un espace restreint, propice à la concentration sur soi et à la perception de sa propre existence. « Elle est très agréable et singulièrement située pour le bonheur d'un homme qui aime à se circonscrire » [25]. En présence de l'infini, le moi est menacé de se dilater et de se dissoudre par une extrême expansion, tandis que dans un espace clos il prend la vraie mesure de lui-même et entre en possession de son être par la vertu d'un rassemblement intérieur. L'île, « solitaire, naturellement circonscrite et séparée du reste du monde », est la représentation du refuge où l'écrivain parvient à *s'enlacer de lui-même*, en rompant toute communication avec les embarras extérieurs et les obstacles de la société. Elle est figurée par l'image de la prison, qui favorise ce mouvement de « la centralisation du *Moi* », chère à Baudelaire, prison métaphorique qui peut être l'objet d'un choix ou d'une contrainte, peu importe, puisque la contrainte offre l'espoir d'une plus grande sécurité dans la durée. « J'aurais bien mieux aimé y être confiné par leur volonté que par la mienne: j'aurais été plus assuré de n'y point voir troubler mon repos » [26]. L'île, identifiée avec une prison, devient paradoxalement l'image de la liberté intérieure,

[24] *Ibid.*, *O. C.*, t. II, pp. 478-479 et 486.
[25] *Les Rêveries*, *O. C.*, t. I, p. 1040.
[26] *Les Confessions*, *O. C.*, t. I, p. 644.

garantie par le resserrement de l'espace et la séparation d'avec le monde. Par la distance de l'isolement, elle préserve l'intégrité de l'être et lui assure une protection naturelle contre les machinations d'autrui. « [...] J'en vins à désirer, mais avec une ardeur incroyable, qu'au lieu de tolérer seulement mon habitation dans cette Ile, on me la donnât pour prison perpétuelle » [27]. La prison insulaire ne procure pas seulement la confiance dont le moi éprouve le besoin, mais facilite l'élancement de la rêverie; la concentration spatiale apporte la quiétude et écarte la distraction de sorte que l'âme du rêveur se passe de tout support extérieur pour se livrer à l'approfondissement indicible de l'extase. La clôture de l'espace agrandit dans certaines circonstances le champ de la rêverie et aiguise son acuité.

Cette espèce de rêverie peut se goûter partout où l'on peut être tranquille, et j'ai souvent pensé qu'à la Bastille et même dans un cachot où nul objet n'eût frappé ma vue, j'aurais encore pu rêver agréablement [28].

L'île de Saint-Pierre constitue un « petit espace », riche et varié, où la solitude s'accompagne d'une attention particulière au spectacle de la nature, à la vision de son ensemble et de ses multiples détails. Elle est définie par l'alliance de trois des éléments: la verdure de la terre, la sérénité de l'eau et la fraîcheur de l'air. Le paysage végétal, les forêts et les prairies, les vergers et les fleurs, s'associe au paysage liquide par une relation permanente: les rives sont boisées et « verdoyantes », « les limpides eaux » se mêlent aux « ombrages frais », traversés par le chant des oiseaux, qui ne trouble point le silence de la contemplation. La rêverie n'est pas uniquement aquatique chez Rousseau, suscitée par le rythme des eaux, mais aussi en harmonie avec le décor végétal. La fusion du liquide et de la verdure correspond à la féminité de la nature, à la protection maternelle que Jean-Jacques recherche, au refuge insulaire où l'être se nourrit de sa substance et s'adonne aux impulsions d'« une rêverie délicieuse, quoique souvent sans objet déterminé », d'une rêverie dont les sinuosités refusent

[27] *Ibid.*, *O. C.*, t. I, p. 646. La même affirmation se retrouve dans la Ve *Promenade*: « Dans les pressentiments qui m'inquiétaient j'aurais voulu qu'on m'eût fait de cet asile une prison perpétuelle, qu'on m'y eût confiné pour toute ma vie. » *O. C.*, t. I, p. 1041.

[28] *Les Rêveries*, *O. C.*, t. I, p. 1048.

d'épouser un contenu précis ou de s'inscrire dans une forme délimitée. Le liquide et le végétal, unis dans le paysage insulaire, sont encore reliés étroitement par la circulation de l'air, par les vents et le courant de fraîcheur qui les parcourent. Il s'instaure entre les éléments de la terre, de l'eau et de l'air une ordonnance que l'on peut présenter par le champ d'un triangle. Les trois éléments sont soudés par le mouvement et ne sont pas altérés par l'action dévorante du feu : leur union compose un milieu, une substance favorable à l'essor de la rêverie.

L'île est aussi le lieu qui se prête à satisfaire « le précieux *far niente* », les plaisirs de l'oisiveté, en tant que source de la méditation, déclenchée par le spectacle de la nature. Elle permet de goûter les « douceurs du désœuvrement de la vie contemplative », détachée des inquiétudes de l'écriture et des troubles causés par la présence humaine. L'habitation dans une île ne réveille pas seulement l'inclination de Jean-Jacques à la paresse, mais sa passion de l'indépendance, de la disponibilité et lui facilite l'application de cette éthique de l'*abstinence*, pour laquelle il a opté dans les dernières années de sa vie. Elle lui procure une jouissance pleine, distante de l'action, que ce soit celle d'un engagement dans l'univers humain ou celle des tracas associés au métier d'écrivain. L'oisiveté, qui est chez Rousseau non un abandon à la passivité, mais une occupation, une libre activité, lui permet de céder à la pente de ses chimères, de se construire dans la retraite insulaire un univers second peuplé de fictions, conformes à l'impulsion de ses désirs. L'établissement à l'île de Saint-Pierre devrait correspondre à l'accomplissement du « grand projet de cette vie oiseuse », possible dans l'île de Papimanie, inventée par Rabelais et transformée par La Fontaine en patrie du « vrai dormir ». Cette île mythique,

Où l'on fait plus, où l'on fait nulle chose,

devient le territoire du « loisir éternel », où le bonheur est vécu dans les douceurs de l'indolence et dans les charmes du rêve éveillé, qui sont éprouvés en même temps comme une sorte de souvenir des joies perdues de l'Eden et d'anticipation des félicités promises dans l'au-delà.

Ce plus était tout pour moi ; car j'ai toujours peu regretté le sommeil ; l'oisiveté me suffit, et pourvu que je ne fasse rien, j'aime encore mieux rêver éveillé qu'en songe. [...] C'est la vie des bienheureux dans l'autre monde, et j'en faisais désormais mon bonheur suprême dans celui-ci [29].

L'oisiveté du rêve éveillé ne saurait être assimilée à un état de torpeur ou de léthargie, moins encore à une chute dans les profondeurs oniriques de l'inconscient, puisqu'elle demeure associée aux mouvements de la conscience. Elle consiste certes à céder aux caprices de l'« humeur oiseuse et nonchalante, et à suivre sans règle l'impulsion du moment », mais elle n'en répond pas moins à une activité lucide, à un mode volontaire d'exister dans le champ illimité de la liberté. Elle s'accorde avec cette disponibilité permanente et dynamique par laquelle le sujet passe incessamment d'un objet à un autre, modifie la nature de ses projets au gré de sa fantaisie, se consacre à « entreprendre avec ardeur un travail de dix ans, et à l'abandonner sans regret au bout de dix minutes, à muser enfin toute la journée sans ordre et sans suite, et à ne suivre en toute chose que le caprice du moment » [30]. L'oisiveté se définit comme une errance perpétuelle dans l'espace et dans le temps, soumis à la mesure de l'âme contemplative, de ses desseins les plus soudains et les plus irrationnels. Elle ne se confine jamais dans l'immobilité, elle est liée au mouvement, au rythme de la promenade dans l'île ou sur les eaux, de même qu'aux plaisirs de la botanique, qui est le modèle de l'« étude oiseuse » par l'observation attentive de la nature. L'herborisation transforme l'île en un *jardin*, rappelant l'Eden, et elle procure à l'âme de singuliers « ravissements », accrus par le sentiment de la solitude et la communication immédiate avec les objets de la nature. Elle contraint l'être à se resserrer dans l'espace, elle freine l'expansion inquiète de l'imagination et dissipe « l'ennui d'un désœuvrement total ». La botanique est une activité proprement insulaire, parce qu'elle réconcilie les pôles contradictoires de l'oisiveté et de la concentration, qu'elle concourt à favoriser simultanément la disponibilité et le rassemblement du moi.

Rousseau peut s'adonner partout dans la nature aux charmes de la rêverie, associée à l'élément liquide ou végétal, mais l'espace clos et écarté de l'île représente à ses yeux le milieu propice à l'éclosion

[29] *Les Confessions*, O. C., t. I, p. 640.
[30] *Ibid.*, O. C., t. I, p. 641.

de la rêverie. L'enceinte mobile des eaux suscite le rêve éveillé, soutient de son rythme fluide et léger l'essor « des rêveries sans objet », libres de s'épanouir dans leurs méandres, affranchis de la linéarité logique de la pensée. « J'ai toujours aimé l'eau passionnément, et sa vue me jette dans une rêverie délicieuse, quoique souvent sans objet déterminé » [31]. Il en est comme si la présence et le mouvement de l'eau contribuent à suspendre le travail de la réflexion au profit de la rêverie, abandonnée à ses *ondulations*. Le rythme de l'élément ne doit être ni trop violent, ni trop faible, car il réveille alors la pensée ou engendre la somnolence, mais égal, « uniforme et modéré » pour entretenir le courant lucide du songe. Le bercement fluide de l'eau communique à la rêverie son propre bercement, empreint d'un caractère maternel. Accompagné du mouvement léger des vagues et du « concours des objets environnants », le phénomène de la rêverie acquiert les dimensions d'une expérience cosmique par la relation qu'il établit entre les forces élémentaires et les facultés réceptives du moi. « Suivant le progrès régulier de l'incantation de l'eau, qui agit à la façon d'un charme rituel et obsédant, la conscience personnelle tend à devenir conscience cosmique » [32]. Dans l'enclos de l'île, Rousseau découvre la quiétude, qui confère à la rêverie le pouvoir de conjoindre l'espace extérieur et l'espace intérieur, de relier le moi au monde par une attache ontologique et religieuse, placée sous le signe protecteur de la féminité.

La rêverie insulaire implique la concentration spirituelle, une certaine perception du temps, « le sentiment de l'existence » et le phénomène de l'autosuffisance. Elle correspond d'abord, non à un mouvement d'expansion, mais à un mouvement de repli sur soi, à un recueillement de tout l'être autour du noyau central de sa conscience; elle consiste en un rassemblement du moi, en un effort pour *se circonscrire* dans l'espace du dedans et dans une espèce de présent éternel. Le temps s'est immobilisé et, coupé du passé et du futur, il se prolonge dans le présent, tant que persiste l'état de rêverie. Il n'est pas aboli et vaincu,

[31] *Ibid.*, *O. C.*, t. I, p. 642. De même, dans la Ve *Promenade*, Rousseau se représente « plongé dans mille rêveries, confuses, mais délicieuses, et [...] sans avoir aucun objet déterminé ni constant ». *O. C.*, t. I, p. 1044.

[32] Marcel Raymond, *Jean-Jacques Rousseau, la quête de soi et la rêverie*, p. 148.

comme dans l'univers de l'au-delà, mais vécu intérieurement, appro-
fondi dans une durée une et totale, dans un présent soustrait à la succession. « Il ne semble pas qu'on transcende le temps, commente
Marcel Raymond, mais au contraire qu'on descende assez profond
dans l'immanence pour accéder à une forme absolument homogène et
indifférenciée du temps » [33]. Le moi ne perçoit plus que « le sentiment
de l'existence » dans sa limpidité et son intégrité. L'expérience affective
de la rêverie ne débouche pas, comme dans la troisième des *Lettres à
Malesherbes*, sur la sensation d'« un vide inexplicable que rien n'aurait
pu remplir », mais sur l'absence de tout vide intérieur, puisque celui-ci
est comblé par la possession du bonheur et la plénitude de l'extase.
Le moi découvre son existence au niveau de la conscience affective,
qui oblitère toute vacuité et emplit son âme d'un intense ravissement.
Par la concentration sur soi, il parvient à se « nourrir de sa propre
substance »; il acquiert dans le bonheur de la rêverie une indépendance
absolue, comparable à celle de Dieu. Il ressent la joie d'exister dans
toute sa pureté en même temps que dans la conscience aiguë de son
identité.

De quoi jouit-on dans une pareille situation? De rien d'extérieur à soi,
de rien sinon de soi-même et de sa propre existence, tant que cet état dure on
se suffit à soi-même comme Dieu. Le sentiment de l'existence dépouillé de
toute autre affection est par lui-même un sentiment précieux de contentement et de paix qui suffirait seul pour rendre cette existence chère et douce
à qui saurait écarter de soi toutes les impressions sensuelles et terrestres
qui viennent sans cesse nous en distraire et en troubler ici-bas la douceur [34].

La suffisance souveraine qu'apporte la rêverie dans la possession
paisible de soi et du bonheur peut être comprise comme une expérience
spirituelle et religieuse, au sens étymologique du terme, mais en aucune
manière comme une expérience mystique. L'extase mystique suppose
le détachement de soi, la dépossession de son moi, qui se dépersonnalise
pour s'absorber en Dieu. Rousseau ne parvient nullement à échapper
à l'étreinte de son moi pour s'oublier, se perdre en Dieu, il se compare
à lui sans jamais se dessaisir du sentiment de son existence individuelle; dans la rêverie, il conserve la conscience de son moi. Par anti-

[33] *O. C.*, t. I, p. 1799.
[34] *Les Rêveries*, *O. C.*, t. I, p. 1047.

cipation, il s'inscrit en faux contre l'observation de Baudelaire, dans *Le Confiteor de l'artiste*, pour qui « dans la grandeur de la rêverie, le *moi* se perd vite », et il éprouve au contraire la permanence de l'être, enraciné dans son assiette et dans sa conscience. L'expérience de la rêverie est ontologique, en ce sens qu'elle aboutit, non à la dispersion de l'être dans l'espace ou à sa fusion en Dieu, mais à l'affirmation du moi, rassemblé sur lui-même, réduit à son centre spirituel et détaché des perceptions encombrantes du monde extérieur. La rêverie est à sa pointe un phénomène ressortissant à la pure intériorité, de telle sorte qu'en elle s'abolissent les frontières entre le réel et l'imaginaire. Elle a la propriété de confondre l'univers sensible et l'univers fictif, d'opérer entre eux une étroite soudure qui finit par les rendre indiscernables l'un de l'autre. Cet état de symbiose est si solidement établi qu'il se prolonge au-delà de la rêverie, lorsque la conscience revient à la saisie des objets réels.

En sortant d'une longue et douce rêverie, en me voyant entouré de verdure, de fleurs, d'oiseaux et laissant errer mes yeux au loin sur les romanesques rivages qui bordaient une vaste étendue d'eau claire et cristalline, j'assimilais à mes fictions tous ces aimables objets et me trouvant enfin ramené par degrés à moi-même et à tout ce qui m'entourait, je ne pouvais marquer le point de séparation des fictions aux réalités [35].

La rêverie, issue du spectacle du végétal et du liquide, s'achève par un mouvement cyclique dans la contemplation de la verdure et de l'eau, qu'elle orne de ses chimères et qu'elle se représente selon le prisme de l'imagination.

Si l'insularité ne déclenche pas l'essor d'une rêverie mystique, elle favorise du moins la contemplation silencieuse des beautés de la nature, le « plus digne hommage » que l'âme puisse rendre à la Divinité, en remontant de la vision des objets « à l'auteur des merveilles ». Il s'agit d'un pur ravissement, d'une adoration et d'une prière, qui se passent des secours de la parole et de l'écriture, d'une « admiration muette », provoquant « ces élévations de cœur qui n'imposent point la fatigue de penser ». L'extase, vécue à l'île de Saint-Pierre, se distance de la mystique par l'omniprésence du moi, pourtant elle s'en approche dans

[35] *Ibid.*, *O. C.*, t. I, p. 1048.

la mesure où elle dépasse les obstacles de la pensée et du langage, où elle se réduit à un hymne silencieux qui jaillit de l'épaisseur intime de l'être. L'île, favorable à l'oisiveté et à l'herborisation, à la rêverie et à la contemplation du Créateur à travers le spectacle de sa création, est l'espace où Jean-Jacques goûte pleinement le plaisir d'exister et où il est sollicité d'« inscrire tous [ses] désirs », le milieu qui convient à sa nature et dans lequel il ressent le contentement de soi, à tel point qu'il souhaite s'y fixer et redoute de s'en écarter. « Un jour à passer hors de l'Ile me paraissait retranché de mon bonheur, et sortir de l'enceinte de ce lac était pour moi sortir de mon élément » [36]. Habité par la nostalgie des îles, Rousseau s'imagine en découvrir, alors qu'il s'adonne à la rêverie, inspirée par les joies de l'herborisation. Il s'assimile alors à Christophe Colomb à la recherche d'une île inconnue à travers les déserts de l'Océan.

> Un mouvement d'orgueil se mêla bientôt à cette rêverie. Je me comparais à ces grands voyageurs qui découvrent une Ile déserte, et je me disais avec complaisance: sans doute je suis le premier mortel qui ait pénétré jusqu'ici; je me regardais presque comme un autre Colomb [37].

Par tempérament, Rousseau s'identifie plutôt avec Robinson qu'avec Colomb, car l'île n'est pas pour lui l'objet d'une aventure ou une étape dans une conquête, mais l'habitation idéale dans laquelle son imagination n'a cessé de projeter ses désirs et ses chimères; pendant toute sa carrière d'écrivain, il a rêvé d'être Robinson et n'a vécu absolument le mythe que pendant les six semaines passées à l'île de Saint-Pierre, qui se sont si fortement empreintes dans sa mémoire. Il a imaginé l'île, avant d'y séjourner, là où il a été heureux, puis, après en avoir été expulsé, il aime à s'y « transporter chaque jour sur les ailes de l'imagination ». Il en conserve le souvenir, comme Adam l'a conservé du jardin d'Eden; l'île représente à jamais pour lui l'espace sacré où le bonheur est possible par un retour à la simplicité originelle, l'espace paradisiaque, embelli par l'imagination mémoriale et baigné par le

---

[36] *Les Confessions, O. C.*, t. I, p. 645.
[37] *Les Rêveries, O. C.*, t. I, p. 1071. Rappelons que la tragédie, *La Découverte du Nouveau Monde*, se passe dans l'île de Guanaham, la première rencontrée par Colomb et visitée par « les Enfants du Soleil ».

souffle des genèses. Elle est l'« expression géographique de l'absolu »,
le lieu où l'absolu, « cette fleur métaphysique » [38], éclôt et s'épanouit,
elle est mémoire du commencement où le temps cyclique se convertit
en éternité et où l'espace porte les signes de l'Esprit, de sa présence
créatrice et fécondante, incarnée dans la fusion cosmique de la terre
et de l'eau.

---

[38] Citations empruntées à Michel Tournier, *Le Vent Paraclet*, p. 291.

V

LA MYTHOLOGIE DE L'AMOUR
ET L'ÉROTIQUE DU SEIN

L'AMOUR UNIQUE

Selon le témoignage des *Confessions*, Rousseau n'a ressenti qu'une fois dans son existence la plénitude de l'amour. Cette expérience unique de la passion apparaît dans l'œuvre comme une sorte de motif. Elle est annoncée dès le début du livre VI pour signifier que l'attachement que Jean-Jacques éprouve pour Mme de Warens et le plaisir connu avec Mme de Larnage ne sauraient s'identifier avec la violence de l'amour. « Je n'ai senti l'amour vrai qu'une seule fois en ma vie ». Elle est à nouveau évoquée dans le livre VIII, où elle est présentée comme un sentiment involontaire, prescrit par le destin. « Mais il était écrit que je ne devais aimer d'amour qu'une fois en ma vie »[1]. La passion pour Sophie d'Houdetot, associée à l'élaboration de *La Nouvelle Héloïse*, inscrit son histoire dans le livre IX, définie qu'elle est par sa soudaineté et sa fulgurance, par sa vigueur et son impétuosité. « Ce fut de l'amour », commente lapidairement Jean-Jacques, l'amour irrésistible et violent, « le véritable amour » qui enflamme le cœur et les sens, qui engage l'âme et s'étend aux limites du sacré, « l'amour dans toute son énergie et dans toutes ses fureurs », l'amour total et déchirant des grandes héroïnes raciniennes, l'amour *unique, absolu* et *exclusif*, qu'André Breton célébrera comme « un état de grâce ». Dans le livre X, au moment où il écrit la *Lettre à d'Alembert*, emplie des souvenirs de l'Ermitage, Rousseau avoue qu'il était en proie à un « amour fatal », qu'il a de la difficulté à déraciner de son cœur et qui a marqué de son empreinte la compo-

---

[1] *Les Confessions, O. C.,* t. I, pp. 253 et 360.

sition de *La Nouvelle Héloïse*. L'expérience de l'imaginaire a certes devancé celle du réel, mais le vécu de la passion est venu enrichir la fiction, en l'incarnant dans l'espace réel et en lui donnant la consistance de la plausibilité. Julie, assimilée à Sophie, s'est pénétrée de la substance de l'humain, tout en conservant les prérogatives d'un « modèle imaginaire ».

Les relations amoureuses de Rousseau avec Mme de Warens, Mme de Larnage et Thérèse, si différentes soient-elles, ne se sont guère prêtées au phénomène de la transposition mythique, parce qu'elles ne sont pas situées au niveau de l'amour absolu, engageant la totalité de l'être. La passion pour Mme de Warens ne s'identifie pas avec de l'amour, mais plutôt avec un attachement purement affectif, une « intimité du cœur », qui se veut délivrée des inquiétudes du désir. Il s'agit d'une tendresse qui apporte l'apaisement dont l'âme de Jean-Jacques éprouve le besoin, d'une « possession mutuelle » qui, dépassant les troubles et les dérèglements de l'amour, débouche sur la recherche d'une communion spirituelle. Mme de Warens remplit la fonction d'éducatrice et d'initiatrice, elle représente plutôt l'image de la Mère, dispensatrice de la sécurité, de la protection et d'un bonheur serein que celle de l'amante, inspirant les fureurs de la passion. C'est pourquoi Rousseau ressent en sa présence « une volupté d'ange », distante de l'acte de la possession. « Je l'aimais trop pour la convoiter », dit-il dans un langage proche de celui qu'il tiendra à propos de Sophie d'Houdetot, mais dans le contexte différent de l'amour passionné. La possession charnelle, qui compromet l'intégrité de l'image, est vécue comme *un inceste*, une dégradation de l'être aimé, marqué d'une souillure ineffaçable ; elle s'accompagne d'une inquiétude morale, du sentiment de la faute et de l'affrontement d'un obstacle qui entrave l'accomplissement du désir sexuel.

> Près de maman, mon plaisir était toujours troublé par un sentiment de tristesse, par un secret serrement de cœur que je ne surmontais pas sans peine ; au lieu de me féliciter de la posséder, je me reprochais de l'avilir [2].

La perception d'une sorte de fêlure déclenche l'action substitutive de l'imagination ; l'insatisfaction du cœur et du désir supplée à un

---

[2] *Ibid.*, O. C., t. I, pp. 253-254.

manque, en superposant à la présence maternelle de Mme de Warens l'image d'une amante fictive, engendrée par le feu de l'érotisme[3]. L'imagination ne revêt pas l'être aimé de toutes les perfections pour en faire un archétype de la femme, comme dans le cas de la passion pour Sophie d'Houdetot, elle la remplace par une présence seconde pour combler un vide et enrichir le réel d'une dimension supplémentaire, indispensable à l'épanouissement de l'Eros. Si elle ne joue qu'un rôle réduit dans l'attachement de Jean-Jacques pour Mme de Warens, sa fonction est ramenée au degré zéro dans les liaisons avec Mme de Larnage et Thérèse. Mme de Larnage lui a procuré un enivrement extrême et fugitif des sens, « une sensualité si brûlante dans le plaisir », mais étrangère au véritable amour et à la transfiguration mythique. Quant à Thérèse, elle fut une *compagne* et un *supplément*, destinés à compenser la séparation d'avec Mme de Warens. Elle lui a offert les agréments d'une « douce intimité » remédiant aux périls d'une solitude trop ardue; elle a satisfait aux exigences de sa sexualité et à son besoin de tendresse, mais elle n'a jamais provoqué cet embellissement imaginaire, consubstantiel à l'amour. Comme pour se justifier à l'avance de sa passion pour Mme d'Houdelot, Rousseau écrit non sans dureté à l'égard de Thérèse: « [...] Je n'ai jamais senti la moindre étincelle d'amour pour elle »[4]. Son âme *expansive* et son imagination ardente ne se sont enflammées qu'une fois pour un être de chair, digne d'être orné des prestiges de l'imaginaire et d'accéder à la grandeur du mythe par la médiation de la création romanesque.

Il en est dans l'aventure avec Sophie d'Houdetot comme si tous les gestes de l'amour étaient licites, hormis l'acte même de l'amour, frappé d'un interdit et attaché au sentiment d'une souillure, qui porte atteinte à l'image sacrée de la femme, sans qu'il soit pour autant marqué de l'empreinte de la faute originelle. La possession charnelle n'accroît ni ne multiplie la passion en l'affermissant par un lien supplémentaire, au contraire elle contribue à dégrader, avilir la représentation que l'on se fait de l'amante, à la dépouiller des orne-

---

[3] Sur l'action substitutive de l'imagination, cf. chapitre VIII.
[4] *Ibid.*, *O. C.*, t. I, p. 414.

ments de la perfection, dont l'imagination l'a revêtue par cette pente qui la porte à l'enthousiasme et à l'idéalisation. Cette certitude éthique et affective paraît remonter à l'enfance de Jean-Jacques, à une époque où il ne conçoit encore qu'une « idée confuse » de l'acte sexuel, mais se le figure « sous une image odieuse et dégoûtante ». Elle est consolidée par les penchants de sa nature qui commandent sa vision de l'amour, son « humeur timide » et son « esprit romanesque », son goût de la distance et sa passion de l'imaginaire, son inclination à préférer les élancements et les tensions du désir à la satisfaction physique. Rousseau définit son tempérament comme « paresseux à faire, par trop d'ardeur à désirer »; il tend à cristalliser le désir sur un être imaginaire plutôt que sur un être réel, dont il faudrait assidûment entreprendre la conquête, à se construire « un autre univers », situé au-delà des obstacles et des limites de l'objet. La dialectique de l'amour est, chez Rousseau, *imaginée*, elle se réfère, non à l'ordre du sensible, mais à une *réalité magique* et mythique [5]; elle est déterminée par la passion des « objets imaginaires », par la tendance à substituer la fiction au vécu et à compenser les insuffisances du réel par l'invention de la chimère, par le recours au pouvoir du rêve qui se construit un espace autonome. Il en résulte que la jouissance n'est ni dans le contentement des sens ni dans la recherche du plaisir, mais dans la création d'une sphère intérieure, édifiée par l'imagination et destinée à abriter le bonheur, qui surpasse en durée et en énergie toutes les voluptés charnelles. « J'ai donc fort peu possédé, mais je n'ai pas laissé de jouir beaucoup à ma manière; c'est-à-dire par l'imagination » [6]. Cet attachement au bonheur imaginaire et aux rêves chimériques fait que Rousseau n'a guère éprouvé en sa vie — sinon avec Mme de Larnage — les plaisirs de la sensualité; l'idéal qu'il a conçu l'a détourné de la volupté des sens, comme il l'observe dans le dessein de justifier peut-être, avant de le narrer, le *fiasco* de Venise: « Non, la nature ne m'a point fait jouir. Elle a mis dans ma mauvaise tête le poison de ce bonheur ineffable, dont elle a mis l'appétit dans

[5] Les termes en italique sont empruntés à Pierre Burgelin, *La Philosophie de l'existence de J.-J. Rousseau*, p. 377.

[6] *Les Confessions, O. C.*, t. I, p. 17.

mon cœur » [7]. Nous savons par un autre passage des *Confessions* que la *mauvaise tête* de Jean-Jacques consiste en une espèce de refus ou d'impossibilité de *s'assujettir* au réel, à la configuration imparfaite des objets et des êtres qui se présentent à son imagination, éprise de la perfection. S'il n'a pas été « heureux dans la conclusion de [ses] amours », c'est qu'il a préféré le modèle imaginaire et qu'il a introduit une dichotomie entre les désirs de son cœur et ceux de ses sens. L'Eros ne s'achève pas dans la possession, mais il se satisfait dans ses impulsions, ses élancements par lesquels il se projette vers l'archétype, inventé par l'imagination. La représentation intérieure et mythique de la femme importe plus que son être charnel, soumis aux vicissitudes du temps, de la réalité et des contraintes sociales. Le cœur se fixe sur une image répondant au visage de son désir; il est tendu vers la conquête de « l'objet imaginaire » qu'il a façonné au gré de ses penchants, de son sentiment de la beauté et de sa volonté d'idéalisation, comparable en quelque manière à la cristallisation stendhalienne. « On aime bien plus l'image qu'on se fait que l'objet auquel on l'applique. Si l'on voyait ce qu'on aime exactement tel qu'il est il n'y aurait plus d'amour sur la terre » [8]. L'idéologie de l'amour, telle que Rousseau la conçoit, établie sur les inclinations de l'affectivité, tend à épurer le désir en le dépouillant de sa gangue matérielle; elle affirme que l'union des corps est incomplète, fragile et même répréhensible, si elle ne s'accompagne de l'union des âmes, si elle n'est consacrée par une aura spirituelle et mythique. L'imagination peut certes, à la faveur de son ambivalence, aiguiser dangereusement la sensualité et la satisfaire dans une certaine mesure, mais elle s'applique, selon une fonction plus essentielle, à embellir la figure de l'amante, à l'orner des attraits de la perfection, qu'elle ne détient pas naturellement; mais son action idéalisante est éteinte par la possession, qui impose une borne fatale à ses mouvements et concourt à détruire l'exemplarité de l'image intérieure. « L'imagination qui pare ce qu'on désire l'abandonne dans la possession » [9]. L'acte de l'amour ne satisfait que

---

[7] *Ibid.*, *O. C.*, t. I, p. 320.
[8] *Emile*, *O. C.*, t. IV, p. 656.
[9] *Ibid.*, *O. C.*, t. IV, p. 821.

les plaisirs éphémères des sens, et non la plénitude de la passion, l'exigence d'absolu qui est en elle. S'il est coupé de toute dimension spirituelle, il s'identifie avec la *débauche*, profondément distincte de l'amour et incompatible avec lui. Dans la lettre à Saint-Germain du 26 février 1770, Rousseau les sépare radicalement, en signifiant le parti qu'il a le plus souvent adopté de préférer les plaisirs platoniques de l'*adoration* aux plaisirs immédiats de la sexualité.

L'amour et la débauche ne sauraient aller ensemble; il faut choisir. Ceux qui les confondent ne connaissent que la dernière: c'est sur leur état qu'ils jugent du mien; mais ils se trompent. Adorer les femmes et les posséder sont deux choses très différentes. Ils ont fait l'une, et j'ai fait l'autre. J'ai connu quelquefois leurs plaisirs, mais ils n'ont jamais connu les miens[10].

La possession charnelle ne paralyse pas seulement les élans de l'imagination, elle altère l'image de la femme aimée, la contamine d'une souillure indélébile, selon l'expérience vécue par Rousseau avec Mme de Warens et la comtesse d'Houdetot. Le véritable amour se distance de la volupté pour rechercher le commerce des cœurs et jouir des charmes de la présence; il cherche à préserver l'image sacrée de la femme aimée afin de la maintenir dans l'éclat de l'innocence et de l'intégrité. Ou s'il est en quête d'une « possession mutuelle », il la découvre, non dans l'ordre du charnel, mais au niveau d'une relation ontologique et spirituelle, indestructible ici-bas; il s'agit alors, comme ce fut le cas exceptionnel avec Mme de Warens, d'« une possession plus essentielle qui, sans tenir aux sens, au sexe, à l'âge, à la figure tenait à tout ce par quoi l'on est soi, et qu'on ne peut perdre qu'en cessant d'être »[11]. L'amant s'enivre des charmes d'« une société intime » où les âmes se confondent au-delà des corps, ou bien il se représente l'être aimé, auréolé d'une beauté parfaite et de grâces chimériques. L'amour s'accomplit doublement dans la séduction inépuisable de la présence et dans l'effigie idéale, créée par l'imagination. Il produit l'illusion — au sens positif du terme — engendrée

---

[10] *Correspondance générale*, t. XIX, p. 243.

[11] *Les Confessions*, *O. C.*, t. I, p. 222. Aussi Rousseau réprouve-t-il la *maxime*, appliquée par Mme de Warens, comme un signe d'affection complaisante: « Elle a toujours cru que rien n'attachait tant un homme à une femme que la possession ». *Ibid.*, *O. C.*, t. I, p. 198.

non par le spectacle du réel, mais par la contemplation du « modèle imaginaire », que l'amant porte en lui, dans les désirs de son cœur. Le délire amoureux est, ainsi que chez Platon, lié aux mouvements ascendants de l'enthousiasme et à la perception de l'image intérieure de la beauté. Tous deux, enthousiasme et sentiment du beau, sont suscités par l'imagination, qui revêt l'être aimé de la vertu et de la perfection. Tout amour repose sur la magie de l'illusion, mais il est animé par une ambition esthétique, par l'aspiration à se nourrir de cet archétype de la beauté qui habite le royaume de l'imaginaire. Ce qui est mensonge et fiction au niveau de la réalité devient le signe de l'authenticité dans « le pays des chimères ».

Il n'y a point de véritable amour sans enthousiasme et point d'enthousiasme sans un objet de perfection réel ou chimérique, mais toujours existant dans l'imagination. [...] Tout n'est qu'illusion dans l'amour, je l'avoue; mais ce qui est réel, ce sont les sentiments dont il nous anime pour le vrai beau qu'il nous fait aimer. Ce beau n'est point dans l'objet qu'on aime, il est l'ouvrage de nos erreurs. Eh ! qu'importe ? En sacrifie-t-on moins tous ces sentiments bas à ce modèle imaginaire ? [12]

Cette vision de l'amour correspond à l'expérience vécue par Rousseau, comme le confirme la grande lettre à Saint-Germain. La communication spirituelle, fondée sur l'idée de vertu, ne peut s'instaurer qu'avec le concours de l'imagination, seule capable d'inventer le modèle de la beauté par son pouvoir de métamorphose et d'idéalisation.

L'amour que je conçois, celui que j'ai pu sentir, s'enflamme à l'image illusoire de la perfection de l'objet aimé; et cette illusion même le porte à l'enthousiasme de la vertu, car cette idée entre toujours dans celle d'une femme parfaite [13].

L'amour absolu est gouverné par l'exigence de la totalité, par la loi exclusive du *tout ou rien*; mais il porte aussi l'empreinte de la pureté, associée au sentiment du sacré par lequel l'amant honore l'intégrité

---

[12] *Emile, O. C.*, t. IV, p. 743. A propos de cette puissance d'illusion, contenue dans l'Eros, Henri Gouhier écrit: « L'illusionisme de l'amour n'est donc pas un mal en lui-même: il est lié à l'inévitable médiation de l'imagination ». *Les Méditations métaphysiques de J.-J. Rousseau*, p. 159.

[13] *Correspondance générale*, t. XIX, pp. 243-244.

de sa maîtresse, consent au sacrifice de ses désirs ou les transpose dans l'univers de la fiction. En s'affranchissant de l'empire des sens, l'amour accède à la vertu dont le triomphe est assuré grâce à ce modèle intérieur engendré par l'imagination.

> L'amour peut épurer les sens, je le sais, il est cent fois plus facile à un véritable amant d'être sage qu'à un autre homme: l'amour qui respecte son objet, en chérit la pureté, c'est une perfection de plus qu'il y trouve, et qu'il craint de lui ôter. L'amour-propre dédommage un amant des privations qu'il s'impose en lui montrant l'objet qu'il convoite plus digne des sentiments qu'il a pour lui [14].

Ces lignes, extraites d'une lettre de septembre 1764 à M. de la Chapelle, expriment le sens éthique que Jean-Jacques découvre à son aventure amoureuse avec Sophie d'Houdetot. Le salut et la fin de la passion sont dans le recours aux puissances de l'imaginaire, qui n'exclut pas certains gestes de l'amour, dans la mesure où ils ne compromettent pas la pureté de l'amante et ne souillent pas l'image dont elle porte le nimbe, mais qui réprouve l'acte de la possession, frappé d'un interdit et lié à la hantise psychique de la culpabilité.

Au printemps de 1757, Rousseau projette l'expansion de ses désirs insatisfaits dans l'imaginaire; il remédie à l'absence d'un objet réel sur lequel il puisse fixer les élans de ses sens et de son affectivité en inventant le songe mythique de l'amour. Il transpose par l'écriture son « tendre délire » et ses « érotiques transports », inspirateurs de *La Nouvelle Héloïse*, qui prélude à sa passion pour Sophie d'Houdetot et la préfigure au point que la fiction s'incarne dans la trame du vécu. « Ivre d'amour sans objet », sinon celui qu'il se crée à l'aide de son imagination, il découvre en Sophie la présence de l'objet qui le *fascine* et l'envoûte. La comtesse n'est « point belle », mais douée de charme, de sorte qu'elle se prête admirablement à l'opération de la cristallisation et qu'elle est « revêtue de toutes les perfections » que Jean-Jacques avaient inventées pour rendre Julie la plus achevée et la plus gracieuse des créatures féminines. Les perfections de l'imaginaire viennent embellir l'être de chair, le divinisent et le rendent presque inaccessible en le projetant dans l'espace de l'interdit. Parée des

---

[14] *Correspondance complète*, t. XXI, p. 179.

vertus de l'héroïne romanesque, Sophie se transforme en une *divine image*, en une personnification du sacré, qui ne peut être évoquée que par la médiation d'un langage religieux, selon la tradition du pétrarquisme [15]. Elle est sacralisée par l'énergie de l'amour, elle devient le principe du renouvellement intérieur de la vie et de l'élévation spirituelle, inspirant la volonté de sacrifice. L'intensité même de la passion préserve l'intégrité de Sophie et de son image, qui ne doivent être ternies par la possession. L'amour absolu et dévorant s'accomplit au-delà de lui-même, dans le dépassement, dans le renoncement à la satisfaction de ses appétits; il se distance de la sexualité, en s'imposant une sublimation du désir.

La véhémence de ma passion la contenait par elle-même. Le devoir des privations avait exalté mon âme. L'éclat de toutes les vertus ornait à mes yeux l'idole de mon cœur; en souiller la divine image eût été l'anéantir. J'aurais pu commettre le crime, il a cent fois été commis dans mon cœur: mais avilir ma Sophie ! ah cela se pouvait-il jamais ! Non non je le lui ai cent fois dit à elle-même; eussé-je été le maître de me satisfaire, sa propre volonté l'eût-elle mise à ma discrétion, hors quelques courts moments de délire, j'aurais refusé d'être heureux à ce prix. Je l'aimais trop pour vouloir la posséder [16].

Le récit des *Confessions* ne contredit pas le témoignage de la correspondance dans laquelle Rousseau exprime à Sophie d'Houdetot sa crainte de l'*avilir* par la possession et de porter atteinte à la représentation qu'il s'est faite d'elle. Ses désirs sont à la fois contraints et élevés par la parole intérieure de la conscience, appliquée à maintenir la pureté de l'image, en écartant la tentation charnelle, puisque la souillure du corps de l'amante entraînerait la ruine du modèle idéal.

Cette voix terrible qui ne trompe point me faisait frémir à la seule idée de souiller de parjure et d'infidélité celle que j'aime, celle que je voudrais voir aussi parfaite que l'image que j'en porte au fond de mon cœur, celle qui doit m'être inviolable à tant de titres. J'aurais donné l'univers pour un

---

[15] Le langage du sacré de l'amour est sensible dans *Les Confessions* et surtout dans les lettres à Sophie: idolâtrer, « l'idole de mon cœur », respect, adoration, « la divine image », « ce divin enthousiasme », « ce feu sacré », « ta personne me fut sacrée », inviolable, « ce frémissement céleste », etc.

[16] *Les Confessions, O. C.*, t. I, p. 444.

moment de félicité; mais t'avilir, Sophie! ah! non, il n'est pas possible, et,
quand j'en serais le maître, je t'aime trop pour te posséder jamais [17].

Considérant rétrospectivement sa passion pour Sophie, Rousseau
la juge grandie par le renoncement à l'acte charnel, qui aurait dégradé
les amants et leur aurait imposé le sentiment de la culpabilité. La
possession les aurait déchus de la perfection à laquelle ils aspiraient et
privés de la vocation spirituelle de l'amour. La passion totale puise en
elle-même la force par laquelle elle épure le désir et le transpose dans
« le pays des chimères ».

   Nous nous étions trop élevés aux yeux l'un de l'autre pour pouvoir nous
avilir aisément. Il faudrait être indigne de toute estime pour se résoudre
à en perdre une de si haut prix, et l'énergie même des sentiments qui pou-
vaient nous rendre coupables fut ce qui nous empêcha de le devenir [18].

Privé de l'objet de son amour, Rousseau peut à nouveau l'idéaliser
par un mouvement spontané et le recréer dans l'espace de l'imaginaire.
Sa passion pour Sophie représente l'intermède durant lequel l'irruption
du réel interrompt la composition de *La Nouvelle Héloïse*. Le dernier
mot de la revanche du désir ne peut appartenir qu'à la fiction
compensatrice.

« LA PHILOSOPHIE DES AMANTS »

   Si *Les Confessions* transforment en mythe le vécu de l'amour,
La Nouvelle Héloïse propose une mythologie de l'amour comme une
expérience totale, visiblement marquée par le platonisme. La seconde
préface en établit la nature, l'ordonnance et le rituel magiques, de
même qu'elle en définit le contenu thématique. L'amour puise son

[17] *Correspondance complète*, t. IV, p. 277. Cette lettre n'a pas été adressée à
sa destinataire. Dans une lettre antérieure, Rousseau écrivait à Sophie d'Houdetot:
« Je puis mourir de mes fureurs, mais je ne vous rendrai point vile. [...] Je ne puis
corrompre celle que j'idôlâtre ». *Ibid.*, t. IV, p. 226.

[18] *Les Confessions*, O. C., t. I, p. 480. Dans la première des *Lettres morales*,
Rousseau insiste également sur la métamorphose des désirs, élevés vers la perfection du « modèle imaginaire »: « S'ils osèrent dans le secret de mon cœur
attenter à vos attraits, ils ont bien réparé cet outrage, ils ne tendent plus qu'à la
perfection de votre âme et à justifier s'il est possible tout ce que la mienne a senti
pour vous. Oui, soyez parfaite comme vous pouvez l'être et je serai plus heureux
que de vous avoir possédée ». *O. C.*, t. IV, p. 1082.

énergie et sa durée dans l'illusion, il s'en nourrit, subsiste et se perpétue grâce à elle, à son pouvoir d'inventer « un autre univers »,
dans l'affranchissement de l'imaginaire, habité par des êtres élus.
L'irréalisme de la passion, associée aux impulsions verticales de
l'enthousiasme, idéalise l'amante et la projette dans l'empyrée, où
elle devient l'objet d'un culte. Cette sacralisation, opérée dans l'âme
par l'affectivité, ne peut se traduire que par l'intermédiaire d'une
écriture métaphorique, empruntant les ressources du langage religieux. La célébration de l'amour et de l'amante est *hymnique*,
signifiée à l'aide d'images qui suggèrent la présence du sacré et l'aspiration à la beauté. Le véritable Eros ne peut avoir qu'une finalité
céleste.

L'amour n'est qu'illusion; il se fait, pour ainsi dire, un autre Univers;
il s'entoure d'objets qui ne sont point, ou auxquels lui seul a donné l'être;
et comme il rend tous ses sentiments en images, son langage est toujours
figuré. [...] L'enthousiasme est le dernier degré de la passion. Quand elle
est à son comble, elle voit son objet parfait; elle en fait alors son idole;
elle le place dans le Ciel; et comme l'enthousiasme de la dévotion emprunte
le langage de l'amour, l'enthousiasme de l'amour emprunte aussi le langage
de la dévotion. Il ne voit plus que le Paradis, les Anges, les vertus des Saints,
les délices du séjour céleste [19].

Plus exactement, le langage de l'amour est dans *La Nouvelle
Héloïse* au carrefour de deux pôles, celui du sacré et celui du platonisme, qui se mêlent et s'interpénètrent, aussi longtemps que se
prolonge le *charme* de la passion. Cette terminologie platonicienne
est perceptible dans les termes suivants: *âme immortelle, accord* et
union des âmes, beau et *beauté, bon* (en tant qu'équivalent relatif
du Bien), *délire, enthousiasme, éternel, éternité, feu céleste, divin* ou
sacré, idée, ivresse, modèle divin, parfait, perfection, pureté, transports...
Rousseau invite le lecteur à ce rapprochement par les allusions à
Platon à l'intérieur du roman et en particulier par la note jointe à
la lettre XI de la seconde partie: « La véritable philosophie des
Amants est celle de Platon; durant le charme ils n'en ont jamais
d'autre. Un homme ému ne peut quitter ce philosophe; un lecteur

---

[19] *La Nouvelle Héloïse, O. C.,* t. II, pp.15-16.

froid ne peut le souffrir » [20]. Ce langage, hérité du *Banquet* et du *Phèdre*, est perpétué par tout le courant de la poésie pétrarquiste, à laquelle le romancier ne manque pas de se référer à plus d'une reprise. Il est surtout essentiel d'observer qu'il prédomine dans les trois premières parties du roman et qu'il recule dans les trois dernières, c'est-à-dire qu'il s'affirme tant que le narrateur exalte l'épanouissement violent de la passion et qu'il tend à s'effacer, lorsque le romancier célèbre la sagesse du mariage. En dépit de la faute de Julie, l'amour dépasse la *crise* de la jouissance charnelle; il est en quête de l'innocence et de l'« inaltérable pureté », au-delà du risque fatal de la possession. Il aspire à préserver son intégrité et celle de l'objet de son désir, entretenue par une tension vers l'idéal, par la contemplation du modèle intérieur et les mouvements de l'enthousiasme. Il ne s'attache pas à la présence du corps, mais obéit à une impulsion ascendante, emportée par l'intuition d'un archétype de la beauté et du bien. Il s'anime et s'épure en se référant à « ce divin modèle que chacun de nous porte avec lui », à cette exemplarité que l'âme découvre en elle-même et qui l'incite à se distancer du terrestre pour se ravir en la vision d'un univers céleste.

L'âme s'élève, le cœur s'enflamme à la contemplation de ces divins modèles; à force de les considérer on cherche à leur devenir semblable, et l'on ne souffre plus rien de médiocre sans un dégoût mortel [21].

L'amour vrai est soumis à une exigence spirituelle et esthétique, il est une contemplation et une imitation du beau, une aspiration entraînée vers le haut par « l'idée de la perfection »; il dépasse l'opacité des corps et s'élève vers la lumière des âmes, en cédant aux transports que lui inspire la vision intérieure de la beauté. « [...] La véritable jouissance de l'âme est dans la contemplation du beau » [22]. L'amour est mû par le « noble enthousiasme de l'honnête et du

---

[20] *Ibid.*, *O. C.*, 5. II, p. 223. J'ai peine à me rallier à l'idée que cette note est *équivoque* et *à demi ironique*, comme le suggère Bernard Guyon. Il importe de la restituer dans son contexte, sans considérer qu'elle engage la signification générale du roman.

[21] *Ibid.*, *O. C.*, t. II, pp. 224 et 59.

[22] *Ibid.*, *O. C.*, t. II, p. 224. « Le plus grand bienfait spirituel de l'amour est qu'il double l'âme », écrit Jean-Louis Lecercle, *Rousseau et l'art du roman*, p. 173.

beau », il est grandi par son attachement au bien, par la relation qu'il instaure entre l'éthique et l'esthétique. Le beau et le bon sont harmoniques et consubstantiels non seulement au niveau de leur origine, mais de leur manifestation, puisqu'ils s'impliquent réciproquement dans la vie et l'expérience de l'amour.

J'ai toujours cru, écrit Saint-Preux à Julie, que le bon n'était que le beau mis en action, que l'un tenait intimement à l'autre, et qu'ils avaient tous deux une source commune dans la nature bien ordonnée [23].

L'amour se spiritualise dans le dessein de rechercher l'union des âmes et de se projeter dans la sphère de l'éternité. Il est « un feu dévorant », « un feu pur et sacré », selon une métaphore qui n'est pas seulement empruntée à la tradition du pétrarquisme et de la préciosité, mais qui est chargée de signifier l'opération cathartique à laquelle il subordonne son épanouissement. Si l'amour est un feu par cette alliance du beau et du bien, c'est qu'il épure le désir afin de le convertir en une « ardeur divine », détachée des « erreurs des sens » et supérieure aux instincts de la nature. Il se transfigure par l'innocence et la constance, en se fixant sur un être unique, qui devient l'objet d'une divinisation, d'une prédilection exclusive. L'amour n'accède à l'absolu que par la pureté et la fidélité, que par le principe d'une élection qui se porte sur un seul être; l'amante représente tout le sexe féminin comme refoulé dans l'ombre par l'unicité de sa présence englobante.

Je ne sais si je m'abuse; mais il me semble que le véritable amour est le plus chaste de tous les liens. C'est lui, c'est son feu divin qui sait épurer nos penchants naturels, en les concentrant dans un seul objet; c'est lui qui nous dérobe aux tentations, et qui fait qu'excepté cet objet unique, un sexe n'est plus rien pour l'autre [24].

La difficulté à laquelle s'expose l'amour est de préserver son innocence, de purifier la passion de ses scories et de vaincre les impulsions

---

[23] *Ibid., O. C.*, t. II, p. 59. *Le Banquet* définit l'amour à la fois comme « le désir de posséder éternellement à soi ce qui est bon » et « la création dans le beau selon le corps et l'esprit ». Trad. par M. Meunier, Payot, 1926, p. 145.

[24] *Ibid., O. C.*, t. II, p. 138. Ou encore cette formule lapidaire de Saint-Preux dans la sixième partie du roman: « L'inconstance et l'amour sont incompatibles ». P. 675. Dans *Le Banquet*, Platon insiste sur cette exigence de fidélité, attachée à la spiritualité de l'amour: « L'amant d'une belle âme [...] reste fidèle durant toute sa vie, car ce qu'il chérit est stable ». *Op. cit.*, p. 66.

orageuses du désir, mais lorsque la pureté est acquise par le sacrifice et le dépouillement que lui impose la vertu, elle « se soutient par elle-même », par sa densité spirituelle, par la référence constante à « cette effigie intérieure qui n'a point parmi les êtres sensibles de modèle auquel on puisse la comparer ». La pureté s'obtient et se conserve grâce à l'image de la perfection, au modèle imaginaire que l'amant façonne au gré des besoins de son cœur. Mais, selon Julie, ce modèle peut être défiguré par le temps, s'il n'est pas placé sous le sceau de « l'Etre Eternel », s'il ne renvoie pas au « Vrai modèle des perfections dont nous portons tous une image en nous-mêmes ». Il n'est assuré que par la caution de l'archétype divin qui s'inscrit dans la ligne d'un platonisme christianisé et à partir duquel peut s'accomplir la sublimation du désir, débarrassé de ses entraves physiques. « C'est à la contemplation de ce divin modèle que l'âme s'épure et s'élève, qu'elle apprend à mépriser ses inclinations basses et à surmonter ses vils penchants » [25]. L'épuration du désir, considérée comme une ascèse spirituelle, constitue la fin de l'amour et élève les amants à une dignité supérieure, en consacrant, selon la dialectique du *Banquet*, le triomphe de l'*Eros céleste* sur l'*Eros vulgaire*. C'est pourquoi, dans sa dernière lettre à Julie, Saint-Preux peut affirmer: « Non non, les feux dont j'ai brûlé m'ont purifié; je n'ai plus rien d'un homme ordinaire » [26]. « La sainte ardeur » de l'amour réconcilie l'exigence esthétique et l'exigence morale, harmonise le sentiment de la beauté avec les impératifs de l'innocence et de la vertu.

L'amour ne saurait se fonder sur la satisfaction du désir sexuel, mais sur les besoins de l'âme et du cœur, il repose sur « une convenance réciproque » et « un accord des âmes » qui en garantissent la durée, c'est-à-dire qu'il implique une passion mutuelle, la fusion de deux êtres en un, affermie par les élans de l'imagination et de l'affectivité. Il ne persiste que par la réciprocité et la quête de l'unité, ouvertes sur l'aspiration à l'éternel, en ce sens que l'immortalité de l'âme — doctrine plus grecque et platonicienne que chrétienne, si l'on en croit la

---

[25] *Ibid.*, *O. C.*, t. II, p. 358.
[26] *Ibid.*, *O. C.*, t. II, p. 678.

théologie protestante [27] — en assure la permanence au-delà de la vie terrestre. La durée de l'amour est consacrée par l'âme et la mémoire, qui portent en elles les semences de l'éternité.

Cet amour est invincible comme le charme qui l'a fait naître. Il est fondé sur la base inébranlable du mérite et des vertus; il ne peut périr dans une âme immortelle; il n'a plus besoin de l'appui de l'espérance, et le passé lui donne des forces pour un avenir éternel [28].

L'amour est habité par le désir de l'immortalité, par l'appétit d'une jouissance spirituelle, de telle sorte qu'il transcende les êtres qui l'éprouvent. Les attraits de la passion et la personne des amants s'effacent devant la réalité supérieure de l'amour, qui subsiste dans les âmes, par-delà les obstacles du temps et de la société. « Il ne reste de nous que notre amour; l'amour seul reste, et ses charmes se sont éclipsés » [29]. En son essence, l'amour est de l'âme; c'est en elle qu'il découvre le principe de son existence et de sa durée, le ressort de la force morale à laquelle il est soumis, c'est en elle qu'il identifie l'image sacrée et le modèle inaltérable de la beauté à laquelle il voue sa fidélité; cette image, bien qu'elle puisse être déformée par le comportement, est éternelle comme l'âme même et indélébile, elle représente l'archétype sur lequel se fondent l'esthétique et l'éthique de l'amour, réconciliées par la tension des énergies spirituelles.

Laisse, mon ami, ces vains moralistes, et rentre au fond de ton âme; c'est là que tu retrouveras toujours la source de ce feu sacré qui nous embrasa tant de fois de l'amour des sublimes vertus; c'est là que tu verras ce simulacre éternel du vrai beau dont la contemplation nous anime d'un saint enthousiasme, et que nos passions souillent sans cesse sans pouvoir jamais l'effacer [30].

Ce fragment d'une lettre de Julie à Saint-Preux, auquel fait référence la note sur « la véritable philosophie des Amants », pose de manière

---

[27] Oscar Cullmann, *Immortalité de l'âme ou résurrection des corps ?*, Neuchâtel, Delachaux et Niestlé, 1956.

[28] *Ibid.*, *O. C.*, t. II, p. 190.

[29] *Ibid.*, *O. C.*, t. II, p. 336.

[30] *Ibid.*, *O. C.*, t. II, p. 223. Henri Gouhier fait observer que le terme de *simulacre* est pris dans un sens proche de son sens premier: « l'image d'un dieu ». *Les Méditations métaphysiques de J.-J. Rousseau*, p. 153.

évidente le problème du platonisme de Rousseau, sensible dans le contenu et la terminologie, dans la relation qui s'établit entre la beauté et le bien. En s'interrogeant sur la différence et les analogies entre Platon et Rousseau, Henri Gouhier résout la question en ces termes :

> Ce *simulacre* ou ce *modèle* ne peut être une idée comme dans le platonisme : il est en quelque sorte immanent à un attrait naturel ; mais, comme dans le platonisme, ce *vrai beau* que vise *un saint enthousiasme* est aussi le *bien* que cherche notre *vouloir* : il y a donc possibilité d'aller au *bien* par le *beau* [31].

Certes cette image archétypale de la beauté ne correspond pas absolument à une idée platonicienne, mais elle dépasse l'immanence dans la mesure où elle est conçue comme un *modèle* empreint dans l'espace mystérieux de l'âme. Bien qu'elle ne soit pas une idée, elle s'identifie avec cette « beauté intérieure » qui participe à l'immortalité, selon la dialectique du *Phèdre* ; accompagnée du sentiment de la perfection et des impulsions de l'enthousiasme, elle tend à s'élever vers la transcendance divine, qui incarne la « beauté éternelle, incréée, impérissable, exempte d'accroissement et de diminution » [32].

Le dualisme de l'âme et du corps implique de s'affranchir de la sensualité et de l'érotisme — qui ne sont pas pour autant absents de *La Nouvelle Héloïse* —, de réprouver l'acte sexuel, lié à la notion de la faute, dénoncé dans ses limites et sa précarité. L'amour établi sur la satisfaction charnelle s'expose à l'usure et à la dégradation par l'action corrosive du temps. « Le moment de la possession est une crise de l'amour », proclame Julie, parce qu'il coïncide avec l'instant où la durée de la passion est mise en cause, menacée par le déclin, par l'impossibilité de maintenir la tension du désir. C'est l'une des fonctions de Claire dans le roman que d'insister sur la disjonction de l'amour et de la possession, sur l'idée que l'amour peut « s'éteindre au sein des plaisirs » par la satiété et ne pas survivre au « dégoût d'une longue possession », que ses chances de durer sont dans le consentement au sacrifice, dans l'acceptation des tourments et des

---

[31] *Op. cit.*, p. 153.
[32] *Le Banquet*, p. 162.

épreuves qu'il impose. « L'amour malheureux » est plus constant que la passion satisfaite, parce qu'il se soustrait au temps et qu'il puise sa force dans les résistances de l'âme. « L'image de l'amour éteint effraie plus un cœur tendre que celle de l'amour malheureux, et le dégoût de ce qu'on possède est un état cent fois pire que le regret de ce qu'on a perdu » [33]. La possession et la recherche du plaisir détruisent l'illusion nécessaire à la permanence de l'amour, elles altèrent l'union des âmes et défigurent le modèle intérieur ; elles anéantissent la représentation chimérique sans laquelle l'amour ne saurait perdurer. Le point de vue de Julie rejoint celui de sa cousine ; il confirme la volonté de séparer le pôle spirituel de l'amour de son pôle charnel. « L'amour sensuel ne peut se passer de la possession, et s'éteint par elle. Le véritable amour ne peut se passer du cœur, et dure autant que les rapports qui l'on fait naître » [34]. Les deux pôles de l'amour ne se distinguent pas seulement par leur finalité, mais par la relation qu'ils entretiennent avec la temporalité, l'un étant engagé dans un présent momentané, l'autre dans un non-temps qui englobe l'éternel présent et l'immortalité.

Eros charnel / Eros spirituel = durée du présent / durée de l'éternité

A cet égard, les *Lettres à Sara*, dans le prolongement de *La Nouvelle Héloïse*, témoignent que Rousseau aspire à cette *volupté d'ange* qui tente de s'affranchir de l'obstacle du corps et de purifier le désir de son ivresse charnelle. De même que Julie, Sara apparaît comme une image du sacré, auréolée d'une lumière surnaturelle, « un Ange envoyé du Ciel » et chargé de modérer les transports trop violents de l'amour. « Ne laisse plus profaner ton image par des désirs formés malgré moi. » La femme dispose du pouvoir de réduire les mouvements involontaires de la passion, de substituer l'adoration silencieuse aux discours et aux actes du désir. Elevée à la dignité d'une

---

[33] *La Nouvelle Héloïse*, O. C., t. II, p. 321.

[34] *Ibid.*, O. C., t. II, p. 341. Le narrateur intervient en ajoutant en note ce commentaire : « Quand ces rapports sont chimériques, il dure autant que l'illusion qui nous les fait imaginer ». Ce point de vue auquel Rousseau souscrit dans *Les Confessions* est essentiellement celui des deux héroïnes dans *La Nouvelle Héloïse*.

déesse, elle transfigure l'amour par le modèle de la vertu qu'elle incarne. « Je n'approcherai de vous que comme d'une Divinité devant laquelle on impose silence à ses passions. Vos vertus suspendront l'effet de vos charmes; votre présence purifiera mon cœur »[35]. L'amante divinisée exalte l'imagination, qui crée la distance nécessaire à la décantation du désir et l'espace où le mythe réinvente le réel dans une sphère supérieure.

Selon Julie, l'amour s'achève dans « le pays des chimères » et le royaume de l'imaginaire. Le vrai désir se perpétue et se nourrit de son propre mouvement, de l'appréhension qu'il éprouve, convertie en une promesse de bonheur par l'immolation du plaisir des sens à la délectation spirituelle. C'est le bonheur imaginaire, toujours sollicité par le futur, qui fait l'enchantement et la fascination de l'amour.

Tant qu'on désire on peut se passer d'être heureux; on s'attend à le devenir; si le bonheur ne vient point, l'espoir se prolonge, et le charme de l'illusion dure autant que la passion qui le cause. Ainsi cet état se suffit à lui-même, et l'inquiétude qu'il donne est une sorte de jouissance qui supplée à la réalité[36].

Avec le concours de l'imagination, le désir se projette dans l'avenir, impatient qu'il est de conquérir une « imaginaire propriété » et de la conserver plutôt que de posséder un être de chair. Il subsiste dans le temps grâce au phénomène de la cristallisation imaginaire, qui idéalise l'être aimé par des ornements métaphoriques. Au contraire le désir satisfait anéantit les opérations de l'imagination et les sortilèges de l'illusion. La possession n'est qu'une conquête temporelle, destructrice par laquelle les amants sont précipités dans le désenchantement du réel. La fin de l'amour n'est pas de s'incarner dans l'épaisseur de l'immanence, mais de s'élever dans l'espace et le temps de l'imaginaire, de se créer un univers mythique d'harmonie et de beauté. La perfection n'habite pas l'ici-bas, elle est dans la réalité de l'imaginaire, elle postule une transcendance que l'âme pressent et qui confère à « ce qui n'est pas » le charme d'une existence souveraine, vécue dans un ailleurs.

---

[35] *Lettres à Sara*, *O. C.*, t. II, pp. 1295 et 1296-1297.
[36] *La Nouvelle Héloïse*, *O. C.*, t. II, p. 693.

Mais tout ce prestige disparaît devant l'objet même; rien n'embellit plus cet objet aux yeux du possesseur; on ne se figure point ce qu'on voit; l'imagination ne pare plus rien de ce qu'on possède, l'illusion cesse où commence la jouissance. Le pays des chimères est en ce monde le seul digne d'être habité, et tel est le néant des choses humaines, qu'hors l'Etre existant par lui-même, il n'y a rien de beau que ce qui n'est pas [37].

Ce passage central, qui exprime l'un des sens profonds du roman, pose à nouveau la question du platonisme de Rousseau, en se référant, non à la notion du « divin modèle », mais à celle de la beauté, projetée dans l'univers imaginaire, soustrait aux imperfections du réel. Jean-Louis Lecercle commente en ces termes l'affirmation de Julie: « Une esthétique platonicienne sert à justifier cette fuite hors du réel qui est [...] une des constantes psychologiques de Rousseau. Les personnages de la *Julie* portent la marque de Platon » [38] Ce mouvement est platonicien dans sa démarche, à la différence toutefois que le beau, chez Rousseau, ne correspond pas véritablement à une Idée, mais à un modèle imaginaire, situé dans la sphère protégée du mythe, en dehors de la contamination du réel [39]. En outre le dualisme de Rousseau est plus radical que celui de Platon, puisqu'il instaure une séparation plus totale, une *rupture* entre le corps et l'âme, entre l'Eros physique et l'Eros spirituel, comme l'observe Henri Gouhier [40]. La dialectique platonicienne de l'amour s'élève de la beauté des corps à la beauté des âmes, du terrestre vers le céleste, pour s'ouvrir sur le ravissement « en la Beauté absolue et divine »; elle gravit progressivement les degrés d'une ascension qui s'achève dans la contemplation de la « Beauté suprême ». Au contraire, Rousseau introduit une dichotomie entre le désir sexuel et la spiritualité de l'amour, parallèle à la disjonction du réel et de l'imaginaire. L'amour n'est pas dans le prolongement du désir physique, il en est séparé par nature et destination; il tend vers la perfection, identifiée avec une fiction qui pro-

[37] *Ibid.*, *O. C.*, t. II, p. 693. Cette dernière affirmation est reprise textuellement dans *Emile*: « Hors le seul Etre existant par lui-même, il n'y a rien de beau que ce qui n'est pas ». *O. C.*, t. IV, p. 821.

[38] *Rousseau et l'art du roman*, p. 97.

[39] Toutefois Socrate définit en ces termes le désir dans *Le Banquet*: « Tout homme désireux désire l'inactuel et l'irréel, souhaite ce qu'il n'a pas, ce qui est autre que lui et ce dont il est indigent ». P. 121.

[40] *Les Méditations métaphysiques de J.-J. Rousseau*, p. 155.

cède de l'activité compensatrice de l'imagination. Il se réfugie et s'accomplit dans l'univers du mythe, où il est dédommagé de son sacrifice et de son renoncement. Le bonheur est dans l'invention de l'imaginaire, de cette terre mythique des chimères où l'amour est associé à la vertu et sacralisé par la conquête de l'immortalité. Malgré ces divergences, Rousseau rejoint Platon dans la mesure où l'amour est par le truchement de la beauté une démarche ontologique, conçue comme une approche de l'Absolu intemporel. « Le beau imaginaire éveille un amour qui s'élance vers le Beau identique à l'Etre » [41]. L'amour, libéré des entraves de la sexualité, réconcilie l'éthique et l'esthétique, par les voies conjointes de la vertu et de la beauté il accède à la dignité de l'Eros céleste. Le dernier mot de *La Nouvelle Héloïse* n'est pas la sanctification du mariage, il est dans la certitude que l'amour est lié à la mort, pressentie non sous la forme de la résurrection des corps, mais comme la séparation irrévocable de l'âme et du corps. La mort délivre les âmes et unit dans l'éternité les amants qui ont vécu ici-bas dans la division; délivrée de la temporalité, elle révèle l'amour à la transcendance et à l'immortalité. Les dernières paroles de Julie à Saint-Preux sont décisives: « La vertu qui nous sépara sur la terre, nous unira dans le séjour éternel. Je meurs dans cette douce attente » [42]. Le dénouement du roman, tout en empruntant un langage proche du christianisme, valorise une mythologie platonicienne de l'amour, établie sur la participation à la beauté absolue, la royauté du « pays des chimères » et l'émancipation des âmes, vouées à la contemplation du divin. Les trois premières parties de *La Nouvelle Héloïse* et la conclusion invitent le lecteur à se demander, selon la suggestion de Marcel Raymond, si le platonisme ne représente pas « le haut lieu éminemment central » du roman. « L'Eros platonicien, le désir sans fin, avec son appel à la bonté et à la beauté à travers l'amour, dessine la ligne d'horizon » [43]. Il constitue à coup

---

[41] Henri Gouhier, *op. cit.*, p. 160. Pierre Burgelin est plus réservé au sujet du platonisme de Rousseau, en concluant qu'« il est plus chrétien que platonisant » et qu'« il accepte la distinction des personnes et le mariage ». *La Philosophie de l'existence de J.-J. Rousseau*, p. 401.

[42] *La Nouvelle Héloïse*, *O. C.*, t. II, p. 743.

[43] *O. C.*, t. II, p. XVI.

sûr, au niveau de la thématique, un des principes de cohérence du roman à travers son mouvement ascensionnel, orienté vers l'immortalité de l'âme et de l'amour. Si l'Eros débouche dans l'au-delà sur la désincarnation, il ne peut s'abstraire dans l'ici-bas du désir, suscité par la présence charnelle. Le corps féminin, en tant qu'objet du désir, n'est pas nié, il déploie ses attraits dans l'image du sein; en deçà de son rêve d'éternité, l'amant découvre dans la gorge de sa maîtresse l'obstacle de la beauté physique le plus tenace, le plus difficile à réduire, avant de franchir les degrés qui mènent à la contemplation de la beauté spirituelle.

LE SEIN / LE SEXE

Dans sa mythologie de l'amour, Rousseau équilibre la condamnation du sexe par la glorification du sein, qui est à ses yeux le signe élu de la féminité; le sein figure, avec la chevelure et le regard, la composante magique du corps féminin, l'instrument majeur du charme et la source de la volupté. Une femme, dotée de peu de gorge, n'exerce aucune séduction sur l'imagination et la sensualité de Jean-Jacques; Mme d'Epinay lui paraît à cet égard dépourvue des attraits auxquels il est sensible et qui composent les vraies grâces de la femme. La maigreur des seins ne lui inspire que de la froideur et de la distance, comme si elle virilisait la femme en la privant des qualités spécifiques de son sexe.

Elle était fort maigre, fort blanche, de la gorge comme sur ma main. Ce défaut seul eût suffi pour me glacer: jamais mon cœur ni mes sens n'ont su voir une femme dans quelqu'un qui n'eût pas des tétons, et d'autres causes inutiles à dire m'ont toujours fait oublier son sexe auprès d'elle [44].

La plupart des femmes que Jean-Jacques a aimées et même celles dont il s'est épris fugitivement, de même que ses héroïnes romanesques, répondent à la représentation idéale qu'il se fait du corps féminin. Lors de la première rencontre avec Mme de Warens, au premier regard, il est frappé par la perfection de ses seins et leur pouvoir de séduction: « Je vois un visage pétri de grâces, de beaux yeux bleus pleins de

---

[44] *Les Confessions, O. C.*, t. I, p. 412.

douceur, un teint éblouissant, le contour d'une gorge enchanteresse ».
Et un peu plus loin il complète le portrait physique avec une insistance qui répond sans doute à un penchant érotique, révélateur de
son tempérament: « Mais il était impossible de voir une plus belle
tête, un plus beau sein, de plus belles mains et de plus beaux bras » [45].
Pourtant le sein de Mme de Warens n'éveille en lui « ni transports
ni désirs », comme si elle demeurait une image de la mère plutôt que
de l'amante; malgré « un embonpoint mal caché », il ne cherche pas
à satisfaire une curiosité érotique par des « regards indiscrets ».
Auprès de Mme de Warens, il est en présence d'un interdit, qui ne sera
pas véritablement levé, lorsqu'elle l'aura initié à l'acte de l'amour.
Il l'aime en deçà du désir, comme une figure du sacré de la Mère, qui
écarte l'envie de la transgression et de la profanation. Le portrait
physique qu'il trace d'elle au livre V, avant le moment de la possession,
vécue comme *un inceste*, confirme celui du livre II, en mettant l'accent
sur l'identité et la permanence, qui sont ici les signes d'une idéalisation, inspirée par le sentiment du sacré et accomplie par l'imagination mémoriale, en marge des fluctuations du désir.

Depuis cinq ou six ans que j'avais éprouvé des transports si doux à sa
première vue, elle était réellement très peu changée, et ne me le paraissait
point du tout. Elle a toujours été charmante pour moi [...]. Sa taille seule
avait pris un peu plus de rondeur. Du reste c'était le même œil, le même teint,
le même sein, les mêmes traits, les mêmes cheveux blonds, la même gaieté,
tout jusqu'à la même voix [...] [46].

Dans le portrait qu'il esquisse de Sophie d'Houdetot, Rousseau
se contente d'évoquer la physionomie, la chevelure et la taille qu'il
qualifie de mignonne. On peut supposer qu'elle ne ressemblait pas à
sa belle-sœur, Mme d'Epinay, et qu'elle répondait à un certain type
de la vraie féminité telle qu'il l'imaginait. S'il se tait sur les rondeurs
de sa gorge, plusieurs passages antérieurs des *Confessions* témoignent d'une sensibilité particulière à l'érotique du sein. Auprès de
Mme Basile, le regard de Jean-Jacques s'enhardit, en se fixant sur
« l'intervalle [...] qui se faisait quelquefois entre son tour de gorge et

---

[45] *Ibid.*, *O. C.*, t. I, pp. 49 et 50.
[46] *Ibid.*, *O. C.*, t. I, p. 195.

son mouchoir ». Mais « ce dangereux spectacle » lui cause un trouble et un désordre intérieur qu'il ne parvient pas à vaincre; il aiguise sa timidité et paralyse en lui les mouvements de l'affectivité. Le désir, contraint, immobilisé par une sorte d'interdit, ne peut être avoué et il se satisfait de la seule présence féminine, nécessaire aux inclinations de son cœur. « Le bonheur amoureux, pour Jean-Jacques, n'est pas dans la possession, mais dans la présence, dans l'intensité de la présence » [47]. Le sein est pour lui l'image privilégiée et voluptueuse de cette présence féminine dans l'espace de son univers imaginaire. La communication visuelle, bien que teintée de voyeurisme, écarte l'immédiateté du contact; elle établit une relation d'harmonie entre la présence et la distance, correspondant aux inclinations psychiques de Rousseau et à son comportement amoureux. Il observe que l'« habit de cour » de Mlle de Breil « dégageait sa poitrine et ses épaules ». Dans la scène idyllique de la cueillette des cerises, il lance adroitement « un bouquet dans le sein » de Mlle Galley et ajoute: « Je me disais en moi-même: que mes lèvres ne sont-elles des cerises ! comme je les leur jetterais ainsi de bon cœur ? » [48]. Ou bien pendant les leçons de musique qu'il donne à des jeunes filles de Chambéry, ses regards sont troublés par le « déshabillé » de Mlle de Mellarède ou absorbés par la naissance de la gorge chez Mlle de Menthon.

Elle avait au sein la cicatrice d'une brûlure d'eau bouillante qu'un fichu de chenille bleue ne cachait pas extrêmement. Cette marque attirait quelquefois de ce côté mon attention, qui bientôt n'était plus pour la cicatrice [49].

Un trouble plus aigu le saisit, lorsque Mme Dupin l'accueille « à sa toilette », dans « son peignoir mal arrangé ». Le spectacle de la gorge féminine, que l'on devine plutôt que découverte, lui cause une émotion et un transport révélateurs des penchants de sa sensualité, fixée sur le sein plus que sur le sexe.

On est en droit de se demander si ces inclinations érotiques ne contribuent pas à expliquer le *fiasco* de Rousseau auprès de la courtisane vénitienne, Zulietta, offrant toutes les apparences de la séduction

[47] Jean Starobinski, *J.-J. Rousseau, la transparence et l'obstacle*, p. 186.
[48] *Les Confessions*, O. C., t. I, p. 137.
[49] *Ibid.*, O. C., t. I, p. 189.

à laquelle Jean-Jacques ne saurait résister : « un déshabillé plus que galant », un « tour de gorge, bordé d'un fil de soie garni de pompons couleur de rose », la qualité et la couleur de la peau, un raccourci des *charmes* et des *grâces*, promettant la plus ardente volupté. Et pourtant, il est paralysé par « un froid mortel », le désir est aboli par une obscure inquiétude quêtant « quelque défaut secret » et découvrant une fêlure dans cet abrégé de la beauté physique sous la forme d'un « téton borgne » qui transforme la courtisane en un être monstrueux, étranger à la configuration naturelle de la femme.

> Mais au moment que j'étais prêt à me pâmer sur une gorge qui semblait pour la première fois souffrir la bouche et la main d'un homme, je m'aperçus qu'elle avait un téton borgne. Je me frappe, j'examine, je crois voir que ce téton n'est pas conformé comme l'autre. Me voilà cherchant dans ma tête comment on peut avoir un téton borgne, et persuadé que cela tenait à quelque notable vice naturel, à force de tourner et retourner cette idée, je vis clair comme le jour que dans la plus charmante personne dont je pusse me former l'image, je ne tenais dans mes bras qu'une espèce de monstre, le rebut de la nature, des hommes, et de l'amour [50].

Le texte autorise plus d'une interprétation au niveau psychologique, soit que l'impuissance sexuelle résulte d'une interrogation, d'une réflexion et d'une inquiétude morales, associées à la condition de la courtisane, soit qu'elle procède d'une *inhibition* propre au tempérament de Jean-Jacques et déclenchée par le *signe* [51]. En revanche le texte n'autorise pas à prétendre que l'imperfection est imaginaire, inventée de toutes pièces en vue d'une justification destinée au lecteur. Rousseau ne parle du « téton borgne », annoncé par le « défaut secret », que vers la fin de la scène pour en maintenir la progression et accroître l'effet de la surprise, mais le procédé narratif n'implique pas de mettre en doute la véracité du récit, qui s'inscrit dans la volonté de *tout dire*. Si la poitrine plate de Mme d'Epinay n'inspire à Jean-Jacques que distance et froideur, le « téton borgne » de la Zulietta peut provoquer en lui une paralysie du désir, puisque le sein lui apparaît comme l'instrument du charme féminin et que sa malformation, signe de

---

[50] *Ibid., O. C.*, t. I, pp. 321-322.

[51] Cf. le commentaire de B. Gagnebin et M. Raymond, *O. C.*, t. I, pp. 1401-1402, et J. Starobinski, *op. cit.*, pp. 190-191.

l'antinature, revêt le caractère de l'obstacle et de la monstruosité. Le récit du livre VII des *Confessions* ne contredit pas la cohérence spécifique de l'érotique rousseauiste.

Il ne fait pas de doute que le romancier de *La Nouvelle Héloïse* a transmis ses goûts personnels à Saint-Preux, attentif à contempler la gorge des Valaisannes, des Parisiennes et de son amante. Au cours de son périple en Valais, Saint-Preux est frappé par la rondeur et l'éclat des gorges féminines, qui n'ont cependant pas la mesure et la perfection du sein de Julie, comparable à cette coupe ou ce vase modelé à l'image du sein d'Hélène. De même que Rousseau, il substitue par l'imagination le sens de la vue à celui du toucher; le regard s'introduit dans l'espace voilé, avec une pointe de voyeurisme il devine la forme et les contours de la gorge, qui lui procurent, à travers le plaisir du dévoilement, une plénitude de jouissance qu'il ne cherche pas à dissimuler.

Mais je fus un peu choqué de l'énorme ampleur de leur gorge qui n'a dans sa blancheur éblouissante qu'un des avantages du modèle que j'osais lui comparer; modèle unique et voilé dont les contours furtivement observés me peignent ceux de cette coupe célèbre à qui le plus beau sein du monde servit de moule.

Ne soyez pas surprise de me trouver si savant sur des mystères que vous me cachez si bien: je le suis en dépit de vous; un sens en peut quelquefois instruire un autre; malgré la plus jalouse vigilance, il échappe à l'ajustement le mieux concerté quelques légers interstices, par lesquels la vue opère l'effet du toucher. L'œil avide et téméraire s'insinue impunément sous les fleurs d'un bouquet; il erre sous la chenille et la gaze, et fait sentir à la main la résistance élastique qu'elle n'oserait éprouver [52].

Il en est tout autrement des Parisiennes, pourvues de peu de poitrine et appliquées à remédier à ce défaut par l'artifice; comme la « gorge découverte » serait un objet de scandale, elles compensent l'interdit social par l'échancrure. Elles ont le tort d'exposer leurs charmes au lieu de les laisser deviner, tant il est vrai que le désir est accru, non par la vue immédiate, mais par la jouissance de découvrir peu à peu avec le concours de l'imagination, renforçant l'acuité du regard.

---

[52] *La Nouvelle Héloïse*, O. C., t. II, p. 82.

A l'égard de la gorge; c'est l'autre extrémité des Valaisannes. Avec des corps fortement serrés elles tâchent d'en imposer sur la consistance; il y a d'autres moyens d'en imposer sur la couleur. Quoique je n'aie aperçu ces objets que de fort loin, l'inspection en est si libre qu'il reste peu de chose à deviner [53].

La correspondance, à propos des estampes destinées à illustrer *La Nouvelle Héloïse*, révèle que Rousseau attachait une importance majeure à la représentation du corps féminin et surtout du sein, qui devrait avoir plus d'ampleur chez les héroïnes de son roman et ne pas être gravé selon le modèle des Parisiennes. « Je trouve dans tous les dessins que Julie et Claire ont le sein trop plat. Les Suissesses ne l'ont pas ainsi. Probablement M. Coindet n'ignore pas que les femmes de notre pays ont plus de tétons que les Parisiennes » [54].

Saint-Preux préfère les « charmes voilés » de Julie, plus discrets et plus suggestifs, à ceux trop opulents des Valaisannes et à ceux trop découverts des Parisiennes. Le sein de son amante appartient aux grâces et à la magie qui émanent de son être, il est, selon une comparaison librement inspirée du *Cantique des cantiques*, « charmant comme la rosée du ciel [qui] humecte un lis fraîchement éclos ». Il est, par opposition à la sérénité du visage, l'image de la passion, de la séduction charnelle, de ses troubles et de ses égarements. Contradictoires dans le portrait que le peintre a tracé de Julie, l'aspect du visage et celui du sein sont réconciliés dans l'amour; le vécu de l'amour dépasse la représentation picturale, parce qu'il exprime la totalité à laquelle aspire Saint-Preux, l'union de l'âme et du désir.

Oui, ton visage est trop chaste pour supporter le désordre de ton sein; on voit que l'un de ces deux objets doit empêcher l'autre de paraître; il n'y a que le délire de l'amour qui puisse les accorder, et quand sa main ardente ose dévoiler celui que la pudeur couvre, l'ivresse et le trouble de tes yeux dit alors que tu l'oublies et non que tu l'exposes [55].

Lorsqu'il pénètre dans le cabinet de Julie, comparable à un « sanctuaire », Saint-Preux y surprend les vêtements de son amante, qui

---

[53] *Ibid., O. C.*, t. II, p. 266.

[54] *Correspondance complète*, t. VII, p. 295. Au sujet des estampes de *La Nouvelle Héloïse* et d'*Emile*, cf. aussi *Ibid.*, t. VIII, p. 96 et t. X, p. 175.

[55] *La Nouvelle Héloïse, O. C.*, t. II, p. 293.

éveillent en lui les élans du désir et les songes du plaisir. Son imagination, stimulée par les impulsions de l'Eros, savoure le *parfum* et
déchiffre les signes du corps de Julie; elle en devine les secrets à
travers la vue du corset et se représente avec enivrement la forme
des seins.

> Ce corps si délié qui touche et embrasse... quelle taille enchanteresse...
> au devant deux légers contours... ô spectacle de volupté... la baleine a cédé
> à la force de l'impression... empreintes délicieuses, que je vous baise mille
> fois !... [56]

Dans sa lettre à Julie, Saint-Preux traduit le trouble qu'il ressent par
les points de suspension, chargés de signifier la violence de son désir,
qu'allument et entretiennent les pouvoirs de la représentation érotique,
déclenchée par l'imagination. Les jeux de l'imaginaire sont le ferment
de l'Eros, qui, chez Rousseau, se fixe sur la gorge, choisie comme
l'emblème du corps féminin. Le sein ne représente pas pour lui, comme
plus tard pour Huysmans, le « charme subsidiaire de la femme »,
mais bien son charme essentiel auquel le désir s'attache. Il doit être
voilé pour préserver la séduction du mystère et se laisser deviner pour
satisfaire les appétits du regard. Dissimulée et pourtant visible, la
gorge est la synecdoque, figurant la présence de la femme et la fascination de l'amour.

Cette érotique du sein, perceptible dans *La Nouvelle Héloïse* et
Les Confessions, recouvre un sens dont il importe de tenter l'approche.
Il est évident que Rousseau revendique en amour « l'accès au sein »,
selon la formule d'Edmond Gilliard [57], comme les textes en portent
témoignage, mais encore faut-il s'interroger sur la portée de cette
prédilection. La première explication, qui vient à l'esprit et que la
psychanalyse ne peut qu'accréditer, est qu'un tel choix fait référence
au symbolisme maternel. Le sein est l'image de la Mère, en tant qu'elle
représente la nourriture et l'abondance, qu'elle offre la protection et
la sécurité. Cette interprétation est doublement corroborée par la
pensée de Rousseau, puisqu'il recommande dans *Emile* l'allaitement

---

[56] *Ibid., O. C.,* t. II, p. 147.
[57] *De Rousseau à Jean-Jacques,* p. 58.

comme le signe de « la sollicitude maternelle » qui « ne se supplée
point », scelle l'union de la mère et de l'enfant, puis parce qu'il
identifie la Nature avec une Mère, procurant un refuge contre les
dommages de la société et de la culture. Placé sous le double signe de
la Mère et de la Nature, le sein symbolise la vie, son aptitude à la
fécondité et à la régénérescence. Cette explication n'en demeure pas
moins partielle et en un sens réductrice. Le sein, associé au principe
féminin, ne se rattache pas seulement au pôle de la maternité, mais
aussi à celui de la féminité ; il unit l'image de la mère (Mme de Warens)
à celle de l'amante (Sophie d'Houdetot et Julie). Il est, selon la métaphore de Saint-Preux, « le trône de l'amour », le lieu de la douceur et
de l'intimité amoureuses où la chair et l'esprit s'accordent à la faveur
d'une voluptueuse harmonie. Le sein figure, chez Rousseau, la
finalité de l'Eros ; il suscite les élans du désir qui se fixe, se cristallise
sur ses contours et son éclat, saisis par la magie érotique du regard.
Le désir est en quelque sorte épuré, pour une part désexualisé, dans la
mesure où Rousseau substitue la possession visuelle à la possession
charnelle et où il se représente par une synecdoque la chaleur, la
respiration de la gorge comme la figure de la présence féminine. Le
sein est la métaphore concrète, l'image mythique de l'amour, qui
synthétise la maternité et la féminité. Il est plus digne que le sexe
d'entrer dans « le pays des chimères », parce qu'il est plus distant de
l'interdit et plus affranchi du sentiment de la culpabilité. Il est dans
le corps féminin la composante primordiale de l'Eros, qui se prête à
la divinisation et à la métamorphose. Comme auréolé de la présence
du sacré, il est l'objet privilégié en lequel s'incarne la mythologie de
l'amour, telle que Rousseau l'a vécue à ces frontières où l'imaginaire
emprunte les dimensions du réel. Plus pur que le sexe, le sein devient
l'objet de la transfiguration poétique, accomplie par le mouvement
ascendant du désir.

VI

LA DIALECTIQUE DE L'OMBRE
ET DE LA LUMIÈRE

> « Il se levait pour aller faire sa
> prière au soleil. »
>
> (Marquis de Girardin)

LA MORALE SENSITIVE

Le projet de *La Morale sensitive* n'aurait pas seulement consisté à étudier les dissemblances et les égarements de l'être, à la limite ses contradictions et ses aliénations, lorsqu'il est en proie au démon de la discontinuité, mais à considérer « les causes de ces variations » afin d'en éclairer la nature et de les réduire par la connaissance. Il s'agissait, dans l'ordre de l'éthique, de consolider l'équilibre du moi, en accroissant son aptitude à la vertu et en renforçant en lui le pouvoir de contrôler et d'orienter les mouvements de ses *désirs*. Une telle recherche, à la fois philosophique et thérapeutique, s'appliquerait à saisir la trace des objets sensibles, leur action sur le monde de la pensée, de l'affectivité et du comportement, après avoir subi les « modifications » de la perception, et le phénomène de l'intériorisation.

En sondant en moi-même et en recherchant dans les autres à quoi tenaient ces diverses manières d'être je trouvai qu'elles dépendaient en grande partie de l'impression antérieure des objets extérieurs, et que modifiés continuellement par nos sens et par nos organes, nous portions sans nous en apercevoir, dans nos idées, dans nos sentiments, dans nos actions mêmes l'effet de ces modifications [1].

Plus profondément, *La Morale sensitive* cherche à établir la relation entre l'univers physique et l'univers mental, entre le milieu naturel et

---

[1] *Les Confessions, O. C.*, t. I, p. 409.

le monde moral par l'intermédiaire de la sensation. Elle apparaît comme une espèce de théorie du climat qui déterminerait l'ascendant que les variations du temps et de l'espace exercent sur l'âme humaine et le tempérament individuel. La sensation, soumise à l'influence du milieu géographique, instaure, par son action transformante, la communication entre les forces du monde extérieur et le fonctionnement de la vie affective et spirituelle. La chaleur ou la froidure du climat, la succession des saisons, les sensations visuelles et auditives, l'alternance de l'ombre et de la lumière, les puissances élémentaires, la nourriture, les perceptions cinétiques et statiques, le déploiement de l'énergie et le repli dans l'immobilité ne peuvent manquer d'avoir une action sur les organes physiques, sur l'âme et la sensibilité. La conscience de leur ascendant concourt à douer le moi du pouvoir de régler les impulsions de ses désirs et de ses affections. *La Morale sensitive* aurait démontré que le monde intérieur ne saurait être coupé du milieu spatio-temporel, qu'il entretient avec lui une relation, contribuant à assurer et à diriger son fonctionnement, que « l'économie animale » peut être mise au service de « l'ordre moral » par l'entremise d'une sage distribution. Elle aurait consolidé le lien entre le monde de la nature et le monde de l'éthique.

Les climats, les saisons, les sons, les couleurs, l'obscurité, la lumière, les éléments, les aliments, le bruit, le silence, le mouvement, le repos, tout agit sur notre machine et sur notre âme par conséquent; tout nous offre mille prises presque assurées pour gouverner dans leur origine les sentiments dont nous nous laissons dominer [2].

Cette préoccupation climatique, peut-être héritée de *L'Esprit des lois*, se retrouve dans des fragments divers, dans *La Nouvelle Héloïse*, *Emile* et l'*Essai sur l'origine des langues*. Le projet inabouti de *La Morale sensitive* a marqué de son empreinte l'œuvre de Rousseau de plus d'une manière, mais en particulier dans l'établissement d'une dichotomie entre le Nord et le Midi, le froid et le chaud, la ténèbre et la lumière, dichotomie qui gouverne l'organisation de l'esprit et l'épanouissement des passions. Il correspond à la certitude que « l'homme tient à tout ce qui l'environne », qu'il est soumis à la situation

[2] *Ibid.*, *O. C.*, t, *I*, p. 409.

qu'il occupe dans l'espace et que les éléments contribuent dans une large mesure à modeler sa nature et ses affections. « Le climat, le sol, l'air, l'eau, les productions de la terre et de la mer, forment son tempérament, son caractère, déterminent ses goûts, ses passions, ses travaux, ses actions de toute espèce » [3]. Parmi ces éléments, il en est un qui commande les autres par son énergie fécondante, c'est le soleil. Sa position dans le ciel règle les saisons, la durée du jour et de la nuit, l'intensité de la chaleur et du froid, de manière qu'elle régit l'organisation de la vie, la complexion des hommes et des peuples.

Sous l'équateur, dont le soleil s'éloigne peu, et où les jours sont toujours égaux et aux nuits et entre eux, l'hiver et l'été, marqués seulement par des alternatives de soleil et de pluie, font sentir à peine quelque différence de température. Mais, plus on s'éloigne de la ligne, plus la différence et des jours et des saisons augmente. Les nuits deviennent plus grandes et plus froides, les hivers plus longs et plus rudes à mesure qu'on s'approche des pôles. La chaleur ne diminue pas en même proportion, sans quoi la terre n'en aurait bientôt plus pour produire. Les étés sont courts mais ardents dans les pays septentrionaux; le blé s'y sème et s'y coupe dans l'espace de deux mois; encore dans ce court espace les nuits sont si froides, qu'on n'y doit compter pour été que le temps où le soleil est sur l'horizon, toutes les vingt-quatre heures on passe alternativement de l'hiver à l'été [4].

Le soleil est la force cosmique qui détermine la nature du climat, compose « les tempéraments des hommes » et ordonne les productions du sol. L'air et le soleil influent sur le comportement de « l'âme sensible », modèle ses humeurs et ses dispositions morales; les variations du climat conditionnent les variations de la vie affective. « Le soleil ou les brouillards, l'air couvert ou serein régleront sa destinée, et il sera content ou triste au gré des vents » [5]. L'absence du soleil répond à l'image de la mort, de la froidure et de la stérilité; elle figure la dépossession et le malheur, l'indigence et le dénuement. A propos de la « formation des langues du Nord », Rousseau évoque « ces affreux climats où tout est mort durant neuf mois de l'année, où le soleil n'échauffe l'air quelques semaines que pour apprendre aux habitants

---

[3] *O. C.*, t. III, p. 530.
[4] *O. C.*, t. III, p. 531.
[5] *La Nouvelle Héloïse, O. C.*, t. II, p. 89.

de quels biens ils sont privés et prolonger leur misère » [6]. La lumière solaire préserve l'organisation physique et psychique des êtres; elle fertilise la terre, devenue « le séjour des enfants du soleil », incarnant le « Père du monde et des jours ». Le soleil est l'énergie centrale, seule capable d'entretenir la vie de la création et des créatures.

Soleil tu fais nos jours [7].

La disjonction Nord/Sud est sensiblement plus accusée chez Rousseau que chez Montesquieu, soucieux d'introduire la zone des climats tempérés entre les pays du Nord et ceux du Midi. La théorie des climats établit, dans *De l'Esprit des lois*, les différences du « caractère de l'esprit » et des « passions du cœur », en tant qu'elles légitiment les variations nécessaires à l'élaboration des lois, tandis qu'elle sert chez Rousseau à signifier que les langues septentrionales et les langues méridionales ne se sont ni formées, ni développées selon le même processus. Montesquieu attribue aux peuples des climats froids le courage et l'énergie, la force et l'endurance, peu de disposition à la recherche du plaisir et peu de sensibilité au « physique de l'amour », mais une inclination à pratiquer la vertu; aux peuples des climats chauds il prête la délicatesse et la timidité, une vive sensibilité, attachée à cultiver le plaisir et les émotions violentes de l'amour, mais une plus grande distance à l'égard des catégories de la morale et un penchant aux « crimes », perpétrés sous l'empire des passions. Sans nier la disparité dans les tempéraments, Rousseau est plutôt préoccupé d'expliquer la naissance du langage, de « concevoir la différence générale et caractéristique qu'on remarque entre les langues du midi et celles du nord », selon une démarche méthodologique consistant à « d'abord observer les différences pour découvrir les propriétés » [8]. La théorie des climats, fondée sur la disjonction du Nord et du Midi, permet de spécifier les différences dans la formation et dans la structure des langues; de les classer conformément au principe de la polarité et de la situation spatiale afin de « marquer une rupture absolue entre la langue d'action ou langue du besoin et la parole ou langue

[6] *Origine des langues*, p. 131.

[7] Ces citations sont empruntées à la tragédie, *La Découverte du Nouveau Monde*.

[8] *Origine des langues*, pp. 87 et 89.

de la passion » [9]. Les langues du Midi naissent de la primauté du désir sur le besoin, d'un penchant instinctif vers le plaisir et de « la vivacité des passions agréables »; les langues du Nord procèdent au contraire de la primauté des besoins sur les passions, des exigences de « l'impulsion physique ».

Dans les climats méridionaux où la nature est prodigue les besoins naissent des passions, dans les pays froids où elle est avare les passions naissent des besoins, et les langues, tristes filles de la nécessité, se sentent de leur dure origine [10].

Les langues des pays chauds expriment le chant lyrique de l'amour, elles sont issues de la clarté solaire et de l'énergie des passions, chargées de traduire par la vigueur de l'accent les vérités immédiates du cœur; celles des pays froids sont articulées et correspondent à un cri, inspiré par l'urgence des « besoins physiques », elles surgissent comme un appel à l'assistance mutuelle, lancé dans l'obscurité glaciale de la nuit. Les langues du Midi sont associées aux charmes de l'oisiveté et aux joies innocentes de la fête, à la pureté de l'eau et à la chaleur de la lumière, celles du Nord le sont à l'effort et au travail qui *répriment les passions*, au feu domestique, à l'ombre froide qui pèse comme une menace de mort. Le Midi célèbre les élans du désir qui s'épanouit dans la chaleur, le Nord substitue à l'oisiveté du désir le travail accompli dans la froideur de l'obscurité. Cette dichotomie entre les langues méridionales et les langues septentrionales est schématisée ainsi par Jacques Derrida: « Langue et société s'instituent suivant le rapport supplémentaire des deux principes ou des deux séries de significations (nord / hiver / froid / besoin / articulation; midi / été / chaleur / passion / accentuation) » [11]. Ces deux principes peuvent être complétés par l'opposition de l'ombre et de la lumière, non seulement parce qu'elle concourt à établir la séparation entre les langues du Nord et celles du Midi, mais parce qu'elle fonde la dialectique de l'existence. L'application de la méthode, contenue dans le projet de *La Morale sensitive* ou *Le Matérialisme du sage*, implique de considérer la fonction et le

---

[9] Jacques Derrida, *De la Grammatologie*, p. 386.
[10] *Origine des langues*, p. 129.
[11] *De la Grammatologie*, pp. 368-369.

sens que l'écrivain attribue à l'ombre et à la lumière, à la nuit et au
soleil, au niveau de la vie, de l'éthique et de l'écriture.

AMBIVALENCE DE LA NUIT

Jean-Jacques appartient à la catégorie de ces tempéraments solaires,
épris du surgissement de l'aurore et du printemps, il a toujours éprouvé
l'horreur et l'angoisse des ténèbres, ainsi qu'une répulsion instinctive
de l'hiver ; cette épouvante remonte à son enfance et n'a fait que croître
avec les années pour atteindre à son paroxysme au moment où le
complot s'est tramé contre lui. La nuit l'effraie par son obscurité
menaçante et son mystère ; elle lui apparaît comme une espèce de
masque impossible à arracher, comme un espace clos dont l'âme et les
sens sont prisonniers, comme un labyrinthe où l'inquiétude de l'imagination enfante des visions spectrales et des phantasmes funestes. A
propos du retard dans l'impression d'*Emile*, Rousseau avoue :

> Mon penchant naturel est d'avoir peur des ténèbres, je redoute et je hais
> leur air noir, le mystère m'inquiète toujours, il est par trop antipathique
> avec mon naturel ouvert jusqu'à l'imprudence. L'aspect du monstre le plus
> hideux m'effrayerait peu, ce me semble, mais si j'entrevois de nuit une figure
> sous un drap blanc, j'aurai peur. Voilà donc mon imagination qu'allumait
> ce long silence occupée à me tracer des fantômes [12].

La peur de l'épaisseur nocturne n'est pas née chez Rousseau du sentiment d'être victime d'une conjuration, elle appartient à sa nature ;
elle a pu s'accroître dès 1762, mais elle représente une composante
psychique de son être, un trait soit originel de son caractère, soit acquis
dans l'enfance. « J'ai toujours haï les ténèbres, elles m'inspirent naturellement une horreur que celles dont on m'environne depuis tant
d'années n'ont pas dû diminuer » [13]. La peur nocturne est viscérale,
elle tient aux racines mêmes de l'être et procède de l'enfance ; elle est
perçue comme une survivance enfantine chez l'homme ou un retour
à la condition de « vieux enfant ». La frayeur et l'épouvante ne se
conçoivent pas, selon Rousseau, parmi la clarté du jour, elles sont

---

[12] *Les Confessions*, O. C. t. I, p. 566.
[13] *Les Rêveries*, O. C., t. I, p. 1007.

attachées à l'empire inquiétant des ténèbres et à la hantise du mystère qui altèrent la lucidité de la conscience par le trouble de la vision.

Rien ne m'épouvanta jamais au grand jour, mais tout m'effarouche dans les ténèbres qui m'environnent, et je ne vois que du noir dans l'obscurité. Jamais l'objet le plus hideux ne me fit peur dans mon enfance, mais une figure cachée sous un drap blanc me donnait des convulsions: sur ce point, comme sur beaucoup d'autres, je resterai enfant jusqu'à la mort [14].

Ce n'est point l'horreur de quelque spectacle, la difformité ou la monstruosité de quelque objet qui engendre la peur, mais l'insécurité nocturne qui déclenche l'activité fantasmatique de l'imagination. La frayeur est un sentiment lié à la nuit et hérité de l'enfance.

Les enfants et les hommes sont aveugles, lorsque, privés du secours de la lumière, ils s'enfoncent dans la nuit. Ils éprouvent une terreur que les facultés intellectuelles et morales ne parviennent pas à apaiser; la peur des ténèbres engendre des fantômes imaginaires. « La nuit effraie naturellement les hommes et quelquefois les animaux. La raison, les connaissances, l'esprit, le courage délivrent peu de gens de ce tribut » [15]. Jean-Jacques fit l'expérience de la peur nocturne de l'enfant, alors qu'il était à Bossey chez le pasteur Lambercier. Ce récit, qui aurait sa place au livre I des *Confessions*, sert dans *Emile* à illustrer ce phénomène de l'angoisse que l'enfant ressent en présence de l'opacité de la nuit. Un soir, le pasteur envoya Jean-Jacques chercher la Bible dans le temple, pour « mettre [son] courage à l'épreuve ». L'enfant est pris de frayeur, non dans l'espace de la nature, mais dans l'espace du temple, où il croit percevoir des voix et qui lui devient à travers les pièges de l'obscurité un véritable labyrinthe. Bien qu'il ait fini par vaincre sa peur, Rousseau a conservé de l'aventure un souvenir qui lui a inspiré à tout jamais la crainte des ténèbres, ressenties comme un milieu hostile, où se déploient les mystères les plus redoutables.

---

[14] *Correspondance générale*, lettre à M. de Belloy du 12 mars 1770, t. XIX, p. 291. A deux reprises dans la cinquième partie de *La Nouvelle Héloïse*, Rousseau associe par la comparaison la terreur nocturne à l'enfance: « Je me mets à errer par la chambre, effrayé comme un enfant des ombres de la nuit ». Et: « Tu fais avec l'amour dont tu feins de rire, comme ces enfants qui chantent la nuit quand ils ont peur ». *O. C.*, t. II, pp. 616 et 632.

[15] *Emile, O. C.*, t. IV, p. 382.

Je partis sans lumière; si j'en avais eu ç'aurait, peut-être, été pis encore. Il fallait passer par le cimetière; je le traversai gaillardement; car tant que je me sentais en plein air je n'eus jamais de frayeurs nocturnes.

En ouvrant la porte, j'entendis à la voûte un certain retentissement que je crus ressembler à des voix, et qui commença d'ébranler ma fermeté romaine. La porte ouverte je voulus entrer : mais à peine eus-je fait quelques pas que je m'arrêtai. En apercevant l'obscurité profonde qui régnait dans ce vaste lieu, je fus saisi d'une terreur qui me fit dresser les cheveux; je rétrograde, je sors, je me mets à fuir tout tremblant. Je trouvai dans la cour un petit chien nommé Sultan dont les caresses me rassurèrent. Honteux de ma frayeur je revins sur mes pas, tâchant pourtant d'emmener avec moi Sultan, qui ne voulut pas me suivre. Je franchis brusquement la porte, j'entre dans l'église. A peine y fus-je rentré que la frayeur me reprit, mais si fortement que je perdis la tête, et quoique la chaire fût à droite et que je le susse très bien, ayant tourné sans m'en apercevoir je la cherchai longtemps à gauche, je m'embarrassai dans les bancs, je ne savais plus où j'étais, et ne pouvant trouver ni la chaire ni la porte, je tombai dans un bouleversement inexprimable. Enfin j'aperçois la porte, je viens à bout de sortir du temple et je m'en éloigne comme la première fois, bien résolu de n'y jamais rentrer seul qu'en plein jour [16].

Cette expérience paraît avoir laissé une empreinte profonde dans l'esprit de Rousseau, curieux de s'interroger sur les causes de cette terreur nocturne. Les ténèbres n'offrent par elles-mêmes que le spectacle de la tristesse et de la désolation, l'image de l'absence et de l'occultation, mais une telle observation n'explique pas le phénomène de la peur. Celle-ci est liée à la solitude, à la méconnaissance du milieu dans lequel nous nous mouvons et à l'oblitération de notre champ visuel, puis surtout au fonctionnement de notre imagination, affectée par l'insécurité des ombres. L'imagination ébauche dans l'obscurité des conjectures inquiétantes, elle crée des phantasmes qu'elle ne peut gouverner, compromet l'équilibre de l'être et porte atteinte à l'instinct de conservation qui est à la racine de l'amour de soi. Elle substitue au réel l'hallucination visuelle et auditive.

Ainsi forcé de mettre en jeu mon imagination bientôt je n'en suis plus maître, et ce que j'ai fait pour me rassurer ne sert qu'à m'alarmer davantage.

[16] *Ibid.*, O. C., t. IV, pp. 385-386.

Si j'entends du bruit, j'entends des voleurs; si je n'entends rien, je vois des fantômes: la vigilance que m'inspire le soin de me conserver ne me donne que sujets de crainte [17].

Le seul remède à cette peur nocturne est dans la répétition de l'expérience jusqu'à ce que joue le réflexe de l'accoutumance; il est dans l'application de cet axiome: « En toute chose l'habitude tue l'imagination ». La réitération détruit l'effet de surprise et de soudaineté, elle éteint le « feu de l'imagination », dont elle freine l'activité au profit de la mémoire, plus stable et rassurante. L'habitude du geste domestique l'essor de l'imagination et apprivoise les monstres de la nuit, de sorte que celle-ci se transforme en un spectacle aimable, propre à susciter les enthousiasmes de la méditation. Les ténèbres, dépouillées de leur mystère effrayant, deviennent un refuge où l'âme découvre la quiétude.

Ses pieds accoutumés à s'affermir dans les ténèbres, ses mains exercées à s'appliquer aisément à tous les corps environnants le conduiront sans peine dans la plus épaisse obscurité. Son imagination pleine des jeux nocturnes de sa jeunesse se tournera difficilement sur des objets effrayants. [...] La nuit ne lui rappelant que des idées gaies ne lui sera jamais affreuse; au lieu de la craindre, il l'aimera [18].

L'œuvre antérieure et postérieure à *Emile* incite à penser que le remède, préconisé par le pédagogue, n'a pas été absolument efficace pour l'écrivain, qui ne s'est jamais débarrassé de cette hantise des ténèbres, vécue dans son enfance et décuplée par les circonstances dramatiques de sa vie.

Contrairement aux ombrages, les ténèbres révèlent le plus souvent chez Rousseau une connotation négative, elles appartiennent à la catégorie de l'*obstacle*, identifiée par Jean Starobinski. Le noir absolu représente un univers clos et inquiétant, il ne peut qu'être affecté d'un signe négatif, associé au mal, à ses manifestations occultes et à son activité souterraine. Dans l'ordre de l'éthique, le bien tend à se confondre avec l'éclat spontané de la lumière et le mal avec l'oppression sournoise de l'obscurité, qui abrite les machinations les plus funestes.

[17] *Ibid.*, *O. C.*, t. **IV**, p. 384.
[18] *Ibid.*, *O. C.*, t. **IV**, pp. 387-388.

La pureté et les ténèbres du mystère sont dans une relation disjonctive, ils sont à jamais incompatibles « L'innocente joie aime à s'évaporer au grand jour; mais le vice est ami des ténèbres, et jamais l'innocence et le mystère n'habiteront longtemps ensemble » [19]. La révélation de l'injustice, dans le paradis de Bossey, ternit le spectacle de la nature et en dérobe les *beautés*, masquées par un *voile* d'obscurité; l'irruption du mal dans la conscience enfantine s'accompagne du sentiment de pénétrer dans un univers où la lumière est altérée et offusquée par l'envahissement soudain de l'ombre. De même la descente dans « les entrailles de la terre » et dans l'épaisseur minérale est l'envers d'une révélation, elle correspond à une occultation tragique de la lumière, à un acte répréhensible par lequel les hommes se privent des sources fécondes de la vie pour satisfaire leur « cupidité ». Rousseau oppose la clarté du monde végétal, dont « la profusion » est comparable à l'éclat des « étoiles dans le ciel », à l'obscurité du monde minéral, enfoui dans les profondeurs souterraines. Il sépare, en recourant au langage de la mythologie, l'activité libre et naturelle du paysan de l'activité culturelle du mineur, associée aux puissances du feu et assimilée à la servitude.

Il fuit le soleil et le jour qu'il n'est plus digne de voir; il s'enterre tout vivant et fait bien ne méritant plus de vivre à la lumière du jour. Là, des carrières, des gouffres, des forges, des fourneaux, un appareil d'enclumes, de marteaux, de fumée et de feu, succèdent aux douces images des travaux champêtres. Les visages hâves des malheureux qui languissent dans les infectes vapeurs des mines, de noirs forgerons, de hideux cyclopes sont le spectacle que l'appareil des mines substitue au sein de la terre à celui de la verdure et des fleurs, du ciel azuré, des bergers amoureux et des laboureurs robustes sur sa surface [20].

Sont noirs, dans leur négativité, le mensonge et le mystère, la jalousie perfide de Grimm et surtout le complot tramé contre Jean-Jacques, le système appliqué pour lui nuire et l'action collective engagée contre lui, tout ce qui s'ourdit dans la dissimulation, à la faveur de l'ombre et dans l'abri des souterrains. *Les Confessions*, les *Dialogues*, *Les Rêveries* et la *Correspondance* offrent toute une gamme de méta-

---

[19] *Lettre à d'Alembert*, pp. 172-173. La phrase est reprise textuellement dans la lettre X de la quatrième partie de *La Nouvelle Héloïse*, *O. C.*, t. II, p. 457.
[20] *Les Rêveries*, *O. C.*, t. I, p. 1067.

phores ténébreuses, évoquant l'étreinte du complot, la pression lancinante qu'il exerce sur le moi et la clôture dans laquelle il l'enferme
irrémédiablement. Après l'ouverture, le livre X des *Confessions* met
le lecteur en présence de « cet obscur et profond système » par lequel
ses ennemis cherchent à emprisonner l'écrivain dans des « ténèbres
impénétrables », ces « complots bien noirs », ourdis dans l'obscurité
et « la noirceur des mystères », de telle sorte qu'il s'aperçoit de la trame
sans parvenir à en saisir les racines et à en dénouer les fils. Le complot
s'applique à « élever autour de [lui] un édifice de ténèbres qu'il [lui]
fut impossible de percer pour éclairer ses manœuvres et pour le
démasquer » [21]. Quant au livre XII, il débute en affirmant l'existence
d'une conjuration dans des termes qui annoncent les *Dialogues*: la
persécution apparaît comme une intrigue ténébreuse dont le scénario
est conçu dans d'inextricables dédales et dont les effets sont perceptibles, sans qu'il soit possible d'en discerner les agents. Elle se manifeste comme un mur d'opacité, une réclusion dans un espace environné
d'une épaisse nuit.

> Ici commence l'œuvre de ténèbres dans lequel depuis huit ans je me trouve
> enseveli, sans que de quelque façon que je m'y sois pu prendre il m'ait été
> possible d'en percer l'effrayante obscurité. Dans l'abîme de maux où je suis
> submergé, je sens les atteintes des coups qui me sont portés, j'en aperçois
> l'instrument immédiat, mais je ne puis voir ni la main qui le dirige ni les
> moyens qu'elle met en œuvre. [...] Je me perds dans la route obscure et
> tortueuse des souterrains qui les [les lecteurs] y conduiront [22].

Le réseau sémantique de l'obscurité, désignant l'implacabilité du
complot, est beaucoup plus envahissant dans les *Dialogues* que dans
Les Confessions; il est omniprésent dans sa profusion et ne tend à s'effacer que lorsque l'écrivain évoque le « monde idéal », les bienfaits
de l'imaginaire et de la rêverie. Les trois *Dialogues* sont emplis d'images
nocturnes, chargées de signifier la *noirceur* de la trame et le projet de
noircir l'écrivain à travers sa personne et son œuvre. Le complot
consiste à dérober à Rousseau toute clarté, à le priver de toute espèce
de lumière, en accroissant la densité des « ténèbres dont on l'envi-

---

[21] *Les Confessions, O. C.,* t. I, p. 493.
[22] *Ibid., O. C.,* t. I, pp. 589-590.

ronne » et en le plongeant dans « un abîme de ténèbres ». Ses adversaires, qui redoutent la vérité de la lumière, travaillent à l'abri d'une obscurité impossible à dissiper, à la faveur de laquelle ils inventent leur « ténébreux système » et l'appliquent dans l'impunité de l'anonymat. Le complot demeure une « œuvre de ténèbres », qui peu à peu se transforme en une vaste construction labyrinthique avec une enceinte et des murs, avec des caves et des détours innombrables. Il devient un « immense édifice de ténèbres », habité par de « tortueux souterrains », où la victime s'égare dans une solitude comparable aux affres de la mort dans la vie. « Ils ont élevé autour de lui des murs de ténèbres impénétrables à ses regards; ils l'ont enterré vif parmi les vivants » [23]. Cette demeure, édifiée en plein Paris, est formée de « triples murs de ténèbres », elle devient le dédale de l'isolement le plus tragique, de la rupture de toute relation avec la vie, l'image de la claustration, dépouillée des dédommagements de la lumière.

On a trouvé l'art de lui faire de Paris une solitude plus affreuse que les cavernes et les bois, où il ne trouve au milieu des hommes ni communication, ni consolation, ni conseil, ni lumière, ni rien de tout ce qui pourrait lui aider à se conduire, un labyrinthe immense où l'on ne lui laisse apercevoir dans les ténèbres que de fausses routes qui l'égarent de plus en plus [24].

Cet univers de « noirs mystères » et de « trames obscures » est celui de la fermeture absolue, tout aussi inquiétant en un sens pour les persécuteurs que pour la victime, car il est menacé dans sa sombre architecture par l'éclatement de la lumière; la clôture des ténèbres n'est pas une protection aussi efficace que les adversaires de Jean-Jacques sont enclins à le penser, puisqu'elle est exposée à la brisure que produira la vérité. La demeure ténébreuse qu'ils ont échafaudée ne saurait résister aux assauts de la clarté; la nuit n'offre une défense et une sécurité complices que pour une durée transitoire, comme Rousseau commence à l'espérer dans le *Dialogue troisième* où recule peu à peu l'empire maléfique des ténèbres.

---

[23] *Dialogues*, *O. C.*, t. I, p. 706. La même comparaison se retrouve dans la grande lettre à Saint-Germain: « On élèvera autour de moi un impénétrable édifice de ténèbres, on m'ensevelira tout vivant dans le cercueil ». *Correspondance générale*, t. XIX, p. 247.

[24] *Ibid.*, *O. C.*, t. I, p. 713.

Ils ont beau renfermer la vérité dans de triples murs de mensonges et d'impostures qu'ils renforcent continuellement, ils tremblent toujours qu'elle ne s'échappe par quelque fissure. L'immense édifice de ténèbres qu'ils ont élevé autour de lui ne suffit pas pour les rassurer [25].

Malgré l'apaisement reconquis, le complot est encore présent dans *Les Rêveries*, figuré par les ténèbres et l'opacité mystérieuse, qui continuent de hanter l'imagination de l'écrivain. Mais la conjuration fomentée contre lui n'a plus la même densité que dans les *Dialogues*, elle n'occupe plus la même place envahissante dans la mesure où Rousseau retrouve la sécurité dans les signes de la nature et de sa mémoire. Tout en redécouvrant les prestiges de la lumière, il conserve pour « ces noires ténèbres » la même « horreur qu'elles [lui] inspirent naturellement »; il éprouve parfois le sentiment de cheminer dans l'obscurité et d'être précipité dans des abîmes qu'aucune lueur n'éclaire et où les objets contemplés revêtent une couleur noire. « [...] Enveloppé d'horribles ténèbres à travers lesquelles je n'apercevais que de sinistres objets [...] » [26]. Pourtant la transparence doit triompher de l'obscurité, « le vivier d'eau claire » ne saurait être toujours troublé et « le trait de lumière » ne manquera pas de se manifester; « le soufre et le plomb » se dissiperont en fumée de manière que ne subsiste que l'éclat de l'or et le cœur de Jean-Jacques sera lavé de toute ombre, reconnu dans l'authenticité de ses intentions et de ses mouvements. Alors que ses ennemis sont plongés dans le labyrinthe des ténèbres où ils trament leur conjuration, Rousseau s'achemine vers la clarté, qui est l'espace où se déploient son désir et son espérance. « Ils s'enfoncèrent dans des souterrains pour creuser des gouffres sous ses pas, tandis qu'il marchait à la lumière du soleil » [27]. L'action de la durée ne peut que réduire la part de l'ombre, absorbée peu à peu par la clarté, qui symbolise la vérité de l'avenir et de l'au-delà. Les adversaires de Rousseau sont destinés à « fuir la lumière du jour » et à « s'enfoncer en terre comme des taupes » pour se livrer à leurs machinations, tandis que lui recherche la plénitude de la lumière. Marcher dans le

---

[25] *Ibid., O. C.*, t. I, p. 950.
[26] *Les Rêveries, O. C.*, t. I, p. 1019.
[27] Toutes ces citations sont extraites de la *Correspondance générale*, t. XIX, pp. 82, 83 et 257, t. XX, p. 44 et t. XIX, p. 258.

soleil, c'est refouler la peur des ténèbres et écarter les périls du complot, en suivant le chemin de la certitude intérieure, projetée vers les promesses du futur.

Si les ténèbres, que ce soient celles de la nuit, du complot et des phantasmes, de la philosophie, du mal et du mensonge, sont toujours affectées d'un signe négatif, les ombrages et l'obscurité prennent souvent une connotation positive, en tant qu'ils favorisent les extases de la méditation et de la rêverie. Les feuillages de la forêt sont associés au goût de la retraite et des promenades solitaires, leur fraîcheur met Jean-Jacques « à l'abri du soleil », lui assure la protection de l'ombre, propice aux mouvements sereins de la pensée. Aux Charmettes et à l'Ermitage, Rousseau multiplie les promenades « quelquefois au soleil et souvent à l'ombre », recherchant ces asiles de l'univers végétal, habité par le « gazouillement des ruisseaux » et le chant du rossignol, asiles où les perceptions visuelles s'amalgament aux perceptions auditives dans une douce harmonie. A l'île de Saint-Pierre, il se plaît dans la compagnie des « limpides eaux » et des « ombrages frais ». Il rêve dans *Emile* d'une « maison rustique », sise « sur le penchant de quelque agréable colline bien ombragée »; Emile, après la trahison de Sophie, ne supportant plus la blessure de la lumière, trouve refuge dans « l'obscurité sous les arbres ». Les ombrages de la forêt protègent de l'éclat trop violent du soleil, ils servent de retraite aux amants impatients de se soustraire à l'emprise de la société. Dans l'Elysée de Julie, ils sont distribués de manière à ménager au promeneur des abris où il peut satisfaire son penchant à la solitude et à la contemplation de la nature.

Je rencontrais de temps en temps des touffes obscures, impénétrables aux rayons du soleil comme dans la plus épaisse forêt. [...] Ces guirlandes semblaient jetées négligemment d'un arbre à l'autre, comme j'en avais remarqué quelquefois dans les forêts, et formaient sur nous des espèces de draperies qui nous garantissaient du soleil [28].

Les ombres protectrices, projetées par la végétation, sont un des lieux privilégiés où la pensée créatrice s'élabore et s'organise. L'extrême

---

[28] *La Nouvelle Héloïse*, O. C., t. II, p. 473. Le bosquet de Julie et celui de Sophie servent de retraites aux élans de la passion.

chaleur paralyse les mouvements de l'esprit, tandis que les ombrages suscitent les éclosions de la pensée, associées aux transports de l'affectivité. Non seulement l'univers végétal offre en lui-même la vision de l'innocence, mais il exerce sur les facultés humaines une action purificatrice et décante l'imagination de toutes les impuretés du réel. « Brillantes fleurs, émail des prés, ombrages frais, ruisseaux, bosquets, verdure, venez purifier mon imagination salie par tous ces hideux objets » [29]. Certes les ombrages sont bienfaisants par l'image qu'ils proposent du monde des origines, mais il ne faut pas qu'ils présentent à l'imagination le spectacle d'une « sombre enceinte », d'une obscurité impénétrable, sinon ils engendrent le sentiment de la tristesse ou de la frayeur à l'égal des ténèbres nocturnes. Ils procurent cette protection naturelle dont l'âme de Rousseau a besoin, s'ils tamisent l'éclat de la lumière, mais non s'ils sont dépouillés de sa présence fécondante.

De même la nuit, si elle n'est pas absolument opaque, mais illuminée, fût-ce par une faible clarté, peut revêtir un sens positif dans la mesure où elle apporte l'apaisement du sommeil, conformément à une ordonnance voulue par la nature. Elle est la durée du silence, de la quiétude extérieure et intérieure, favorisée par l'absence de la chaleur solaire.

Le temps du repos est celui de la nuit, il est marqué par la nature. C'est une observation constante que le sommeil est plus tranquille et plus doux tandis que le soleil est sous l'horizon, et que l'air échauffé de ses rayons ne maintient pas nos sens dans un si grand calme. Ainsi l'habitude la plus salutaire est certainement de se lever et de se coucher avec le soleil [30].

Le recueillement de la nuit est le moment où se fait entendre la voix de la conscience et où l'être se concentre sur lui-même. Bien que le soleil soit le symbole archétypal de la lucidité, c'est dans « le silence de la nuit » que « l'on ne peut s'échapper à soi-même », que l'on s'interroge et médite sur le sens de sa destinée. Rousseau n'est pas un tempérament nocturne; pourtant la nuit coïncide chez lui avec le temps de la rumination intérieure, où il cède à « tout l'œstre poétique et musi-

---

[29] Les Rêveries, O. C., t. I, p. 1068. « Ces hideux objets » correspondent à l'activité de l'anatomie animale. Sur la fonction du monde végétal, cf. Poésie et métamorphoses, « Rousseau et le paysage végétal », pp. 79-100.

[30] Emile, O. C., t. IV, pp. 375-376.

cal », aux mouvements de l'enthousiasme qui déclenche l'acte de la création. Le calme de la nuit n'invite pas seulement à la méditation, il éveille l'essor de la pensée en quête de l'écriture. Rousseau rédige de nuit dans son esprit et dicte ou écrit le matin le travail de l'élaboration nocturne. Tel est le mode de composition qu'il a adopté pour le premier *Discours* et auquel il est demeuré fidèle.

Je travaillai ce discours d'une façon bien singulière et que j'ai presque toujours suivie dans mes autres ouvrages. Je lui consacrais les insomnies de mes nuits. Je méditais dans mon lit à yeux fermés, et je tournais et retournais mes périodes dans ma tête avec des peines incroyables; puis quand j'étais parvenu à en être content, je les déposais dans ma mémoire jusqu'à ce que je pusse les mettre sur le papier [31].

Si le phénomène de l'écriture mentale durant la nuit est une méthode à laquelle Rousseau recourt volontiers, la contemplation nocturne, réflexive ou plus souvent extatique, occupe une place prépondérante dans son œuvre. Elle est affranchie de la frayeur des ténèbres et inspire cette sérénité qui s'attache à la perception du silence ou d'un bruit harmonieux. Aux environs de Lyon, à l'heure où le crépuscule s'éteint, Rousseau s'abandonne à cette rêverie apaisante, liée à la solitude en présence de la nature. La rêverie s'élargit à des dimensions cosmiques par l'amalgame des sensations et par la participation des quatre éléments. Elle réconcilie les contrastes de la chaleur et de la fraîcheur, des couleurs crépusculaires et des ombres de la nuit, du silence et du chant des rossignols. Elle déploie son expansion dans un espace où fusionnent la lumière crépusculaire, l'eau de la rosée et du fleuve, la verdure, la douceur de l'air et de l'ombre. Tout concourt dans la nature et dans l'être à susciter la rêverie qui se dilate, s'épanouit jusqu'aux limites de l'extase sensible. L'accord entre le moi et le monde s'accomplit dans l'espace nocturne, où la peur des ténèbres est refoulée par la clarté intérieure et la beauté paisible du spectacle.

Il avait fait très chaud ce jour-là; la soirée était charmante; la rosée humectait l'herbe flétrie; point de vent, une nuit tranquille; l'air était frais sans être froid; le soleil après son coucher avait laissé dans le ciel des vapeurs rouges dont la réflexion rendait l'eau couleur de rose; les arbres des terrasses

---

[31] *Les Confessions*, O. C., t. I, p. 352.

étaient chargés de rossignols qui se répondaient de l'un à l'autre. Je me promenais dans une sorte d'extase, livrant mes sens et mon cœur à la jouissance de tout cela, et soupirant seulement un peu du regret d'en jouir seul. Absorbé dans ma douce rêverie je prolongeai fort avant dans la nuit ma promenade, sans m'apercevoir que j'étais las [32].

Tout au contraire, Saint-Preux, en revenant de Meillerie avec Julie, est sujet à une rêverie nocturne, teintée de tristesse et de mélancolie. Ni le calme de la nuit, ni la clarté de la lune, ni les rumeurs ne parviennent à l'arracher à la nostalgie du passé. La sérénité du paysage contraste avec le trouble intérieur et la rêverie mémoriale s'attache au sentiment de ce qui est irrémédiablement perdu. La nuit, bien que lumineuse, n'apaise pas le cœur de Saint-Preux en proie au tourment de son « bonheur passé » et à l'intuition d'une rupture; elle ranime le souvenir d'un état désormais impossible, d'un temps dispersé dans l'écoulement de la durée. La nature et l'âme expriment deux langages amèrement dissonants.

Nous gardions un profond silence. Le bruit égal et mesuré des rames m'excitait à rêver. Le chant assez gai des bécassines, me retraçant les plaisirs d'un autre âge, au lieu de m'égayer m'attristait. Peu à peu je sentis augmenter la mélancolie dont j'étais accablé. Un ciel serein, les doux rayons de la lune, le frémissement argenté dont l'eau brillait autour de nous, le concours des plus agréables sensations, la présence même de cet objet chéri, rien ne put détourner de mon cœur mille réflexions douloureuses [33].

Le *Morceau allégorique sur la révélation*, à la fois songe et *fiction*, s'ouvre par l'évocation d'« une belle nuit d'été », inspirant au philosophe une méditation dans laquelle les impulsions de l'enthousiasme s'accordent avec la vision du crépuscule. De même que dans la rêverie lyonnaise, Rousseau associe l'action des quatre éléments et multiplie les réseaux synesthésiques entre les sensations. La clarté lunaire succède à la clarté solaire, la fraîcheur de l'air et de la rosée renouvelle l'univers végétal. La descente de la nuit apaise les êtres et les objets de la nature, en les baignant dans une atmosphère féconde et pacifique.

---

[32] *Ibid.*, *O. C.*, t. I, pp. 168-169. De même, lors de son installation à l'Ermitage, Rousseau est ravi par le chant nocturne du rossignol. *Ibid.*, *O. C.*, t. I, p. 403.

[33] *La Nouvelle Héloïse*, *O. C.*, t. II, p. 520.

Les sensations visuelles et auditives, thermiques et olfactives relient l'âme du contemplateur aux harmonies de la nature.

La chaleur était à peine tombée avec le soleil, les oiseaux déjà retirés et non encore endormis annonçaient par un ramage languissant et voluptueux le plaisir qu'ils goûtaient à respirer un air plus frais; une rosée abondante et salutaire ranimait déjà la verdure fanée par l'ardeur du soleil, les fleurs élançaient de toutes parts leurs plus doux parfums; les vergers et les bois dans toute leur parure formaient au travers du crépuscule et des premiers rayons de la lune un spectacle moins vif et plus touchant que durant l'éclat du jour. Le murmure des ruisseaux effacé par le tumulte de la journée commençait à se faire entendre [...] [34].

L'éclosion du concert nocturne est l'heure favorable à la contemplation du ciel, au moment où le soleil décline, où la lune éveille l'âme du songeur et l'invite à participer au sentiment de la totalité cosmique. Le philosophe « remarque encore à l'occident les traces de feu que laisse après lui l'astre qui nous donne la chaleur et le jour; vers l'orient il aperçoit la lueur douce et mélancolique de celui qui guide nos pas et excite nos rêveries durant la nuit » [35]. La rêverie nocturne révèle plus complètement que la rêverie diurne la cohérence des révolutions astrales, l'équilibre « dans la succession des saisons », dans la structure du monde végétal et animal. La rêverie métaphysique, issue de la nuit illuminée, découvre la régularité du mouvement cosmique, l'existence d'une « chaîne invisible qui lie entre eux tous les Etres », la parfaite harmonie qui préside à la création; elle dévoile dans « le sanctuaire de la nature » la présence souveraine et secrète de Dieu comme le principe moteur, qui garantit l'organisation de la substance.

Le modèle de la rêverie nocturne par la conjonction qu'elle établit entre le moi et l'univers est celle où la conscience de Rousseau se réveille après l'accident de Ménilmontant. Le récit et la description s'inscrivent dans le cadre d'une spatialité nocturne et cosmique dont la quiétude contribue à opérer la fusion de l'être sensible avec la nature.

[34] *O. C.*, t. IV, p. 1044.
[35] *O. C.*, t. IV, p. 1045.

La nuit s'avançait. J'aperçus le ciel, quelques étoiles, et un peu de verdure. Cette première sensation fut un moment délicieux. Je ne me sentais encore que par là. Je naissais dans cet instant à la vie, et il me semblait que je remplissais de ma légère existence tous les objets que j'apercevais. Tout entier au moment présent je ne me souvenais de rien; je n'avais nulle notion distincte de mon individu, pas la moindre idée de ce qui venait de m'arriver; je ne savais ni qui j'étais ni où j'étais; je ne sentais ni mal, ni crainte, ni inquiétude. Je voyais couler mon sang comme j'aurais vu couler un ruisseau, sans songer seulement que ce sang m'appartînt en aucune sorte. Je sentais dans tout mon être un calme ravissant auquel chaque fois que je me le rappelle je ne trouve rien de comparable dans toute l'activité des plaisirs connus [36].

Cette rêverie se décompose en quatre moments successifs, correspondant à la progression de la renaissance intérieure. En s'éveillant de son évanouissement, Rousseau n'éprouve d'abord que des sensations visuelles en présence du ciel étoilé et du monde végétal; le bien-être qu'il ressent est encore coupé du sentiment de l'existence. Puis il perçoit l'instant qu'il est en train de vivre dans son immédiateté et sent son existence douée de fluidité et de l'aptitude à s'incorporer aux objets de la nature. Dans cet état de partielle inconscience, il participe à la vie du cosmos et son moi s'identifie avec les choses environnantes à la faveur de la sensation.

Les « objets », commente Marcel Raymond, ont tout perdu de leur opacité, de leur nature d'obstacle; transparents et surtout pénétrables, ils se laissent « remplir » et il semble qu'ils n'empruntent leur être qu'à la « légère existence » du *moi*, mais d'un *moi* encore impersonnel et pour ainsi dire cosmique [37].

Rousseau n'a pas encore repris conscience de l'identité de son être. Il vit dans un présent affranchi de la trace de tout souvenir et de la perception du temps. Son moi lui demeure en quelque sorte étranger, il ne le reconnaît pas comme sien, pas plus que son sang, et il ne parvient pas à le localiser à l'aide d'une quelconque souffrance. Il éprouve que dans certaines circonstances le sentiment de l'existence peut être ou paraître aboli. Ce réveil progressif de la conscience ne s'accompagne d'aucune douleur physique ou morale, il procure à l'écrivain

---

[36] *Les Rêveries*, *O. C.*, t. I, p. 1005.
[37] *O. C.*, t. I, p. 1775.

une sérénité extatique. Rousseau renaît à la vie, non pas en se concentrant sur son moi, mais en s'absorbant dans l'existence des choses.
Cette sensation de l'harmonie de son être, fondu dans l'univers, est la
source de son étrange quiétude, de cette espèce de ravissement sensible,
détachée de la perception de la vie individuelle. La rêverie de la *IIe Promenade* dilate le moi par une expansion qui s'étend à la mesure du cosmos, en unissant la terre et le végétal à la clarté nocturne des cons-
tellations. Elle confirme que seule la nuit éclairée prend chez Rousseau
une valeur positive, dans la mesure où elle est associée aux enchantements de la contemplation par laquelle l'âme communique avec les
éléments de la nature. Elle légitime le schéma suivant:

nuit illuminée (+) / nuit opaque (—)

LE RAVISSEMENT SOLAIRE

Le soleil est, pour le regard humain, l'« objet le plus frappant »
qui soit dans la création par son éclat et sa signification. Il représente
à l'esprit l'image de la Divinité et de l'énergie créatrice, qui organise,
entretient et féconde tant la vie de l'univers que celle de l'humanité.
C'est un privilège et un gage de dignité que l'homme puisse contempler
le soleil et saisir le sens de sa course. « L'homme est le roi de la terre
qu'il habite », non seulement parce qu'il domestique les animaux et
les forces élémentaires de la nature, mais parce qu'il peut s'intégrer
dans la totalité du cosmos et participer au spectacle de l'univers astral.
Sa grandeur est dans l'aptitude à percevoir la relation qui l'unit au
soleil et aux sphères de l'inaccessible, dans le sentiment de posséder les
corps célestes par la souveraineté du regard, en dépit des obstacles de
la distance. « [...] Et il s'approprie encore par la contemplation les
astres mêmes dont il ne peut approcher. Qu'on me montre un autre
animal sur la terre qui sache faire usage du feu, et qui sache admirer
le soleil » [38]. Le soleil, divinisé par « presque tous les peuples sauvages »,
a conservé quelque chose de divin pour l'homme moderne par la
vénération qu'il lui inspire et la splendeur du spectacle qu'il offre à son

---

[38] *Emile, O. C.*, t. IV, p. 582.

regard. Il est la représentation et la manifestation du sacré, l'incarnation de la transcendance à travers l'espace cosmique [39]. Il est, conformément à la plupart des traditions religieuses et mythiques, « le père de la vie », le moteur de l'énergie, qui maintient le dynamisme des êtres et des choses. Aussi n'est-il pas dans la nature de tableau plus fascinant que la renaissance du soleil, déchirant les pans de l'obscurité, tableau réel et symbolique de l'univers dans lequel s'inscrit la destinée de l'homme. L'astre suggère sa présence par les signes annonciateurs du feu, puis surgit pour éclairer la terre et dissiper l'angoisse nocturne. Dans sa description du soleil levant, Rousseau allie le végétal et l'animal par les harmonies de la lumière; selon un procédé familier, les couleurs de la nature sont comme rehaussées par le chant des oiseaux pour signifier le phénomène de la résurrection, dans lequel l'homme découvre le décor de son identité.

Le lendemain pour respirer le frais on retourne au même lieu avant que le soleil se lève. On le voit s'annoncer de loin par les traits de feu qu'il lance au devant de lui. L'incendie augmente, l'orient paraît tout en flammes: à leur éclat on attend l'astre longtemps avant qu'il se montre; à chaque instant on croit le voir paraître, on le voit enfin. Un point brillant part comme un éclair et remplit aussitôt tout l'espace: le voile des ténèbres s'efface et tombe. L'homme reconnaît son séjour et le trouve embelli. La verdure a pris durant la nuit une vigueur nouvelle; le jour naissant qui l'éclaire, les premiers rayons qui la dorent la montrent couverte d'un brillant réseau de rosée, qui réfléchit à l'œil la lumière et les couleurs. Les oiseaux en chœur se réunissent et saluent de concert le père de la vie; en ce moment pas un seul ne se tait. Leur gazouillement faible encore est plus lent et plus doux que dans le reste de la journée, il se sent de la langueur d'un paisible réveil. Le concours de tous ces objets porte aux sens une impression de fraîcheur qui semble pénétrer jusqu'à l'âme. Il y a là une demi-heure d'enchantement auquel nul homme ne résiste; un spectacle si grand, si beau, si délicieux n'en laisse aucun de sang-froid [40].

---

[39] Cf. *La Découverte du Nouveau Monde* où Rousseau évoque la divinisation du Soleil dans les religions de l'ancienne Amérique. L'île de Guanahan est destinée à devenir la terre des « Enfants du Soleil »; le peuple redoute comme un signe funeste « l'aspect effrayant d'un Astre ensanglanté » et vit dans la crainte que « le Soleil irrité » ne « renverse la terre » par les puissances du feu, au moment de l'arrivée de Christophe Colomb.

[40] *Emile, O. C.*, t. IV, p. 431.

Cette admirable description de l'aurore ne prétend pas à la seule beauté de la plasticité, elle veut montrer que les tableaux de la nature sont destinés à être intériorisés, qu'ils parlent un langage métaphorique et correspondent à la vérité du sentiment. Le paysage — singulièrement celui de l'aube — est riche d'un contenu spirituel, il ne vit pas absolument en lui-même, mais revit dans les fibres de sa sensibilité: c'est le cœur qui anime la vision de la nature et l'empreint des couleurs de l'affectivité. Le spectacle de la nature, métaphorisé avec le concours de l'imagination, devient la représentation de l'univers psychique. C'est à la faveur de cet enthousiasme, engendré par la naissance de l'aurore, que le précepteur juge utile de donner à Emile les premiers rudiments de la géographie et de la cosmographie. L'observation du « mouvement journalier du soleil », de son lever et de son coucher, des aubes de l'été et de l'hiver, révèle la circularité du parcours en fonction d'un *centre* invisible « au cœur de la terre » et d'un *axe* décrivant la trajectoire. Elle offre l'avantage didactique de ne pas *substituer le signe à la chose représentée*, de préserver les principes d'une méthode empirique, sans recourir à l'abstraction. La contemplation du mouvement apparent du soleil manifeste la sphéricité de l'univers, elle permet à l'homme de se situer dans la création, de s'orienter à travers le découpage du temps et les points de l'espace. La relation entre l'homme et le soleil coïncide avec une expérience cosmique et existentielle, parce qu'elle exprime concrètement la condition de l'humanité, ses assises structurales et sa destination spirituelle.

Il n'est pas surprenant que Rousseau éprouve, comme Rimbaud, une prédilection pour « cette heure indicible, première du matin », le moment privilégié de l'aurore, image du surgissement et de l'éternel recommencement dans lequel l'imagination de l'écrivain aime à se projeter comme si elle y redécouvrait la fraîcheur des origines. La naissance de l'aube est assimilable, dans une durée fugitive, à la vision d'une nouvelle genèse où les êtres et les choses retrouvent leur innocence, après avoir été lavés des souillures de la nuit par l'avènement de la lumière. Rousseau se plaît à « humer l'air salubre et frais du matin », à se pénétrer des parfums de l'aurore; c'est pour lui l'heure du départ pour la promenade, l'heure de la prière et de l'extase religieuse par la communication avec les objets de la nature, régénérés par la clarté. Comme il l'exprime dans *Les Confessions* et la troisième des *Lettres à Malesherbes*, Rousseau a coutume de se lever avant l'apparition du soleil afin de ne pas manquer le spectacle exaltant de l'aurore et de goûter la félicité de l'heure la plus délicieuse du jour. Dans plusieurs épisodes des *Confessions*, le surgissement de l'aube annonce les prémices du bonheur. Le matin de la promenade avec Mlles Galley et de Graffenried, la beauté de l'aurore apparaît comme le signe d'un jour promis au sentiment de la plénitude. Le décor végétal et le chant des oiseaux — la plupart du temps le rossignol, associé au lever du soleil — composent une symphonie de sons et de couleurs pour célébrer le passage du printemps à l'été et la gloire du solstice.

L'aurore un matin me parut si belle que m'étant habillé précipitamment, je me hâtai de gagner la campagne pour voir lever le soleil. Je goûtai ce plaisir dans tout son charme; c'était la semaine après la Saint-Jean. La terre dans sa plus grande parure était couverte d'herbe et de fleurs; les rossignols presque à la fin de leur ramage semblaient se plaire à le renforcer: tous les oiseaux faisant en concert leurs adieux au printemps, chantaient la naissance d'un beau jour d'été, d'un de ces beaux jours qu'on ne voit plus à mon âge, et qu'on n'a jamais vus dans le triste sol où j'habite aujourd'hui [41].

Après sa promenade nocturne dans les environs de Lyon et un sommeil paisible, Rousseau s'éveille au milieu d'«un paysage admirable» où l'*eau* et la *verdure* sont illuminées par les clartés du jour. Mais ce fut surtout aux Charmettes qu'il connut ce bonheur intérieur qui ne peut se traduire par les moyens précaires du langage. Bonheur vécu sous le signe de l'aurore, dans la promenade et dans l'oisiveté, perpétué par la protection maternelle de Mme de Warens. «Je me levais avec le soleil et j'étais heureux [...]». La naissance de l'aube est le moment du jour le plus propice à la prière, à l'émotion religieuse et à l'hymne de reconnaissance, alors que les choses de la création sont rafraîchies par le regard limpide de la lumière. La prière jaillit spontanément à l'heure de l'aube, où la nature révèle sa splendeur, et elle a besoin d'un espace ouvert pour s'élever à Dieu, en dehors de tout intermédiaire. Le temps auroral et le spectacle disposent le cœur aux élans de l'extase religieuse,

---

[41] *Les Confessions, O. C.*, t. I, p. 135

déclenchée par le sentiment de l'omniprésence de Dieu, à la fois trans-
cendant et révélé à travers la substance de l'univers.

Je me levais tous les matins avant le soleil. Je montais par un verger
voisin dans un très joli chemin qui était au-dessus de la vigne et suivait la
côte jusqu'à Chambéry. Là tout en me promenant je faisais ma prière, qui
ne consistait pas en un vain balbutiement de lèvres, mais dans une sincère
élévation de cœur à l'auteur de cette aimable nature dont les beautés étaient
sous mes yeux. Je n'ai jamais aimé à prier dans la chambre ; il me semble que
les murs et tous ces petits ouvrages des hommes s'interposent entre Dieu
et moi. J'aime à le contempler dans ses œuvres tandis que mon cœur s'élève
à lui [42].

L'aube est l'instant où Jean-Jacques croit revivre la pureté de la Genèse
et éprouver les joies au Paradis. Elle procure, par le rajeunissement de
la vision qu'elle opère, un bonheur édénique que l'on croyait perdu
dans la trame troublée de l'existence. « Avec quel empressement je
courais tous les matins au lever du soleil respirer un air embaumé
sur le péristyle ! [...] J'étais là dans le Paradis terrestre ; j'y vivais avec
autant d'innocence, et j'y goûtais le même bonheur » [43]. L'aube revêt
la dimension d'un temps mythique par l'acte de la répétition, le réveil
de l'espérance et la jeune plénitude de la lumière qui colore le monde
d'innocence et ressuscite le souvenir de l'enchantement paradisiaque.
Elle signifie au cœur de l'homme la perfection des commencements.

Le lever du jour est aussi le moment que le Vicaire savoyard choisit
pour amorcer sa profession de foi, après s'être élevé « sur une haute
colline », dominant Turin et la Vallée du Pô. Le soleil éclaire la terre
où subsistent encore des zones d'ombre ; la nature, émergeant dans
le clair-obscur, remplit la fonction d'un *texte* qui introduit le texte
du discours. Le déchiffrement des beautés du monde est l'acte religieux sur lequel repose le langage, puisque les merveilles de la création
et la résurrection de l'aube expriment la présence du Créateur.

Les rayons du soleil levant rasaient déjà les plaines, et projetant sur les
champs par longues ombres les arbres, les coteaux, les maisons, enrichis-
saient de mille accidents de lumière le plus beau tableau dont l'œil humain

[42] *Ibid.*, *O. C.* t. I, p. 236.
[43] *Ibid.*, *O. C.*, t. I, p. 521.

puisse être frappé. On eût dit que la nature étalait à nos yeux toute sa magnificence pour en offrir le texte à nos entretiens [44].

La naissance du soleil est le moment religieux par excellence, le moment de l'extase spirituelle et de la fête de la nature. Que l'astre déchire les ombres ou qu'il *élève* « le voile de brouillard [...] comme une toile de théâtre », il communique au spectacle qu'il illumine « un air de fête », il le transforme en rite de la résurrection. Emile, dans son chagrin d'être séparé de Sophie et après avoir cherché un refuge dans l'obscurité, ne reste point insensible à la métamorphose que produit la lumière, à ce renouvellement qu'elle impose aux objets de l'univers et à la vision humaine. Le mouvement de la marche dans la clarté aurorale est associé à la renaissance de la nature et la transfiguration du paysage accomplit une transformation ontologique. « A mesure que le jour croissant éclairait les objets, je croyais voir un autre Ciel, une autre terre, un autre univers; tout était changé pour moi » [45]. L'aurore n'est pas seulement liée à la jouissance du présent ou à l'espérance heureuse du futur, elle prend aussi une valeur mémoriale et participe aux fêtes du souvenir. Il arrive à Jean-Jacques de revivre le passé dans la lumière. Ce sont des aubes nostalgiques, enfouies dans l'épaisseur de la mémoire, mais colorées par le prestige de l'originel, signifié par la répétition de l'adjectif *premier*.

O lac sur les bords duquel j'ai passé les douces heures de mon enfance, charmants paysages où j'ai vu pour la première fois le majestueux et touchant lever du soleil, où j'ai senti les premières émotions du cœur, les premiers élans d'un génie devenu depuis trop impérieux et trop célèbre, hélas ! je ne vous verrai plus [46].

L'aurore est, dans l'espace du jour, le moment atemporel de l'éveil et de la naissance, de la constante résurrection où se profile sur le monde et dans l'âme le souvenir de la Genèse. Elle englobe en son

---

[44] *Emile, O. C.*, t. IV, p. 565. De même Saint-Preux, dans le Haut-Valais, observe les contrastes de l'éclairage et la variété des jeux de la lumière, « le clair-obscur du soleil et des ombres, et tous les accidents de lumière qui en résultaient le matin et le soir ». *O. C.*, t. II, p. 77.

[45] *Emile et Sophie, O. C.*, t. IV, p. 894.

[46] Lettre au prince Beloselski du 27 mai 1775, *Correspondance générale*, t. XX, p. 313.

instant miraculeux le passé, le présent et l'avenir, de sorte qu'elle devient un non-temps ou un temps mythique, qui, par sa transparence et sa circularité, se réfère à la pureté des enfances du monde. L'aube est l'Oméga de la création, où l'expérience de la lumière est vécue simultanément dans l'espace cosmique et dans l'espace intérieur.

Le soleil de midi et le crépuscule ne possèdent pas les mêmes vertus au regard de Rousseau, soit que l'intensité de la chaleur résorbe la froideur limpide du matin, soit que l'ombre étende sa menace sur les contours du paysage. Puis la transition trop brusque de l'obscurité à la lumière produit, dans la nature et le monde moral, un éblouissement qui masque la clarté. Le surgissement fulgurant du jour occulte la lumière ou aveugle le regard. « J'errais dans d'épaisses ténèbres, l'éclat soudain du jour m'éblouit et m'ôte le jour encore » [47]. Tantôt Rousseau, au cours de ses promenades, fuit la violence de la lumière et de la chaleur pour rechercher la protection de l'ombre, la fraîcheur des eaux et des bois. « Quoique je ne craigne pas la chaleur, elle est si terrible aujourd'hui que je n'ai pas le courage d'entreprendre le voyage au fort du soleil » [48]. Tantôt il ne redoute pas de partir dans l'extrême chaleur afin de se dérober à la présence des importuns et de gagner les refuges solitaires. « Avant une heure, même les jours les plus ardents, je partais par le grand soleil avec le fidèle Achate, pressant le pas dans la crainte que quelqu'un ne vînt s'emparer de moi avant que j'eusse pu m'esquiver » [49]. Mais cette fuite parmi l'éclat du soleil achemine l'écrivain vers les ombrages de la forêt où il peut contempler à loisir « l'or des genêts et la pourpre des bruyères », jouir de l'exubérance de l'univers végétal. Par tempérament, Rousseau évite la brûlure du soleil et la chaude réverbération de la lumière, qui entravent l'effort, paralysant toute espèce d'activité autre que la contemplation. « En général toute peine me coûte durant la chaleur du jour », avoue-t-il dans le livre VI des *Confessions*. Sensible à « la beauté du jour », il éprouve que le temps de la clarté solaire n'est pas celui de l'écriture, mais de la promenade et de la rêverie. Il arrive que

---

[47] *Mélanges de littérature et de morale*, O. C., t. **II**, p. 1331.
[48] *Correspondance complète*, t. IV, p. 89.
[49] *Lettres à Malesherbes*, O. C., t. I, p. 1139.

Rousseau s'applique à lui-même le précepte énoncé dans *Emile*, selon lequel il faut *s'accoutumer* « peu à peu à braver les rayons du soleil ». C'est ce qui s'est produit lors de l'illumination de Vincennes, alors qu'il marchait dans la « chaleur excessive » de l'été et sur une route où les arbres « toujours élagués [...] ne donnaient presque aucune ombre ». Il en est comme si l'intensité de la lumière et de la chaleur solaires avait déclenché le phénomène de la création en se communiquant à la vie intérieure pour éveiller l'enthousiasme des idées et imposer la vision d'« un autre univers ». Les deux réseaux sémantiques de la lumière et de la chaleur s'unissent pour exprimer l'ardeur de l'illu- mination. La lumière cosmique pénètre l'esprit de l'écrivain, élargit soudainement le champ de ses idées et de sa vision. « Je me sens l'esprit ébloui de mille lumières », dit-il dans le récit de la deuxième *Lettre à Malesherbes*. La révélation de la vérité l'*illumine*, fait surgir des « étincelles de génie » et l'*enflamme* d'un transport qui inspirera la plupart de ses œuvres jusqu'à *Emile*. Jean-Jacques est emporté par une chaleur intérieure qui lui cause un éblouissement et des suffo- cations, un étourdissement et des palpitations. La conception est liée chez lui à l'éclosion d'une flamme sacrée qui s'accompagne d'une « vive effervescence », du *délire* et de la *fièvre*. Mais ce délire, comparable à la fureur poétique imaginée par Platon, correspond à un mouvement violent de l'affectivité qui ne favorise pas nécessairement l'écriture, car le feu du sentiment, à l'égal du feu solaire, provoque un éclat qui aveugle le regard, trouble et paralyse l'essor de la pensée. L'excès de la lumière, naturelle ou affective, dérobe leur clarté aux facultés créa- trices et entrave le travail de l'exécution. Le temps de la conception et celui de l'écriture sont successifs, le premier appartenant plutôt aux enchantements du jour, le second plutôt aux inquiétudes et aux troubles de la nuit. Seule la germination intérieure, attisée par le feu de l'affectivité, correspond à la phase solaire de la création litté- raire [50].

L'œuvre de Rousseau ne préfigure guère l'attachement que les romantiques ressentiront pour le crépuscule. « Le baisser du soleil »

---

[50] Selon le témoignage de Rousseau, la prosopopée de Fabricius fait exception, puisque la rédaction est contemporaine de l'illumination de Vincennes et que la chaleur de l'écriture résulte immédiatement de la chaleur du sentiment.

est le moment où la promenade s'achève, où l'envahissement de l'ombre invite le marcheur à la retraite. Si Rousseau s'écarte de la chaleur
du soleil, il appréhende davantage la disparition de l'astre et les signes
annonciateurs de la nuit; c'est l'heure où il se confine dans la clôture
de l'espace domestique pour se dérober à l'étendue cosmique, soumise
à l'empire de l'obscurité; l'heure où il se retranche dans le monde
effervescent du dedans. Après son rêve funeste, Saint-Preux est même
effrayé par le crépuscule du matin, qui égare sa vision, encore emplie
des phantasmes nocturnes. « Le crépuscule en commençant d'éclairer
les objets, ne fit que les transformer au gré de mon imagination
troublée » [51]. A moins qu'il ne soit associé à la rêverie ou à la méditation, le crépuscule représente une valeur négative: il coïncide avec
l'instant où l'être se sépare de la vision de la nature et de la communication avec les objets. Il traduit le passage, la fugacité et marque le
moment de la rupture entre le spectacle de l'univers et le moi, qui ne
découvre de ressources que dans la réflexion et la maturation de l'écriture.

La lumière solaire n'est pas seulement associée à la vision de la
nature et à la conception littéraire, elle comporte une richesse sémantique qui s'étend à d'autres sphères, telles que le temps et l'espace, la
fête, la passion amoureuse, la quête de la vérité morale et religieuse.
La trajectoire du soleil s'inscrit dans le temps et l'espace; elle signifie
à la fois l'écoulement de la durée et la permanence assurée par le mouvement cyclique de la chute et de la renaissance. L'image du parcours,
accompli par l'astre, représente l'éphémérité du temps et de la beauté
féminine, l'acheminement fatal vers la mort. Saint-Preux écrit à
Julie: « Mais hélas ! vois la rapidité de cet astre qui jamais n'arrête;
il vole et le temps fuit, l'occasion s'échappe, ta beauté, ta beauté même
aura son terme, elle doit décliner et périr un jour comme une fleur qui
tombe sans avoir été cueillie » [52]. Le soleil exprime le mouvement
perpétuel de la vie, il est le témoin de la vie, le témoin de la présence
ou de l'absence de Julie; s'il ne révèle pas dans sa marche l'apparition
de l'amante, il devient comme un soleil noir qui obscurcit le cœur de

---

[51] *La Nouvelle Héloïse*, O. C., t. II, p. 617.
[52] *Ibid.*, O. C., t. II, p. 92.

l'amant et l'immerge dans un espace nocturne. « Mon cœur inquiet te cherche et ne trouve rien. Le soleil se lève et ne me rend plus l'espoir de te voir; il se couche et je ne t'ai point vue: mes jours vides de plaisir et de joie s'écoulent dans une longue nuit » [53]. « A pas de géant », le soleil parcourt « la vaste étendue de l'univers », il étreint la totalité spatiale, en reliant l'Orient à l'Occident. Il est le luminaire de la création, qu'il anime et fertilise de son rayonnement [54]. C'est lui qui colore les objets de la nature, dépourvus en eux-mêmes de couleurs, c'est la lumière qui détient les propriétés de la vie et les communique aux choses de la nature, illuminées, rendues visibles et réelles par l'épanchement de son éclat. « Les couleurs ne sont pas dans les corps colorés mais dans la lumière; pour qu'on voie un objet il faut qu'il soit éclairé » [55]. Symbole de l'énergie et de la joie, le soleil détermine le champ où se déroulent la fête et les spectacles; c'est dans un esprit contraire à leur essence que les représentations ont lieu dans quelque « antre obscur ». Le spectacle théâtral et les fêtes ne déploient les charmes de l'invention que dans un espace ouvert, éclairé par la lumière solaire. « Peuples heureux, [...] c'est en plein air, c'est sous le ciel qu'il faut vous rassembler et vous livrer au doux sentiment de votre bonheur. [...] Que le soleil éclaire vos innocents spectacles; vous en formerez un vous-mêmes, le plus digne qu'il puisse éclairer » [56]. Le soleil participe à la fête, qui crée son propre soleil par l'enthousiasme et la jubilation, par la présence du sacré.

Renouant avec la tradition de la rhétorique amoureuse, issue du pétrarquisme, Rousseau use fréquemment de la métaphore solaire pour représenter la perfection de la femme aimée, qui devient l'objet d'une vénération religieuse. La faute charnelle, à laquelle Julie s'est abandonnée, ne saurait troubler ou dégrader la solarité dont tout son être est empreint: « Une tâche paraît-elle au soleil ? » De même que le soleil surpasse en clarté les autres astres, Julie l'emporte par sa beauté lumineuse, qui fascine le regard de Saint-Preux. « Ne te vis-je pas

[53] *Ibid., O. C.*, t. II, p. 228.
[54] « Il ne faut point, disaient les Anciens, deux Soleils dans la nature. » *Discours sur la vertu du héros, O. C.*, t. II, p. 1264.
[55] *Origine des langues*, p. 173.
[56] *Lettre à d'Alembert*, p. 168.

briller entre ces jeunes beautés comme le soleil entre les astres qu'il
éclipse ? » [57] D'une part l'amante s'épanouit spirituellement par la
clarté de l'amour, acquiert grâce à elle une expansion lumineuse:
« A sa douce chaleur, j'ai vu ton âme déployer ses brillantes facultés,
comme une fleur s'ouvre aux rayons du soleil. » D'autre part elle est
douée, par l'hyperbole, d'une splendeur et d'un rayonnement plus
intenses que le soleil; l'amour la pare d'une auréole qui rivalise avec
la clarté du ciel. « Non, le Soleil orné de tous ses rayons n'a pas l'éclat
dont tu frappais les yeux et les cœurs » [58]. C'est le regard qui est porteur du feu solaire, qui propage les flammes de l'amour ou de la souffrance; il est, en l'être aimé, l'équivalent du soleil dans l'univers, le
foyer d'où émanent la lumière et la chaleur humaines. «[...] Et comme
les rayons du soleil échappés à travers les nuages, ses yeux ternis par
la douleur lancent des feux plus piquants » [59]. Julie incarne la pureté
solaire, comme Hippolyte dans *Phèdre*; elle décante le sentiment
qu'elle éprouve pour Saint-Preux afin de le rendre « aussi pur que le
jour qui [l'] éclaire ». Avant de mourir, elle est *rayonnante* à l'image
du soleil, qu'elle figure métaphoriquement tout au long du roman.
« Le culte de Julie est un peu un culte solaire », écrit Jean-Louis
Lecercle [60]. Saint-Preux divinise Julie en lui prêtant le visage étincelant
du soleil, ses pouvoirs et ses vertus, en lui attribuant dans « la société
des cœurs » la place centrale que l'astre occupe dans le système cosmique. Elle est, dans la vie et dans la mort, l'image de l'exemplarité
solaire à laquelle aspire Jean-Jacques au niveau de cette espérance
mythique, projetée par l'imagination dans « le pays des chimères ».

Engagé dans le siècle des Lumières, « de la philosophie et de la raison », de la croyance rassurante au progrès, Rousseau ne pouvait
manquer de s'interroger sur la portée intellectuelle, morale et religieuse
des lumières, sur le sens qu'il convient de leur attribuer et sur les
ambiguïtés qu'elles comportent. Tout mode de connaissance peut se

---

[57] *La Nouvelle Héloïse*, *O. C.*, t. II, p. 107.

[58] *Ibid.*, *O. C.*, t. II, pp. 222 et 292.

[59] *Ibid.*, *O. C.*, t. II, p. 623. Il s'agit ici, non de Julie, mais de Laure. Dans les
Lettres à Sara, Rousseau écrit également: « Je ne sais quel feu surnaturel luisait
dans tes yeux, des rayons de lumière semblaient t'entourer ». *O. C.*, t. II, p. 1295.

[60] *Rousseau et l'art du roman*, p. 168.

définir comme un cheminement à travers un « ténébreux labyrinthe »
pour découvrir « une foule de vérités lumineuses », comme une conquête progressive de la certitude, après avoir erré dans le dédale des
incertitudes et des hypothèses. Le passage du doute à la vérité, du
Mal au Bien, est figuré par la transition de l'ombre à la clarté. L'éclosion
de la lumière, après l'épreuve de la traversée des ténèbres, représente
symboliquement le dévoilement et la possession de la vérité, et pour
Jean-Jacques autant l'affirmation de la vérité de son système que
l'authenticité de son innocence. La véracité de son discours et l'intégrité de son moi sont associées et destinées à luire « à tous les
yeux plus brillante[s] que le soleil ». Il s'agit là d'une expérience
éthique et existentielle qui s'accomplit, sinon dans le présent, du moins
dans le futur ; cette expérience, riche de la somme des *maux* et des
biens, concourt à la quête solaire de la vérité. Ce qui advient dans
l'espace intérieur trouve son modèle dans l'espace de la nature. « Les
biens et les maux que le sage éprouve contribuent à sa perfection.
C'est ainsi que le soleil et la pluie concourent à fertiliser la terre » [61].
La relation, établie entre l'homme et l'univers, repose sur la loi de
l'analogie et de la conformité réciproque.

Rousseau est entré dans la littérature en prenant le contre-pied
de son siècle, en concevant à contre-courant un système qui conteste
vigoureusement les lumières des sciences, des arts et de la philosophie.
Il se méfie des lumières acquises par les progrès de l'intelligence et
de la culture, adressant à Dieu cette prière dans son premier *Discours*:
« Délivre-nous des lumières et des funestes arts de nos Pères ». Alors
que les clartés de la raison auraient dû « dissiper [...] les ténèbres dans
lesquelles la nature avait enveloppé l'homme », elles l'ont précipité
dans le malheur et la servitude, arraché à son innocence originelle,
aux vertus naturelles de la liberté et de l'égalité. Tandis que « l'homme
sauvage » était « privé de toute sorte de lumières » et n'était pas exposé
aux périls de l'intelligence, « l'homme civil » est en proie à « des
lumières funestes » qui procèdent de son aptitude à la *perfectibilité*.
L'acquisition des lumières de l'esprit et de la culture a soustrait
l'homme à sa condition primitive, elle a altéré le langage en le trans-

---

[61] *Mélanges de littérature et de morale, O. C.*, t. II, p. 1302.

formant dans sa nature et sa fonction pour qu'il devienne un instrument de la raison, plus propre à manier les idées qu'à traduire les accents lyriques de la passion. Elle entraîne une dégradation morale, dans la mesure où ces lumières s'identifient avec les préjugés, les masques ou les maux de la vie sociale. Après avoir dénoncé « le progrès des lumières acquises par nos vices », Rousseau choisit d'écarter « les lumières de [sa] raison » pour ne se fier qu'au « dictamen de [sa] conscience », selon la formule de la *IVᵉ Promenade*, et au langage de l'assentiment intérieur. Ainsi que le vicaire savoyard, il oppose aux lumières artificielles de l'intelligence la lumière naturelle et intérieure de la conscience, « instinct divin, immortelle et céleste voix », qui exprime les paroles de la clarté au creux de l'âme. La pensée de Rousseau peut se schématiser ainsi, en faisant abstraction des lumières de la conscience morale :

$$\text{lumière naturelle et cosmique } (+) \, / $$
$$\text{lumières de la raison et de la culture } (-)$$

Est-ce à dire que les lumières de l'esprit sont toujours vues par Rousseau sous l'angle de la négativité ? Elles peuvent aiguiser la connaissance de soi, être intériorisées par la conscience plutôt que par la raison ; elles concourent à fortifier la lucidité de manière qu'elle perçoive la cohérence voulue par Dieu dans l'être et dans la création. La collaboration des lumières de la connaissance et de la conscience ne fait que redoubler cet « amour de l'ordre » à l'exigence duquel l'âme est disposée.

Ce dernier amour développé et rendu actif porte le nom de conscience ; mais la conscience ne se développe et n'agit qu'avec les lumières de l'homme. Ce n'est que par ces lumières qu'il parvient à connaître l'ordre, et ce n'est que quand il le connaît que sa conscience le porte à l'aimer [62].

Qu'elles soient *naturelles* ou *surnaturelles*, les lumières prennent une valeur positive, lorsqu'elles sont jointes à l'activité de la conscience, entendues dans un sens éthique et religieux. Le vicaire savoyard demeure fidèle à « toute la clarté des lumières primitives », conformes à l'idéal d'innocence que propose la nature, et il fonde son discours

---

[62] *Lettre à Christophe de Beaumont*, O. C., t. **IV**, p. 936.

métaphysique sur les révélations ou les évidences, dictées par « la lumière intérieure ». Dans le *Morceau allégorique sur la révélation*, la vision du narrateur se concentre sur la perception de la lumière céleste, qui se transforme en une clarté pénétrant dans l'espace psychique; la contemplation débouche sur la révélation par le phénomène de l'intériorisation de la lumière. « [...] Tout à coup un rayon de lumière vint frapper son esprit et lui dévoiler ces sublimes vérités qu'il n'appartient pas à l'homme de connaître par lui-même. » La manifestation de la lumière témoigne de la présence de Dieu et le songeur est empli d'« une étincelle de ce feu divin », apte à renouveler son existence par les vertus énergétiques de l'*enthousiasme*. Son expérience religieuse, presque mystique, lui dévoile la puissance des « lumières célestes » qu'il absorbe et s'approprie comme par l'effet d'une illumination [63]. Dieu est lumière totale, lumière sans ombre, dans tous les sens du terme, métaphysique et moral, cosmogonique et spirituel, il est défini par l'universalité de son rayonnement et son inaltérable clarté. Le vicaire savoyard peut s'écrier: « Le Dieu que j'adore n'est point un Dieu de ténèbres », [64] un Dieu masqué par l'opacité du mystère et inintelligible aux lumières de la conscience. La Divinité est signifiée par le geste même de la création, associé au jaillissement de la lumière, et par sa « puissance infinie » qui se traduit avec la « même simplicité dans le discours et dans l'exécution ». Cette simplicité caractérise l'acte de la puissance créatrice, telle qu'elle se manifeste au début de la *Genèse*: « Quoi ! faire la lumière est une opération si simple, qu'il suffit de dire tranquillement à la lumière d'être, pour qu'à l'instant la lumière soit ! » [65] La contemplation de Dieu à travers la création et la considération de ses attributs spécifiques sont des démarches semblables à un affrontement de la lumière et elles se heurtent à cette clarté qui transcende toutes les opérations de l'esprit humain. « A mesure que j'approche en esprit de l'éternelle lumière son éclat m'éblouit, me trouble, et je suis forcé d'abandonner toutes les notions terrestres qui m'aidaient à l'imaginer » [66]. L'éclate-

[63] *O. C.*, t. IV, pp. 1047-1048.
[64] *Emile, O. C.*, t. IV, p. 614.
[65] *O. C.*, t. IV, p. 1055.
[66] *Emile, O. C.*, t. IV, p. 592.

ment de la lumière n'est pas seulement le signe de l'existence de Dieu et de sa présence dans l'univers, il correspond à la représentation que Rousseau se fait de l'au-delà. La conquête de l'immortalité, c'est posséder la clarté intérieure et vivre au « sein de l'éternelle lumière ». En Dieu et dans l'au-delà, la dialectique du jour et de la nuit est dépassée par le triomphe permanent de la lumière, qui est l'Alpha et l'Oméga de la création, le Principe et la Fin de la vie. En son rayonnement immuable, toute contradiction est résorbée et abolie; l'éternité est la fête de la lumière, purifiée de tout vestige d'obscurité.

L'HUMEUR ET LES SAISONS

Le projet de *La Morale sensitive*, dépendant d'une théorie des climats, ne devait pas seulement s'attacher au contraste de l'ombre et de la lumière, mais à l'alternance des saisons et à son ascendant sur l'âme humaine. La durée du jour représente un raccourci symbolique de l'année et de sa division en quatre saisons, puisque la nuit et midi correspondent à l'hiver et à l'été, que l'aurore et le crépuscule coïncident avec le printemps et l'automne. Le temps cyclique du jour se répète dans le cours de l'an, selon un processus à la fois exemplaire et analogique, exprimant le rythme de la vie. Ce sont les saisons intermédiaires entre le froid et le chaud, l'automne et surtout le printemps, qui ont fasciné l'imagination de Rousseau et marqué le mode de son existence. L'hiver est la saison de la fermeture, de l'*exil* et de la stérilité; il est lié pour Jean-Jacques à la maladie et lui suggère la tristesse d'être séparé de la nature, séparation ressentie comme une préfiguration métaphorique de la mort. L'été produit dans l'âme et le corps un accablement dû à la dilatation de la lumière et à l'intensité de la chaleur; il exerce une action paralysante sur l'organisme et engourdit les facultés. Il incite le promeneur à se dérober aux effets torrides du soleil pour rechercher les ombrages salutaires. Le printemps est entre toutes la saison élue avec laquelle l'âme de Jean-Jacques se sent en harmonie par le retour du *vert*, le temps où les *charmes* de Mme de Warens sont rehaussés par le décor végétal et où Sophie d'Houdetot lui inspire les enthousiasmes de la passion la plus violente, le temps où il cède à son « tendre délire » et à ses « érotiques transports ». Après le froid mortel de l'hiver, le printemps engendre la renaissance conjointe de la nature et de l'être, réveille les énergies de l'univers et celles de l'amour par une sorte d'accord vécu dans les profondeurs de la chair et de l'esprit. « En voyant renaître ainsi la nature on se sent ranimer soi-même; l'image du plaisir nous environne » [67]. La résurrection du printemps, plus encore qu'un phénomène cosmique, est un phénomène ontologique, une source d'extases qui communiquent à l'âme l'illusion délicieuse de participer à la perfection des origines. « Revoir le printemps était pour moi ressusciter en paradis », c'est discerner « les premiers bourgeons » et entendre « les prémices du rossignol », perçus comme les signes d'une joie édénique [68]. C'est pourquoi l'âge d'or apparaît comme « un printemps perpétuel sur la terre », propice à l'expansion de la liberté et aux élans de la passion. Le printemps suscite le renouveau de la vie affective et psychique, fécondée par la tiède lumière du monde.

Les « trésors de l'automne » n'offrent pas la même séduction, malgré qu'ils suggèrent l'image de l'abondance et de la fertilité. Ils inspirent une admiration qui « n'est point touchante », parce qu'« elle vient plus de la réflexion que du sentiment » [69]. Rousseau a célébré la joie dionysiaque des vendanges, de même que le plaisir de la récolte des fruits, mais il les ressent comme une félicité précaire, empreinte de la tristesse du *déclin*. Le spectacle de l'automne est comparable à celui du crépuscule par la sensation de fugacité et les sentiments qu'il éveille : la hantise de la solitude en présence de la nature qui se dépouille, le contraste de la vie et de la mort, du silence et de la nostalgie. Rousseau se représente l'automne comme l'image de sa vieillesse, partagée entre la chaleur de l'affectivité et la froideur qui envahit ses facultés. Si l'accord psychique avec le printemps s'identifie avec l'exaltation de la vie, l'harmonie physique et spirituelle que l'être se découvre avec l'automne se traduit dans le langage de la mélancolie.

La campagne encore verte et riante, mais défeuillée en partie et déjà presque déserte, offrait partout l'image de la solitude et des approches de l'hiver. Il résultait de son aspect un mélange d'impression douce et triste trop analogue à mon âge et à mon sort pour que je ne m'en fisse pas l'appli-

[67] *Emile*, O. C., t. IV, p. 418.
[68] *Les Confessions*, O. C., t. I, p. 233.
[69] *Emile*, O. C., t. IV, p. 418.

cation. Je me voyais au déclin d'une vie innocente et infortunée, l'âme encore pleine de sentiments vivaces et l'esprit encore orné de quelques fleurs, mais déjà flétries par la tristesse et desséchées par les ennuis. Seul et délaissé je sentais venir le froid des premières glaces, et mon imagination tarissante ne peuplait plus ma solitude d'êtres formés selon mon cœur [70].

L'aurore et le printemps demeurent les temps privilégiés, non pas uniquement parce qu'ils symbolisent toute genèse et commandent aux autres dimensions de la temporalité, mais parce qu'ils animent la vision et le langage de l'imaginaire. Le moment de la naissance stimule l'imagination, douée du pouvoir d'embellir le spectacle d'ornements qu'elle invente au gré de ses désirs. Le printemps éveille les facultés créatrices et les projette dans l'espace du futur, tandis que l'automne les éteint et que l'hiver les tue. La différence entre les saisons tient à l'action fortifiante ou stérilisante qu'elles exercent sur l'imagination.

C'est qu'au spectacle du printemps l'imagination joint celui des saisons qui le doivent suivre; à ces tendres bourgeons que l'œil aperçoit elle ajoute les fleurs, les fruits, les ombrages, quelquefois les mystères qu'ils peuvent couvrir. Elle réunit en un point des temps qui se doivent succéder, et voit moins les objets comme ils seront que comme elle les désire, parce qu'il dépend d'elle de les choisir. En automne, au contraire, on n'a plus à voir que ce qui est. Si l'on veut arriver au printemps l'hiver nous arrête, et l'imagination glacée expire sur la neige et sur les frimas [71].

L'aurore et le printemps, dans leur relation d'analogie, sont par excellence les temps mythiques, situés dans la clarté des commencements et soumis au mouvement cyclique de l'éternel retour. Ils sont un présent atemporel qui débouche sur la sollicitation du futur et agrandit le champ spatial de la vision. A partir de l'intuition des origines, dont l'aube et le printemps proposent une représentation, l'imagination se transporte dans le passé ressuscité des genèses, mais élabore aussi la trame possible du futur. Elle se transporte dans la fraîcheur première du matin et dans les virtualités de l'avenir, en se persuadant de la permanence de la lumière au-delà des limites du jour et du passage des saisons. Elle conçoit le soleil de l'éternité, vainqueur de l'ombre et du temps.

[70] *Les Rêveries, O. C.*, t. I, p. 1004.
[71] *Emile, O. C.*, t. IV, p. 418.

VII

LA CONQUÊTE DE L'UNITÉ I

L'auteur, attaché à écrire son autobiographie, est porté à récuser la célèbre formule rimbaldienne, «Je est un autre», soit qu'elle implique un dédoublement de l'être, soit qu'elle signifie un élargissement du moi individuel, transformé en un moi collectif. Il assume, en tant que locuteur, le choix délibéré du Je et la perspective de la subjectivité. Il est mû par la conscience de sa singularité et de sa différence, il conserve, dans le contexte social auquel il appartient, le sentiment de son autonomie et de son individualité. Le Je auquel il se réfère est le sujet et l'objet du récit, en lui le sujet de l'énonciation et l'objet de l'énoncé se confondent. Par le truchement de la première personne il revendique et affirme l'identité de l'auteur, du narrateur et du héros du récit, adressé au Tu du lecteur, avec lequel il souhaite établir la communication. Le propre de l'écriture autobiographique est d'instaurer une relation entre le Je de l'auteur, identifié avec le narrateur et le personnage, et le Tu du lecteur, de fonder un échange entre le destinateur et le destinataire.

Je = auteur + narrateur + héros ⟶ Tu = lecteur et destinataire[1]

Cette relation entre le Je et le Tu, consubstantielle au niveau de l'écriture et de la lecture, suppose de considérer la fonction des pronoms, telle que l'a étudiée Emile Benveniste dans ses *Problèmes de*

---

[1] Consulter sur les problèmes de l'autobiographie les deux ouvrages de Philippe Lejeune, *L'Autobiographie en France* et *Le Pacte autobiographique*, ainsi que le numéro spécial de la *Revue d'Histoire littéraire de la France*, consacré à *L'Autobiographie*, novembre-décembre 1975.

linguistique générale. Je et Tu ont en commun d'être des personnes définies par « leur *unicité* spécifique », celle du locuteur adressant son discours à un auditeur, tandis que la troisième personne, dépourvue de cette spécificité, représente la *non-personne*. Je et Tu s'opposent à Il en vertu de ce que Benveniste appelle la *corrélation de personnalité*. Pourtant les deux premières personnes se distinguent à leur tour, puisque le Je correspond à « la personne subjective », qui émet le discours, et que le Tu correspond à « la personne non-subjective », à laquelle le discours est destiné. Autrement dit, Je et Tu se différencient par la *corrélation de subjectivité*. Je, auteur et sujet du discours, exprime sa subjectivité et son unicité dans le langage; il se réfère à lui-même comme être déterminé par sa singularité irréductible. « Chaque *je* a sa référence propre, et correspond chaque fois à être unique, posé comme tel »[2]. Malgré cette opposition, selon laquelle Je occupe dans le discours « une position de transcendance » par rapport à Tu, il s'établit entre les deux personnes une relation de complémentarité, qui repose sur la disjonction *intérieur / extérieur*. Je et Tu sont à la fois *complémentaires* et *réversibles* dans l'ordre du langage.

Je / Tu ◄───────► intérieur / extérieur

Une telle relation n'est pas seulement constitutive du discours et du langage, elle intéresse au premier chef la nature de l'écriture autobiographique, dans la mesure où elle détermine la communication entre le Je de l'auteur-narrateur et le Tu de son lecteur.

En deçà de cette relation fondamentale, l'entreprise autobiographique se heurte à une double difficulté, dans l'ordre de la temporalité et de la permanence problématique du moi, ainsi que l'observe Jean Starobinski: « L'écart qu'établit la réflexion autobiographique est donc double: c'est tout ensemble un écart temporel et un écart d'identité »[3]. Le temps de l'écriture ne coïncide pas avec le temps du vécu, ressuscité et recréé dans le présent à l'aide des éléments empreints dans la mémoire. Entre le passé de l'expérience existentielle et le

---

[2] *Problèmes de linguistique générale,* p. 252.
[3] *La Relation critique,* p. 92.

présent de l'écriture il s'introduit une rupture ou une discontinuité, que le souvenir ne peut qu'imparfaitement combler. La distance entre les deux dimensions de la temporalité n'est abolie que par le recours à des artifices ou à des *ornements*, inventés par l'imagination et chargés de préserver la trame du vécu dans le récit. En outre le scripteur n'est plus absolument le même être que celui qui a éprouvé les événements et les états d'âme du passé; son moi s'est transformé dans l'écoulement de la durée et il est à la recherche de son identité à travers la fatalité du changement et des fluctuations. L'*écart temporel* fonde l'*écart d'identité* et, en se rejoignant, ils opèrent une métamorphose ontologique. L'auteur de toute autobiographie se consacre à réduire le plus possible ce double écart par l'écriture, utilisée comme moyen de rassembler son moi dans un espace total. Il recompose les données de son existence pour en saisir les lignes majeures et en dégager la signification. Au-delà des obstacles et des modifications, il se préoccupe de découvrir en lui un *centre*, qui lui permette de « conjurer les menaces d'une dislocation de l'être personnel » [4]; en dépit de l'action aliénante du temps, il est en quête de son identité dans le dessein de vaincre la discontinuité de la durée et de remédier à la dispersion de son moi. L'entreprise autobiographique trouve sa justification, non dans la seule relation des événements vécus, mais plutôt dans le fait qu'elle propose au lecteur une vision synthétique du moi; l'auteur ne saurait se contenter d'un récit, juxtaposant des moments successifs, il est tenu d'en rechercher le sens et la cohérence. Il est soucieux de découvrir le lien ontologique, qui unit les passages de la durée et assure la permanence du moi, perceptible au-delà du changement. L'écriture autobiographique dépasse les variations du temps, en créant un espace mental, un *centre* où l'être du scripteur repère sa véritable identité. En partant du devenir et de la discontinuité, elle s'applique par le travail volontaire de la recréation à retrouver l'unité du moi. C'est pourquoi elle tend à convertir la vie en un mythe, à élaborer avec les éléments du vécu une mythologie de l'être, transcendant les contingences et les altérations du temps. Cette conquête

---

[4] Georges Gusdorf, *De l'autobiographie initiatique à l'autobiographie genre littéraire*, *Revue d'Histoire littéraire de la France*, novembre-décembre 1975, p. 972.

de la permanence, dépassant les oscillations, les ruptures, est centrale dans le projet des *Confessions* et dans la contexture du récit.

UNICITÉ DU PROJET

En dépit des *Confessions* de saint Augustin, des *Essais* de Montaigne et de diverses tentatives antérieures, Rousseau était conscient d'écrire « un ouvrage utile et unique », exemplaire et singulier qui n'a jamais eu son équivalent et ne l'aura vraisemblablement jamais, une œuvre *utile* à la connaissance de l'homme et *unique* dans son dessein et son exigence de vérité. Il était persuadé d'entreprendre une tâche que personne n'avait tentée avant lui, de créer le genre autobiographique et de le porter d'emblée à son degré d'achèvement, de produire son émergence et son accomplissement de manière inimitable. « Oui, moi, moi seul, car je ne connais jusqu'ici nul autre homme qui ait osé faire ce que je me propose », précise-t-il dans le préambule primitif des *Confessions* [5]. Le projet n'est pas seulement unique en soi, il l'est plus encore par le courage et la hardiesse qu'il implique dans son exécution.

L'ouvrage est déjà commencé et je vois à vue de pays que ce sera un ouvrage aussi considérable que singulier. Car jamais homme n'aura fait une entreprise semblable et ne l'aura exécutée comme je me propose de le faire; j'ai de quoi, et l'abondance de mes matériaux m'étonne moi-même [6].

Comme il se sent un être à part, étranger à la société et à l'esprit de son siècle, il ne peut que composer « cette œuvre unique parmi les hommes », dictée par la nature spécifique de son moi et les circonstances singulières de sa vie. Pourtant Rousseau estime que l'unicité de son ouvrage tient encore à d'autres facteurs. Il se considère comme le premier écrivain qui ait l'audace de se peindre sous le double signe

---

[5] *O. C.*, t. I, p. 1149. Au sujet de l'élaboration de l'œuvre, de la genèse historique et des étapes de la composition, cf. Hermine de Saussure, *Rousseau et les manuscrits des Confessions* et l'introduction de J. Voisine à son édition des *Confessions*.

[6] *Correspondance complète*, lettre à Rey du 18 mars 1765, t. XXIV, p. 236. Un an plus tard, Rousseau écrit à la marquise de Verdelin: « Nul homme jusqu'ici n'a fait ce que je me propose de faire, et je doute qu'aucun autre en fasse autant après moi ». *Correspondance générale*, t. XV, p. 242.

de la *nature* et de la *vérité*, de se montrer dans son authenticité et de témoigner ouvertement de son entière sincérité. Tracer le portrait de son moi et raconter les événements de sa vie signifient se représenter selon le modèle de la nature, comme un homme fidèle à la vérité des origines, affranchi des artifices et des conventions hypocrites de la société. « Je veux montrer à mes semblables un homme dans toute la vérité de la nature; et cet homme, ce sera moi » [7]. « La vérité de la nature » ne consiste pas à s'attacher à l'extérieur et au milieu, mais à saisir les contenus de la vie intérieure et psychique, à les traduire avec une sincérité exemplaire. « [...] Je résolus d'en faire un ouvrage unique par une véracité sans exemple, afin qu'au moins une fois on pût voir un homme tel qu'il était en dedans » [8]. La vérité est dans l'exploration de l'espace intérieur et le dévoilement de l'âme; elle se situe au-delà du temps historique, dans la sphère d'une ontologie mythique, où la permanence du moi devient possible. L'unicité des *Confessions* coïncide avec la volonté de dépasser l'événementiel, relégué au second plan; elle est aussi dans la diversité des intentions, commandant à leur élaboration: associer la connaissance de l'homme à la conscience de la singularité du moi, satisfaire aux exigences de la sincérité et reconquérir l'unité de l'être, surmontant les apparences de l'aliénation ou de la contradiction.

« UNE PIÈCE DE COMPARAISON »

Gérard de Nerval, ingénieux dans l'art de la confidence, écrit à propos de Restif de la Bretonne:

L'intérêt des mémoires, des confessions, des autobiographies, des voyages même, tient à ce que la vie de chaque homme devient ainsi un miroir où chacun peut s'étudier, dans une partie du moins de ses qualités ou de ses défauts [9].

Cet axiome sur la portée de la littérature autobiographique s'applique au projet de Montaigne en quête de « l'être universel » et de « l'hu-

[7] *Les Confessions*, O. C., t. I, p. 5.
[8] *Ibid.*, O. C., t. I, p. 516.
[9] *Les Illuminés*, *Œuvres*, Bibliothèque de la Pléiade, Paris, Gallimard, 1961, t. II, p. 1090.

maine condition » à travers les sinuosités de son moi; il s'applique également au projet des *Confessions* par lesquelles Jean-Jacques entend fournir au lecteur « une pièce de comparaison », permettant d'approfondir « l'étude du cœur humain ». A l'origine, c'est-à-dire dès 1758 ou 1759, Rousseau avait l'intention, non d'écrire sa vie, mais de brosser un portrait de lui-même, de se livrer à une analyse de la psychologie de son moi, qui serve à instruire l'humanité et l'incite à cultiver la connaissance de soi. « Je conçois un nouveau genre de service à rendre aux hommes: c'est de leur offrir l'image fidèle de l'un d'entre eux afin qu'ils apprennent à se connaître » [10]. En se déterminant à faire le récit de sa vie, il est persuadé que son entreprise est utile à l'humanité. Révéler son être *intus et in cute*, c'est engager les hommes à progresser dans la conscience de leur nature et de leur condition, c'est leur fournir un modèle, revêtant la valeur de l'exemplarité et jouant le rôle de mesure.

Il est certain que la vie de votre malheureux ami que je regarde comme finie est tout ce qui me reste à faire, et que l'histoire d'un homme qui aura le courage de se montrer intus et in cute peut être de quelque instruction à ses semblables [11].

La connaissance de soi, même partielle et imparfaite, est la source de la connaissance de l'humain, le seul instrument dont l'être dispose pour se vouer à l'étude de ses semblables et le seul chemin qui aille à la rencontre de leur moi. Certes « chacun ne connaît guère que soi », comme l'affirme le préambule du manuscrit de Neuchâtel, mais tout homme peut à partir d'une conscience plus aiguë de soi s'initier à la connaissance d'autrui. Bien qu'elles retracent le destin d'un être singulier et exceptionnel, *Les Confessions* n'en proposent pas moins un archétype valable pour l'ensemble de l'humanité; elles établissent les fondements d'une norme qui sert à chacun de référence. Le lecteur découvre dans l'ouvrage un être distinct de lui auquel il se compare pour accroître son expérience humaine par l'étude de la genèse d'un caractère, de sa formation et de sa croissance; il parvient à séparer

[10] *Mon Portrait, O. C.*, t. I, p. 1120.
[11] *Correspondance complète*, lettre à Moultou du 20 janvier 1763, t. XV, p. 70.

en lui ce qui est de l'ordre de la nature et ce qui appartient à la culture, la part spécifique de l'*individu* et celle de l'*espèce*. Le moi devient à travers le regard d'autrui une mesure pour juger de l'homme, de son essence et de son comportement.

Sur ces remarques j'ai résolu de faire faire à mes lecteurs un pas de plus dans la connaissance des hommes, en les tirant s'il est possible de cette règle unique et fautive de juger toujours du cœur d'autrui par le sien; tandis qu'au contraire il faudrait souvent pour connaître le sien même, commencer par lire dans celui d'autrui. Je veux tâcher que pour apprendre à s'apprécier, on puisse avoir du moins une pièce de comparaison; que chacun puisse connaître soi et un autre, et cet autre ce sera moi [12].

Si le dessein de Rousseau s'était fixé sur ce seul point, il ne se différencierait pas fondamentalement de celui de Montaigne, appliqué à saisir le passage du moi individuel au moi collectif. Alors que Montaigne aspire à incarner un « modèle commun et humain », dépouillé de toute étrangeté et singularité, Rousseau se considère comme « un être à part », irréductible à la mesure ordinaire de l'humanité. Son œuvre autobiographique est écrite sous le signe de la dualité, d'une double ligne orientée l'une vers l'exemplarité et l'autre vers l'unicité. D'une part Rousseau propose dans ses *Confessions* un modèle profitable à ses lecteurs, de l'autre il revendique les droits de la subjectivité, le droit d'affirmer sa singularité et sa différence. Cet apparent conflit entre les deux exigences se résout à la vérité ainsi: lorsque Rousseau définit son projet, il cherche à concilier l'exemplarité et l'unicité, lorsqu'il écrit son œuvre, l'exemplarité humaine tend à s'effacer devant la subjectivité du récit. Mais l'ensemble des *Confessions* exprime une image archétypale et mythique du moi, de telle sorte que les deux pôles se rejoignent à l'origine et à la fin, dans la considération du dessein et dans l'achèvement de l'œuvre. La narration, centrée sur l'expérience de la singularité, présente un modèle existentiel qui concerne le destin de l'humanité, en lui soumettant un thème de méditation et une œuvre de référence.

[12] *O. C.*, t. I, p. 1149.

UNICITÉ DU MOI

La critique insinue parfois que Rousseau n'a pris que tardivement conscience de sa singularité, alors qu'il avait entrepris la rédaction de son œuvre autobiographique et qu'il était en proie au délire de la persécution. Cette opinion, selon laquelle l'affirmation de son unicité serait liée au complot, est démentie par les textes, témoignant que ce sentiment de la différence est né au moment de l'installation de l'écrivain à l'Ermitage. En octobre 1757, Rousseau déclare à Grimm : « Personne ne sait se mettre à ma place, et ne veut voir que je suis un être à part, qui n'a point le caractère, les maximes, les ressources des autres, et qu'il ne faut point juger sur leurs règles » [13]. Dans un fragment de *Mon Portrait*, Rousseau confirme avec plus de force qu'il perçoit son identité dans la différence et qu'il se veut, contrairement à Montaigne, distinct de la mesure commune de l'humanité.

Je ne me soucie point d'être remarqué, mais quand on me remarque je ne suis pas fâché que ce soit d'une manière un peu distinguée, et j'aimerais mieux être oublié de tout le genre humain que regardé comme un homme ordinaire [14].

Au contact de la société parisienne, Rousseau s'est peu à peu senti « une espèce d'être à part », séparé de ses contemporains tant par sa nature, ses sentiments et son mode de vie que par son idéologie. La conscience de son étrangeté n'a fait que croître au cours des ans, en relation avec le goût de la solitude, sous l'influence des tourments et des infortunes qui lui ont été infligés. Il s'est de plus en plus persuadé que son caractère et son tempérament le distinguaient des autres hommes par « une singularité de la nature » et des dispositions personnelles qui le contraignaient à l'égotisme. « J'aurai dans mes malheurs le triste honneur d'être à tous égards un exemple unique » [15]. Si Rousseau pense faire de ses *Confessions* un ouvrage unique, c'est qu'il se juge comme un *ego*, défini par son unicité et étranger à la communauté des humains. Il s'estime une conscience libre et une âme exceptionnelle, vouées à la séparation et à la concentration

---

[13] *Correspondance complète*, t. IV, p. 302.
[14] *O. C.*, t. I, p. 1123.
[15] *Lettres écrites de la montagne, O. C.*, t. III, p. 765.

intérieure. Tout homme est placé en présence de l'alternative onto-logique de s'identifier à autrui ou d'adopter un mode autonome d'existence, qui préserve l'intégrité du moi. « Il faut être tout à fait comme les autres ou tout à fait comme soi » [16]. Mû par le sentiment exalté de la singularité, la passion de la solitude et le penchant au paradoxe, Jean-Jacques ne pouvait que choisir le parti d'être lui-même au regard de sa conscience, de la société contemporaine et de la postérité. Avant les romantiques et Baudelaire, il cultive sa différence, en se complaisant dans l'isolement volontaire, en se convainquant qu'il est un être distinct qui sent, pense et agit indépendamment des façons d'autrui. Aussi *Les Confessions* ne peuvent-elles se situer que dans la perspective de l'égotisme, dans la revendication farouche du droit à la subjectivité.

> Moi seul. Je sens mon cœur et je connais les hommes. Je ne suis fait comme aucun de ceux que j'ai vus; j'ose croire n'être fait comme aucun de ceux qui existent. Si je ne vaux pas mieux, au moins je suis autre. Si la nature a bien ou mal fait de briser le moule dans lequel elle m'a jeté, c'est ce dont on ne peut juger qu'après m'avoir lu [17].

Le sentiment de son étrangeté a convaincu Rousseau que ses contemporains et ses amis ne le connaissaient ni dans les composantes de son caractère ni dans les mobiles de ses actions. L'incompréhension qu'il croyait discerner chez ses proches n'est pas étrangère au projet d'écrire ses mémoires, ainsi que l'atteste ce fragment de *Mon Portrait* : « Je vois que les gens qui vivent le plus intimement avec moi ne me connaissent pas, et qu'ils attribuent la plupart de mes actions, soit en bien soit en mal, à de tout autres motifs que ceux qui les ont pro-duites » [18]. La connaissance de soi implique une intimité et une familiarité prolongées avec son moi, que Jean-Jacques a pratiquées assidûment et qui l'autorisent à formuler cet axiome dans la pre-

---

[16] *Correspondance complète*, t. XXIII, p. 42.

[17] *Les Confessions*, O. C., t. I, p. 5. *Les Confessions* achevées, Rousseau n'en juge pas autrement et persévère à penser que l'unicité de son moi légitime une étude spécifique: « Cet homme ne ressemble à nul autre que je connaisse; il demande une analyse à part et faite uniquement pour lui ». *Dialogues*, O. C., t. I, p. 774.

[18] O. C., t. I, p. 1121.

mière des *Lettres à Malesherbes*: « Personne au monde ne me connaît que moi seul », axiome qu'il reprend dans le préambule de Neuchâtel pour lui donner la portée d'une vérité générale: « Chacun ne connaît guère que soi, s'il est vrai même que quelqu'un se connaisse ». Ce postulat en implique un second: puisque tout être ne peut connaître que lui-même, seule l'autobiographie se légitime au détriment de la biographie: « Nul ne peut écrire la vie d'un homme que lui-même » [19]. L'autobiographie se situe au niveau de l'intériorité subjective, tandis que la biographie, confinée dans l'extériorité, ne peut prétendre brosser un portrait authentique de l'être. L'écriture autobiographique se justifie par l'unicité irréductible du moi, assumée par le scripteur, qui s'est identifié avec le personnage.

A partir de 1765, à la suite de la publication de l'odieux pamphlet, le *Sentiment des citoyens*, Rousseau ne se borne plus à faire le récit de sa vie et à peindre son portrait dans l'optique de la singularité de sa nature, il éprouve la nécessité de se défendre et de se justifier, de rétablir la vérité aux yeux de ses lecteurs et de réfuter les accusations mensongères que ses adversaires colportent sur son compte. Il se sent devenir, à travers le miroir déformant du regard d'autrui, « un être imaginaire et fantastique », changeant et versatile, dépouillé de son identité. Il redoute d'être défiguré par le jugement de ses semblables, d'être transformé en un être monstrueux par son étrangeté et ses contradictions. La seconde partie des *Confessions*, davantage que la première, est écrite dans le dessein de remédier aux mensonges et aux calomnies dont il est l'objet, de déjouer le complot tramé contre lui et sa mémoire, de légitimer le phénomène de sa différence dans la société parisienne de son temps.

Je savais qu'on me peignait dans le public sous des traits si peu semblables aux miens et quelquefois si difformes que malgré le mal, dont je ne voulais rien taire, je ne pouvais que gagner encore à me montrer tel que j'étais [20].

---

[19] *O. C.*, t. I, pp. 1148 et 1149. Dans une lettre de septembre 1761, Rousseau affirmait déjà dans le même sens: « Au reste je suis bien persuadé qu'on est toujours très bien peint lorsqu'on s'est peint soi-même, quand même le portrait ne ressemblerait point ». *Correspondance complète*, t. IX, p. 120.

[20] *Les Confessions*, *O. C.*, t. I, p. 517.

Rousseau se trouve désormais dans l'obligation de se défendre en évitant le ton de l'*apologie* et du plaidoyer, de chercher un équilibre entre le récit autobiographique et le souci de la justification, entre la relation des événements et leur interprétation. « Car je n'ai pas peur que le lecteur oublie jamais que je fais mes confessions pour croire que je fais mon apologie; mais il ne doit pas s'attendre non plus que je taise la vérité, lorsqu'elle parle en ma faveur »[21]. Tâche délicate et ardue, dans la mesure où il est malaisé de parler de soi en toute objectivité, de s'abstraire de son moi au point de renoncer à toute appréciation subjective et à toute tentative de justification. Le narrateur ne parvient ni à se dépersonnaliser, ni à se distancer de son récit, dans lequel il intervient en tant que sujet enclin à se juger à travers le commentaire. « [...] Il est presque impossible que la narration même ne porte empreinte de censure ou d'apologie »[22]. Persécuté et meurtri, impatient de se disculper et tourmenté par le délire de son imagination, Rousseau se trouve dans une situation qui le contraint à un destin d'exception et à la revendication de sa singularité. A défaut de l'objectivité à laquelle il ne prétend pas, il se fonde sur l'exigence de la sincérité absolue, qui légitime son unicité.

« Sincère en tout »

L'exigence de la sincérité ne remonte pas au temps de la composition des *Confessions*, elle est chez Rousseau fondamentale et correspond à une constante qui lui dicte cette déclaration, alors qu'il est loin de songer à la création littéraire: « [...] J'aime mieux donner dans l'excès opposé que d'affaiblir le moins du monde la rigueur de la sincérité »[23]. A la politesse mondaine, confinée dans la réserve et la prudence, que pratique Sophie d'Houdetot, Rousseau oppose la sincérité considérée comme la source de la dignité spirituelle: « De la franchise, ô Sophie; il n'y a qu'elle qui élève l'âme, et soutienne par

[21] *Ibid.*, *O. C.*, t. I, p. 279. De même à propos de l'abandon de ses enfants, Rousseau déclare: « J'ai promis ma confession, non ma justification ». *Ibid.*, *O. C.*, t. I, p. 359.

[22] *Ibid.*, *O. C.*, t. I, p. 377.

[23] *Correspondance complète*, t. I, p. 101.

l'estime de soi-même le droit à celle d'autrui ». Et à Dom Deschamps il avoue qu'il « ne hai[t] pas cette franchise qui va jusqu'à l'audace » [24]. Il se juge comme un écrivain qui refuse de déguiser sa pensée et exprime ouvertement ses certitudes. Son cœur, « transparent comme le cristal », est impropre à toute dissimulation et incapable de travestir la vérité du sentiment. Il ne hait rien tant que les masques de l'hypocrisie et du préjugé, empruntés par les gens de société; il ne redoute jamais la franchise, quelque téméraire qu'elle puisse paraître, même si elle est destinée à lui porter préjudice dans l'esprit d'autrui. A Christophe de Beaumont il se dit « sincère en tout, même contre moi », disposé à faire prévaloir à tout prix la véracité dans son œuvre.

Toutefois le problème de la sincérité se pose avec plus d'acuité dans *Les Confessions*, où il ne s'agit pas de défendre la vérité d'un système, mais de faire au lecteur le récit de sa vie et de lui révéler fidèlement la nature de son âme. Rousseau entend ne pas céder à la tentation d'écrire un plaidoyer personnel ou de brosser un portrait avantageux de lui-même; il est résolu à ne pas taire une vérité qui lui soit nuisible. Celui qui compose son autobiographie s'expose au danger d'opérer un choix parmi les traits de son caractère et les événements de son existence, c'est-à-dire d'exprimer ce qu'il consent à révéler, en dissimulant ses défauts et ses vices, ses lâchetés et ses turpitudes. Dans le préambule primitif des *Confessions*, Rousseau dénonce cette tendance à se peindre *de profil*, comme Montaigne dans ses *Essais*, et à ne pas dévoiler intégralement la vérité du moi. Toute réserve et tout silence deviennent l'équivalent d'un mensonge, dans la mesure où ils contribuent à défigurer la justesse de l'autoportrait. L'entreprise autobiographique ne se légitime que par la volonté de témoigner d'une sincérité sans défaut et de se situer dans le champ de la « véracité sans exemple ». La franchise et l'unicité s'impliquent l'une l'autre, davantage elles se soutiennent et se justifient réciproquement.

Nul ne peut écrire la vie d'un homme que lui-même. Sa manière d'être intérieure, sa véritable vie n'est connue que de lui; mais en l'écrivant il la déguise; sous le nom de sa vie, il fait son apologie; il se montre comme il veut être vu, mais point du tout comme il est. Les plus sincères sont vrais

[24] *Ibid.*, t. V, p. 2 et t. IX, p. 120.

tout au plus dans ce qu'ils disent, mais ils mentent par leurs réticences, et ce qu'ils taisent change tellement ce qu'ils feignent d'avouer, qu'en ne disant qu'une partie de la vérité ils ne disent rien. Je mets Montaigne à la tête de ces faux sincères qui veulent tromper en disant vrai. Il se montre avec des défauts, mais il ne s'en donne que d'aimables ; il n'y a point d'homme qui n'en ait d'odieux. Montaigne se peint ressemblant mais de profil [25].

A l'encontre de ses devanciers, qui n'ont été qu'à demi sincères, Rousseau se propose d'écrire ses *Confessions* « dans toute la rigueur du terme », de parler de lui *sans déguisement*, de se montrer tel qu'il est et se voit, la vision de l'être s'identifiant avec la réalité de l'être, selon les critères de la sincérité qu'il a adoptés. Il veut se peindre d'après le modèle de la nature, « sans fard et sans modestie », en évitant de se parer d'ornements artificiels et mensongers. Il s'impose le devoir de *tout dire*, de « sacrifier à la vérité » la honte qu'il peut éprouver à l'exprimer, de révéler la part du mal et celle du bien avec le même souci de l'exactitude. Il se livre à un sévère examen de conscience afin de pénétrer les secrets de sa vie, de descendre dans « tous les replis de son âme » et de dévoiler la nature authentique de son être. « Je serai vrai ; je le serai sans réserve ; je dirai tout ; le bien, le mal, tout enfin », déclare-t-il dans le préambule du manuscrit de Neuchâtel [26]. Conscient de ses défauts et de ses fautes, Jean-Jacques se sent le courage d'assumer le risque de la sincérité, de ne rien masquer du mal qu'il découvre dans ses intentions et dans ses actes. Lorsqu'il aura achevé sa confession, la somme du bien finira par l'emporter sur celle du mal dans l'esprit du lecteur, comme il en formule l'espérance dans une lettre à Duclos de janvier 1765 :

> Mais j'ai beaucoup à dire et je dirai tout, je n'omettrai pas une de mes fautes, pas même une de mes mauvaises pensées. Je me peindrai tel que je fus, tel que je suis ; le mal offusquera presque toujours le bien, et malgré cela, j'ai peine à croire qu'aucun de mes lecteurs ose se dire : Je suis meilleur que ne fut cet homme-là [27].

[25] *O. C.*, t. I, pp. 1149-1150. Cf. également *Les Confessions, O. C.*, t. I, pp. 516-517.

[26] *O. C.*, t. I, p. 1153.

[27] *Correspondance complète*, t. XXIII, p. 100. La célèbre formule est reprise du préambule primitif des *Confessions* et subsiste condensée et avec un changement dans le temps du verbe — un passé simple au lieu d'un présent — dans le texte définitif.

Au début des *Confessions*, Rousseau songe plus à comparaître devant Dieu que devant le tribunal de ses semblables. Il s'adresse au « souverain juge » qu'il prend à témoin de sa franchise et de sa véracité, de son refus d'embellir le récit de sa vie et d'idéaliser son portrait. C'est à la Justice divine qu'il entend recourir comme à l'instance unique en laquelle il mette encore sa confiance. Il écrit ses *Confessions* sous le regard de Dieu, qui devient, dans la perspective anticipée du Jugement dernier, le garant de la sincérité de l'écrivain.

> J'ai dit le bien et le mal avec la même franchise. Je n'ai rien tu de mauvais, rien ajouté de bon, et s'il m'est arrivé d'employer quelque ornement indifférent, ce n'a jamais été que pour remplir un vide occasionné par mon défaut de mémoire; j'ai pu supposer vrai ce que je savais avoir pu l'être, jamais ce que je savais être faux. Je me suis montré tel que je fus, méprisable et vil quand je l'ai été, bon, généreux, sublime, quand je l'ai été: j'ai dévoilé mon intérieur tel que tu l'as vu toi-même [28].

La critique a souvent dénoncé l'attitude orgueilleuse du début des *Confessions*. Certes la modestie et l'humilité n'ont jamais été le fort de Jean-Jacques; mais lorsqu'il écrivit ces lignes, il désespérait de la droiture de ses contemporains et doutait de la justice de la postérité; solitaire et persécuté, il n'espérait plus qu'en la Providence, disposée à confirmer qu'il avait accepté le risque d'être lui-même et de se peindre fidèlement. Peut-être en était-il arrivé à penser que Dieu seul pouvait comprendre et justifier l'unicité de son être.

On tend aujourd'hui à contester la sincérité en littérature et à lui refuser de solides assises, parce qu'elle ne ressortit pas à l'analyse structurale de l'autobiographie, mais correspond à un problème éthique, à une question de dessein et d'accomplissement de ce dessein à travers l'écriture. Non seulement la sincérité comporte une hiérarchie et se transforme sensiblement d'une œuvre à l'autre, elle repose aussi sur des impératifs intimes et des critères subjectifs qu'il est impossible de codifier, qui sont susceptibles de variations au gré du tempérament et des conceptions de l'écrivain. Jean Guéhenno précise à ce propos:

[28] *Les Confessions*, O. C., t. I, p. 5.

La sincérité est un système clos. On n'y entre pas. Un homme sincère est imbattable. [...] C'est fondamentalement un homme qui a ses règles à lui. Celles des autres ne valent pas pour lui. La sincérité n'est, en fin de compte, peut-être que la certitude et la justification de cette unicité [29].

Si la sincérité ne peut être considérée comme une composante structurale de l'autobiographie, elle s'inscrit en revanche dans le projet de l'œuvre et dans la vérité de l'écriture; elle répond à une exigence morale que l'auteur s'impose à lui-même et vis-à-vis de son lecteur. Le choix délibéré du *Je*, en tant que support du récit autobiographique, « enferme l'écrivain dans les limites les plus strictes de la sincérité », comme le note Baudelaire [30]. La sincérité s'accompagne d'une surveillance constante de soi, d'une stricte lucidité, non seulement parce qu'elle coïncide avec un approfondissement spirituel, comme nous avons tenté de le montrer antérieurement, mais parce qu'elle implique un engagement du Je narrateur à l'égard du Tu lecteur, qui, après Dieu, est appelé à devenir le juge de l'œuvre. Le lecteur futur est dans *Les Confessions* le personnage auquel l'auteur s'affronte. Les adresses au lecteur empruntent soit la forme directe de l'invocation à la deuxième personne, soit la forme plus neutre et plus distante de la troisième personne, identifiant parfois le lecteur avec le public. Rousseau interpelle souvent son lecteur dans le texte, il le prend à témoin et l'invite à se faire un jugement, plus rarement il esquisse un dialogue avec lui ou l'interroge. Dans l'avertissement en tête des *Confessions*, il lance un appel à la bienveillance et à la justice du lecteur, en le priant de veiller à l'intégrité de l'ouvrage et de contribuer à la réparation due à la mémoire de son auteur. Au début de la seconde partie, il l'enjoint à ne pas se prononcer avant d'avoir achevé la lecture, car seule la connaissance de la totalité du *monument* autorise à porter une appréciation. La préoccupation du public est constante dans *Les Confessions*, soit que Rousseau ait le souci de se présenter à lui tel qu'il est, soit qu'il sollicite la participation du lecteur à l'établissement de la vérité. Le projet de l'écrivain est de répandre toute la clarté possible sur son être et sa vie, de « rendre [son] âme transparente aux yeux du lecteur » et de lui imposer sa présence constante afin

---

[29] *Jean-Jacques, 1758-1778*, p. 87.
[30] *Richard Wagner et Tannhäuser à Paris*, I.

qu'il puisse acquérir la connaissance exhaustive et objective de l'auteur, que nulle obscurité ne vienne masquer quelque aspect de son être. La sincérité consiste à dissiper toutes les zones d'ombre et à stimuler l'intelligence du lecteur de façon qu'elle devienne un juge compétent et équitable.

> Dans l'entreprise que j'ai faite de me montrer tout entier au public, il faut que rien de moi ne lui reste obscur ou caché; il faut que je me tienne incessamment sous ses yeux, qu'il me suive dans tous les égarements de mon cœur, dans tous les recoins de ma vie; qu'il ne me perde pas de vue un seul instant [...][31].

Rousseau ne se distance de ses lecteurs que lorsqu'il s'enferme dans le royaume de l'imaginaire, sinon il se préoccupe d'obtenir leur assentiment dans l'expression du vrai et dans la conduite du récit. Tantôt le narrateur imagine leur jugement et l'oriente discrètement, tantôt il s'en remet à leur appréciation, en se contentant d'exposer les faits et de fournir les pièces. Il s'assigne pour tâche de dévoiler la vérité de sa vie, mais c'est le rôle du lecteur de la découvrir au niveau du texte et de rendre justice à l'auteur de la véracité de son récit. « Ma fonction est de dire la vérité, mais non pas de la faire croire »[32]. Dans la seconde partie des *Confessions*, le narrateur, comme s'il était parfois dépassé par les événements qu'il rapporte, exhorte le lecteur à interpréter et à compléter le récit, à « approfondir ces mystères » qui lui échappent et à « découvrir la vérité » qui se dérobe à son investigation. Il lui arrive dans le livre XII de redouter « l'incrédulité des lecteurs », mais la plupart du temps il leur voue sa confiance en tant qu'ils représentent l'espoir que la vérité et la justice prévaudront. Le lecteur est, après Dieu, le garant de la sincérité du narrateur et de son témoignage, de même que celui qui perpétue la véracité de l'œuvre. A ce titre, il participe du texte, puisqu'il est à la fois l'interlocuteur de l'écrivain et son interprète; il est dans *Les Confessions* coprésent au narrateur et permet d'instaurer cette relation intersubjective du Je et du Tu qui fonde la littérature autobiographique.

[31] *Les Confessions*, O. C., t. I, p. 59.

[32] *Ibid.*, O. C., t. I, p. 199. Au livre VIII, Rousseau exprime la même exigence dans la relation qui unit l'auteur au lecteur: « C'est à moi d'être vrai, c'est au lecteur d'être juste. Je ne lui demanderai jamais rien de plus ». *Ibid.*, O. C., t. I, p. 359.

UNITÉ

Rousseau n'écrit pas uniquement ses *Confessions* pour se raconter et se justifier au regard du lecteur, mais aussi pour reconquérir l'unité de son moi, en établir la permanence par le moyen de l'écriture. C'est là une de ses intentions qui distingue fondamentalement son entreprise de celle de Montaigne. L'auteur des *Essais* juge l'homme et se juge lui-même comme un être « ondoyant et divers », soumis à un perpétuel devenir, comme une conscience instable en proie au changement et à la discontinuité. Aussi se consacre-t-il à *peindre* non *l'être*, mais *le passage*, à exprimer la mobilité et la multiplicité, consubstantielles à son moi et au moi humain. Il en va tout autrement chez Rousseau: cette inconstance de l'être qu'il observe à son tour à plus d'une reprise lui sert de point de départ, mais elle doit être absorbée par la conscience englobante de l'unité. Jean-Jacques recherche cette identité de l'être qui se découvre au-delà du mouvement, des variations et des contradictions. Il prête certes une attention particulière aux métamorphoses du moi, à la diversité ontologique qu'il ressent dans plusieurs épisodes de sa vie; il reconnaît en lui un amalgame d'éléments hétérogènes, un penchant à l'extravagance et au dédoublement, un affrontement entre les exigences du moi naturel et celles du moi social. Il se sait capable d'adopter successivement deux partis dissemblables, sujet à l'instabilité, habité par les contraires. Plus que cela, il avoue qu'il subit « des moments d'une espèce de délire », où il ne s'appartient plus et se trouve en proie à l'aliénation au point de *devenir un autre*, étranger à sa vraie nature. « Je crois avoir déjà remarqué qu'il y a des temps où je suis si peu semblable à moi-même qu'on me prendrait pour un autre homme de caractère tout opposé » [33]. Mais Rousseau ne cultive pas la diversité intérieure et ne cherche pas à exploiter les dimensions multiples de son moi, il les subit, les observe, les analyse et les exprime dans le but de les vaincre. A travers les mouvements divergents de son être, il est

---

[33] *Les Confessions, O. C.*, t. I, p. 128. Sur ces « renversements psychiques » auxquels Rousseau est en proie, consulter Marcel Raymond, *Jean-Jacques Rousseau, la quête de soi et la rêverie*, « Aspects de la vie intérieure », pp. 15-75 et B. Munteano, *Solitude et contradictions de Jean-Jacques Rousseau*.

soucieux de découvrir en lui une cohérence et une permanence qui le définissent absolument. Il affirme dans sa *Lettre à Christophe de Beaumont*, alors qu'il travaille aux *Confessions*: « Pour moi, je suis toujours demeuré le même », et plus loin : « Je resterai toujours le même ; et sans autre art que ma franchise, j'ai de quoi les [ses ennemis] désoler toujours » [34]. Dans le premier préambule des *Confessions*, il insiste sur l'unité de son être, qui ne manquera pas de se manifester au lecteur, à la condition qu'il se peigne sincèrement et qu'il ne masque aucune vérité. L'homogénéité de son moi ne peut être perçue qu'à travers l'ensemble de l'œuvre.

Car si je tais quelque chose on ne me connaîtra sur rien, tant tout se tient, tant tout est un dans mon caractère, et tant ce bizarre et singulier assemblage a besoin de toutes les circonstances de ma vie pour être bien dévoilé [35].

Les Confessions peuvent être comprises et interprétées comme un effort exemplaire pour réduire la diversité apparente du moi à l'unité, pour amalgamer les composantes hétérogènes de l'être en un tout harmonieux et cohérent. C'est en opérant, à l'aide de la mémoire affective, un retour aux sources de son moi que Rousseau en découvre la permanence, que la trame des événements ne saurait altérer. La saisie de l'unité ontologique suppose de se fier à la perspective génétique.

En remontant de cette sorte aux premières traces de mon être sensible, je trouve des éléments qui, semblant quelquefois incompatibles, n'ont pas laissé de s'unir pour produire avec force un effet uniforme et simple [36].

Les fondements du moi résistent aux altérations produites par la durée, ils sont définis par la persistance de leur identité, soustraite aux fluctuations du temps et de l'espace. A la fin du livre VI, Rousseau se déclare « toujours le même dans tous les temps » et dans le livre X il réitère son affirmation : « Les temps étaient changés ; mais j'étais demeuré le même ». Il est enclin à rechercher le principe de son

---

[34] *O. C.*, t. IV, pp. 928 et 966.
[35] *O. C.*, t. I, p. 1153.
[36] *Les Confessions*, *O. C.*, t. I, p. 18.

être dans son attachement à la solitude, dans cet accord entre l'oisiveté et l'isolement, grâce auquel le moi naturel échappe aux contraintes du moi social et parvient à dépasser les embarras de la contradiction. C'est dans le cadre de l'île de Saint-Pierre qu'il se sent le droit d'affirmer: « [...] C'est par là précisément que je suis toujours moi ». D'une part la solitude lui restitue le sentiment de son existence, de l'autre l'acte d'écrire ses *Confessions* lui impose d'être lui-même, de s'identifier avec son œuvre afin de saisir, au-delà des variations, l'essence irréductible de son moi. La certitude de sa différence le contraint à définir les fondements de sa nature exceptionnelle et les traits majeurs qui le séparent d'autrui, c'est-à-dire qu'elle lui prescrit impérieusement de déterminer son identité.

Par quels moyens est-il possible d'assurer la durée du moi dans un monde soumis à la loi universelle du devenir et du changement? Tout d'abord en se fiant aux prestiges du souvenir, en recourant aux ressources de la mémoire dont la fonction primordiale consiste à *étendre* « le sentiment de l'identité » sur la succession des temps de l'existence. C'est grâce à elle que l'individu « devient véritablement un, le même » et parvient à préserver la continuité de son moi. « Ce que je sais bien, proclame le vicaire savoyard, c'est que l'identité du *moi* ne se prolonge que par la mémoire, et que pour être le même en effet, il faut que je me souvienne d'avoir été » [37]. Rechercher son identité signifie pour Rousseau remonter aux racines de son être, opérer un ressourcement à l'aide de la mémoire, ou, selon l'expression des *Confessions*, *ressaisir* sa vie *par ses commencements*. Puisque l'unité est le privilège de l'origine, il s'agit de rétrograder par le souvenir vers les temps magiques de l'enfance, affranchis des contraintes qu'impose la conscience sociale. Les mouvements sereins de la réminiscence permettent de découvrir l'essence du moi, ses dispositions innées et ses penchants naturels; ils permettent aussi d'étudier la formation du caractère, son développement et les altérations engendrées par les circonstances. Le travail de l'introspection démêle les qualités spécifiques de l'être des éléments acquis par l'éducation et

[37] *Emile, O. C.*, t. IV, pp. 301 et 590.

l'insertion dans la société; il révèle la nature de l'individu telle qu'elle se manifeste au niveau de sa genèse. La mémoire n'est pas seulement la faculté de revivre les saisons heureuses de l'enfance et de prolonger le bonheur du passé dans le présent, elle encourage l'aptitude à se concentrer autour du noyau de la conscience. Bien qu'elle soit portée à obéir à l'« enchaînement d'affections secrètes », elle n'est pas involontaire chez Rousseau, mais demeure soumise à un effort lucide pour remonter aux origines. Le passé ne ressuscite pas sous le coup d'une révélation subite, il est la dimension temporelle dans laquelle Jean-Jacques choisit de situer sa vie et son écriture. Sa mémoire idéalise les souvenirs et les pare de charmes nouveaux de telle sorte que « les seuls retours du passé » lui deviennent un refuge existentiel, de même qu'ils lui livrent les points de repère à partir desquels s'ordonne la texture de l'œuvre autobiographique.

Pour écrire ses *Confessions*, Rousseau se retranche dans le souvenir, comme « pour ainsi dire dans la chambre obscure », afin d'y déchiffrer les images représentatives de son être et de sa vie, d'identifier les traits de son caractère à l'aide des lumières de la mémoire. Il descend dans les strates les plus profondes du passé pour en ressaisir les traces primitives, qui peuvent être amalgamées à des couches successives de souvenirs, mais qui ne sont pas oblitérées par elles. L'authenticité est dans le ressurgissement de l'originel, dans la volonté de le propulser à la surface de la mémoire comme le principe d'explication de toute genèse et de tout processus ontologique.

Comme en général les objets font moins d'impression sur moi que leurs souvenirs et que toutes mes idées sont en images, les premiers traits qui se sont gravés dans ma tête y sont demeurés, et ceux qui s'y sont empreints dans la suite se sont plutôt combinés avec eux qu'ils ne les ont effacés [38].

Mais la mémoire, soit qu'elle remonte aux sources du moi, soit qu'elle en préserve la constance dans le temps, est sujette à l'oubli et aux défaillances; elle comporte des trous auxquels Rousseau remédie en recourant aux évidences de l'affectivité, en s'appliquant à retrouver le fil des émotions et à suivre leur chaîne sous-jacente. Il supplée aux

[38] *Les Confessions, O. C.*, t. I, p. 174.

infidélités de la mémoire ou à l'absence de documents par l'appel au sentiment, chargé d'assurer la continuité du moi. « Je n'ai qu'un guide fidèle sur lequel je puisse compter ; c'est la chaîne des sentiments qui ont marqué la succession de mon être, et par eux celle des événements qui en ont été la cause ou l'effet » [39]. La mémoire est assistée dans son travail de recréation par le sentiment, préservant la permanence du moi ; elle est dépendante du tissu des émotions, de leur persistance et de leur puissance unificatrice. Le passé ne peut pas être restitué dans l'intégrité du vécu, il est relié à sa résurrection dans le présent par la durée du sentiment. Rousseau procède ainsi à une peinture double de son moi, puisqu'il se place simultanément dans la perspective du souvenir et dans le temps où le contenu du souvenir est ranimé par la sensibilité. Le passé surgi dans l'épaisseur de la mémoire et le passé revivifié par l'énergie de l'affectivité se distinguent certes, mais leurs frontières tendent à s'abolir au niveau de l'écriture. Dans le préambule premier des *Confessions*, Rousseau précise : « En me livrant à la fois au souvenir de l'impression reçue et au sentiment présent je peindrai doublement l'état de mon âme, savoir au moment où l'événement m'est arrivé et au moment où je l'ai décrit » [40]. Cette confrontation ou plutôt cette correspondance du passé et du présent fait que la mémoire et le sentiment s'interpénètrent ; leur fusion s'accomplit par l'acte de l'écriture, qui absorbe la durée du souvenir. Le temps perçu par la mémoire affective s'inscrit dans la sphère mythique des origines, où l'âme de l'écrivain aspire à rejoindre la perfection disparue des commencements.

Le narrateur de l'autobiographie transforme nécessairement sa vie en un récit mythique, car, comme l'a noté C. G. Jung, l'un des caractères distinctifs du mythe est de traduire la nature de l'être à travers le déroulement de son existence, d'en proposer au lecteur une image globale. « Ce que l'on est selon son intuition intérieure et ce que l'homme semble être *sub specie aeternitatis*, on ne peut l'exprimer qu'au moyen d'un mythe » [41]. La quête de l'unité à laquelle se livre

[39] *Ibid.*, *O. C.*, t. I, p. 278.
[40] *O. C.*, t. I, p. 1154.
[41] *Ma Vie*, p. 19.

Rousseau dans ses *Confessions* coïncide avec une aventure intérieure qui s'achève, non dans la contingence du temps historique, mais dans la plénitude du temps circulaire et mythique. Philippe Lejeune établit que l'œuvre autobiographique est écartelée entre deux exigences contradictoires, celle de la vérité historique et celle de la « métamorphose mythologique », orientée vers l'unité du moi, qu'elle est commandée par une *tension* « entre le désir « historicisant » (exactitude et sincérité) et le désir « structurant » (recherche de l'unité et du sens, élaboration du mythe personnel) » [42]. L'ambition de sincérité tend moins chez Rousseau à une reconstitution de l'exactitude historique qu'à l'expression de la vérité spirituelle; c'est dire qu'elle concourt à sa manière à l'élaboration d'une mythologie du moi dans la mesure où elle est associée à la recherche d'une signification capable d'embrasser la totalité de l'être selon une vision synthétique. Ramon Fernandez reproche à Rousseau d'avoir créé dans la littérature française *le mythe du moi*, qui opère une destruction de l'être, en le séparant de la société et en dissociant le *désir* de l'*action* [43]. L'invention d'une mythologie individuelle peut certes contribuer à dissocier le moi de son contexte social, mais elle ne le détruit pas, bien au contraire, elle l'incite à vaincre le devenir et les variations, à rechercher les principes de son identité. Tâche ardue, si l'on en croit cet aveu assez énigmatique du *Deuxième Dialogue*: « Notre plus douce existence est relative et collective, et notre vrai *moi* n'est pas tout entier en nous » [44]. Le moi ne s'appartient pas totalement, il recèle une part de mystère irréductible et empiète obscurément sur la sphère d'autrui. Il ne peut être absolument conscient de sa nature et contient des espaces ombreux qui se dérobent à l'introspection la plus lucide. L'exploration de l'être ne saurait prétendre à l'exhaustivité, en ce sens que le moi n'est pas toujours circonscrit par des frontières précises, qu'il se prolonge au-delà de lui-même et se dépasse dans quelque orbite où l'opacité masque par intermittences la lumière intérieure. L'éclipse n'est pas un phénomène propre à l'astronomie, mais aussi un phéno-

---

[42] *L'Autobiographie en France*, p. 85.
[43] *De la Personnalité*, Paris, Au Sans Pareil, 1928, pp. 73-81.
[44] *O. C.*, t. 1, p. 813.

mène psychique et ontologique dont Jean-Jacques Rousseau a éprouvé les effets, en se penchant sur les abîmes de son être et en y découvrant le vertige de l'insondable. La métamorphose du Je de l'autobiographie en un être mythique, avec la complicité de l'écriture, demeure le seul moyen de préserver son unité, de l'enraciner dans un temps et un espace soustraits à l'usurpation de l'ombre sur la lumière. Le mythe est en dernier ressort le garant des structures du moi.

VIII

L'EXPÉRIENCE DE L'IMAGINAIRE
DANS « LES CONFESSIONS »

Avant de considérer le réseau sémantique de l'imaginaire comme source possible de la cohérence des *Confessions*, il convient de s'interroger sur les fonctions que Rousseau attribue à l'imagination en relation avec le Je (expansion et embellissement), avec le Tu (amour ou pitié) et avec l'ambivalence de sa nature, lorsqu'elle se heurte aux contingences du réel et de la temporalité. L'imagination est d'abord définie par l'action constante qu'elle exerce sur les autres facultés humaines, par son dynamisme et son expansion, son pouvoir de se dilater à travers les dimensions de l'espace et du temps. Elle est par essence *vive* et *ardente*, toujours soumise aux impulsions de son propre mouvement et associée aux élans du désir, toujours sollicitée par la tentation de vaincre les obstacles, de faire éclater les bornes de toute espèce et d'étreindre l'infini, comme si elle était mue par une nostalgie de l'impossible et de l'absolu. La vision du réel ne s'ouvre que sur un espace limité ou clos, tandis que la vision de l'imaginaire s'ouvre sur la totalité de l'espace, sur la perspective vertigineuse de l'infini. « Le monde réel a ses bornes, le monde imaginaire est infini; ne pouvant élargir l'un rétrécissons l'autre » [1]. Cette expansion spatiale de l'imagination représente un danger dans la mesure où elle peut engendrer l'angoisse du vide ou provoquer la dispersion du moi, égaré loin de son centre, c'est pourquoi le parti de la sagesse serait de circonscrire le champ de l'imagination et de lui imposer des limites, qui préservent la concentration de l'être autour de son noyau existentiel. Si Rousseau a adopté cette sagesse dans les derniers temps de sa vie, en particulier

[1] *Emile, O. C.*, t. IV, p. 305.

à l'époque des *Rêveries* où il éprouve un certain tarissement de l'imagination ou une réduction sensible de son essor, il n'en a pas moins été tenté par cette ivresse extatique, qui, à travers la contemplation silencieuse, se distance des frontières du réel pour s'élever à la perception de l'infini, image intangible de la Divinité. Son imagination, en le persuadant des limites précaires de la réalité, ressentie comme une masse et une gangue opaques, comme une captivité de tout l'être tant physique que spirituel, l'invite à dilater son moi dans la spatialité, à agrandir les mesures de l'espace de telle sorte qu'il devienne le lieu illimité, où puisse s'accomplir la plénitude de la délivrance par l'élévation. Telle est l'expérience évoquée dans la troisième des *Lettres à Malesherbes*:

Alors l'esprit perdu dans cette immensité, je ne pensais pas, je ne raisonnais pas, je ne philosophais pas; je me sentais avec une sorte de volupté accablé du poids de cet univers, je me livrais avec ravissement à la confusion de ces grandes idées, j'aimais à me perdre en imagination dans l'espace, mon cœur resserré dans les bornes des êtres s'y trouvait trop à l'étroit, j'étouffais dans l'univers, j'aurais voulu m'élancer dans l'infini [2].

L'activité dévorante et expansive de l'imagination se traduit par les métaphores du feu et des ailes. L'imagination s'allume et brûle, elle produit une flamme, une clarté par laquelle elle attise les désirs et les passions; elle s'envole et se transporte dans l'espace grâce aux ailes dont elle est douée et qui figurent son aptitude à la mobilité. Le feu et le vol sont des images exemplaires de sa fonction dynamique, en quelque sorte icarienne, animée par la chaleur interne de l'aspiration, par le libre essor dans les espaces terrestres et supérieurs. A l'aide de l'énergie qui lui est consubstantielle, l'imagination agit de manière immédiate sur la sensibilité, elle excite les passions et « détermine leur pente ». Rousseau a clairement vu avant Baudelaire qu'elle est en relation avec l'infini et que le champ dans lequel elle déploie son activité est le *possible*, un possible ambigu dans sa valeur éthique,

---

[2] *O. C.*, t. I, p. 1141. Dans son *Voyage en Amérique*, Chateaubriand note en relation avec le spectacle des eaux: « L'imagination s'accroît avec l'espace ». *Voyages*, Paris, Garnier, 1859, p. 27. Pour Chateaubriand, c'est l'espace qui étend le champ de l'imagination, tandis que, pour Rousseau, l'espace est agrandi par les pouvoirs de l'imagination.

puisqu'il s'achemine vers le *bien* ou le *mal,* mais agrandi aux dimensions extensibles du désir. « C'est l'imagination qui étend pour nous
la mesure des possibles soit en bien soit en mal, et qui par conséquent
excite et nourrit les désirs par l'espoir de les satisfaire »[3]. Elle a la
puissance de briser les obstacles et de vaincre la distance entre le
désir et son objet de telle manière qu'ils coïncident dans l'espace de
l'intériorité. Elle ne crée pas seulement le possible, mais elle est la
seule faculté capable d'explorer l'inconnu, de déchiffrer l'énigmatique
par la conjecture, de saisir ces « mystères impénétrables », qui nous
« environnent de toutes parts » et qui « sont au-dessus de la région
sensible », aux confins de l'univers métaphysique; c'est grâce à elle
que l'homme peut concevoir la nature de son être et sa condition,
s'élever jusqu'à la vision de Dieu. Sollicitée par l'invention de la
nouveauté et la conquête du futur, l'imagination n'a pas de pire
adversaire que l'habitude, qui contredit son mouvement, annihile son
expansion temporelle et spatiale par l'acte quotidien de la répétition,
la recherche d'un équilibre et d'une permanence, paralysant tout élan
vers l'inconnu, tout surgissement de la flamme intérieure.

En toute chose l'habitude tue l'imagination, il n'y a que les objets
nouveaux qui la réveillent. Dans ceux que l'on voit tous les jours ce n'est
plus l'imagination qui agit, c'est la mémoire [...]; car ce n'est qu'au feu de
l'imagination que les passions s'allument[4].

Alors que la mémoire relie le passé au présent et se fixe dans la sphère
de l'accoutumance, l'imagination est plutôt tentée par l'inconnu du
futur — bien que l'on puisse par ailleurs parler chez Rousseau d'imagination mémoriale — et par l'ouverture de la spatialité, tantôt
circonscrite volontairement par les exigences du moi, tantôt élargie à
l'infini par l'élancement de la vision.

Au niveau du Je, l'imagination est en deuxième lieu créatrice et
compensatrice. Elle n'invente pas seulement le nouveau et l'avenir
contre l'emprise de l'habitude, elle métamorphose les êtres et les objets,
en les accroissant d'une dimension supplémentaire, en leur imposant
une idéalisation et en les projetant dans le royaume des chimères.

[3] *Emile, O. C.,* t. IV, p. 304.
[4] *Ibid., O. C.,* t. IV, p. 384.

Elle les déréalise afin de les transfigurer, elle les arrache à leur imperfection sensible afin de les agrémenter de prestiges magiques, de les embellir de couleurs fictives et de les animer d'une chaleur dont ils sont privés dans les frontières du réel et de la finitude.

L'existence des êtres finis est si pauvre et si bornée que quand nous ne voyons que ce qui est nous ne sommes jamais émus. Ce sont les chimères qui ornent les objets réels, et si l'imagination n'ajoute un charme à ce qui nous frappe, le stérile plaisir qu'on y prend se borne à l'organe, et laisse toujours le cœur froid [5].

L'imaginaire tend le plus souvent chez Rousseau à se distancer du réel ou tout au moins à acquérir une réalité distincte, intériorisée par les instances de la subjectivité. L'imagination produit sur les êtres et les choses un embellissement moral et esthétique par lequel elle les transporte dans « le pays des chimères ». Rousseau se sent « l'imagination pleine de types de vertus, de beautés, de perfections de toute espèce » [6], à l'aide desquelles il substitue à l'univers imparfait un univers imaginaire, comblé par les architectures du désir et propre à satisfaire les aspirations secrètes de l'affectivité. L'imagination lui procure les dédommagements et les compensations dont son âme éprouve le besoin; elle est la « faculté consolatrice », grâce à laquelle il peut se soustraire à l'empire de la société et au poids de son sort, se construire un monde second, détaché de la contingence, où il s'abandonne aux charmes indolents de la rêverie et de la contemplation.

Mais celui qui, franchissant l'étroite prison de l'intérêt personnel et des petites passions terrestres, s'élève sur les ailes de l'imagination au-dessus des vapeurs de notre atmosphère, celui qui sans épuiser sa force et ses facultés à lutter contre la fortune et la destinée sait s'élancer dans les régions éthérées, y planer et s'y soutenir par de sublimes contemplations, peut de là braver les coups du sort et les insensés jugements des hommes [7].

L'imagination échafaude une sphère indépendante et transcendante où l'écrivain peut, selon le penchant de sa fantaisie, jouir de sa solitude ou se créer une société fictive, composée d'êtres qui s'associent

---

[5] *Ibid.*, *O. C.*, t. IV, p. 418.
[6] *Dialogues*, *O. C.*, t. I, p. 821.
[7] *Ibid.*, *O. C.*, t. I, p. 815.

par des affinités électives. Solitude et société ne sont pas l'apanage de la réalité, elles peuvent tout aussi bien s'édifier dans l'espace de l'imaginaire. Le solitaire est enclin plus que tout autre à se créer un monde d'amis imaginaires en compagnie desquels il vit sur cette terre ou dans quelque empyrée. Dans les *Lettres à Malesherbes*, tantôt Rousseau éprouve le besoin d'inventer une société imaginaire qu'il se représente dans les limites de l'espace terrestre, de la nature, magnifiée par les prestiges de l'âge d'or. « Mon imagination ne laissait pas longtemps déserte la terre ainsi parée. Je la peuplais bientôt d'êtres selon mon cœur. » Tantôt il se crée de toutes pièces une société idéale, qui habite son imagination ou qu'il projette dans les asiles célestes par un mouvement destiné à compenser les désillusions du réel et ses insuffisances. L'imaginaire est la terre de la liberté et de la sécurité, le refuge qui ne trompe ni ne déçoit jamais.

> Je l'ai [mon cœur] peu à peu détaché de la société des hommes, et je m'en suis fait une autre dans mon imagination, laquelle m'a d'autant plus charmé que je la pouvais cultiver sans peine, sans risque et la trouver toujours sûre et telle qu'il me la fallait [8].

Dans la disjonction réel / imaginaire qu'établit l'esprit de Rousseau, le réel est affecté d'un signe négatif et l'imaginaire d'un signe positif, en ce sens que « la possession des biens imaginaires qu'il crée » lui procure une plénitude de bonheur qu'il ne découvre pas dans l'ordre des « biens plus réels ». L'acte spécifique de l'imagination est de faire exister le possible, de lui conférer la plausibilité et la consistance dont il a besoin pour revêtir les signes d'une certitude spirituelle. La création d'un univers imaginaire implique un mode nouveau de vie, qui satisfait aux exigences de l'affectivité, de la durée et de la fidélité. Elle s'organise à l'intérieur d'une structure mentale, douée d'une réalité supérieure à celle des êtres et des objets ; création subjective, elle finit par recouvrer le statut de l'authenticité, substituant la permanence aux fluctuations et à la précarité de l'humain. L'imaginaire est le refuge souverain contre l'hostilité latente du réel, la terre idéale où l'âme et le cœur

[8] *O. C.*, t. I, pp. 1140 et 1135.

découvrent les signes d'un dédommagement dont ils ont besoin comme d'une nourriture spirituelle [9].

Dans sa troisième fonction, l'imagination s'applique à l'existence du Tu à travers les sentiments de l'amour et de la pitié. Elle n'est pas seulement le pouvoir de préserver l'intégrité du moi des agressions d'autrui, mais aussi la faculté de sortir du cercle du moi pour aller à la rencontre d'autrui, pour découvrir son existence et son identité. L'imagination dépasse le niveau de la subjectivité et fait éclater la sphère du moi, elle obéit à un mouvement d'expansion par lequel elle reconnaît l'autre dans son autonomie et parvient à s'identifier avec lui. Malgré qu'elle soit à l'homme un penchant instinctif, la pitié n'est suscitée que par l'intervention de l'imagination. « La pitié, bien que naturelle au cœur de l'homme, resterait éternellement inactive sans l'imagination qui la met en jeu. [...] Celui qui n'imagine rien ne sent que lui-même; il est seul au milieu du genre humain » [10]. Chez le jeune homme, la révélation de la présence d'autrui est antérieure à la révélation de l'amour; son imagination lui découvre la réalité de l'autre avant de lui inspirer les élans de la passion. « Le premier acte de son imagination naissante est de lui apprendre qu'il a des semblables, et l'espèce l'affecte avant le sexe » [11]. Elle naît au sentiment de la pitié plus tôt qu'à celui de l'amour, elle permet au Je de s'identifier avec le Tu, avec sa misère. C'est par l'imagination que nous pouvons « sentir les maux d'autrui », être touchés par leurs douleurs et les éprouver à notre tour par une sorte de transfert. La sensibilité à la souffrance humaine dépend du fonctionnement de l'imagination, de son aptitude à franchir les limites du Je pour se mettre à la place du Tu, un peu comme le romancier est invité à le faire avec des personnages. « Ainsi nul ne devient sensible que quand son imagination

[9] Cette projection dans l'imaginaire est un motif constant dans *Les Confessions*, les *Dialogues* et *Les Rêveries*.

[10] *Origine des langues*, p. 93. Jacques Derrida définit en ces termes le lien entre la pitié et l'imagination: « Cette pitié ne s'éveille à soi dans l'humanité, n'accède à la passion, au langage et à la représentation, ne produit l'identification à l'autre comme autre moi qu'avec l'imagination. L'imagination est le devenir-humain de la pitié ». *De la Grammatologie*, p. 262.

[11] *Emile, O. C.*, t. IV, p. 502.

s'anime et commence à le transporter hors de lui »[12]. L'imagination ne s'ouvre pas seulement à la souffrance de l'autre, elle déchiffre le langage des signes comme un type de relation vivace et immédiat, qui établit une communication solide.

Vive, *ardente* et *riche* par sa mobilité dans la vaste orbite du Je et du Tu, l'imagination est par ailleurs *effarouchée*, *troublée* et *déréglée*: elle est commandée, dans sa nature et sa fonction, par l'ambivalence, la bipolarité. Elle peut devenir aussi malfaisante que bienfaisante, aussi *inquiète* que *riante*, en ce sens qu'elle ouvre « la mesure des possibles soit en bien soit en mal », qu'elle fait le bonheur de l'être en l'affranchissant des contraintes du temps, de l'espace, de la société et qu'elle fait aussi son malheur par l'activité phantasmatique qu'elle déploie, en lui inspirant la crainte et l'angoisse. Le péril de l'imagination réside dans sa force même d'expansion, dans sa tentation constante d'anticiper sur le futur et de se dilater dans l'espace. C'est pourquoi la raison est encline à limiter son action et à circonscrire l'envergure de son essor. Le péril est aussi dans l'ascendant qu'elle exerce sur la vie morale et spirituelle, dans l'emprise qu'elle ne cesse d'avoir sur les sens et les passions. L'imagination possède deux visages, l'un tourné vers le bien et la conquête du bonheur, l'autre vers le mal et la hantise de l'infortune. Ambivalente ou ambiguë, elle peut engendrer les *vertus* ou les *vices*, selon l'usage que l'on fait d'elle, elle détermine la condition terrestre de l'homme et la direction de son existence par les deux pôles de l'éthique qu'elle contient dans le champ de son activité.

Enfin tel est en nous l'empire de l'imagination et telle en est l'influence, que d'elle naissent non seulement les vertus et les vices, mais les biens et les maux de la vie humaine, et que c'est principalement la manière dont on s'y livre qui rend les hommes bons ou méchants, heureux ou malheureux ici-bas [13].

Le danger de l'imagination n'est pas tellement qu'elle soit une « faculté trompeuse », comme le pensait Pascal, il réside plutôt dans

---

[12] *Ibid.*, *O. C.*, t. IV, p. 506. De même Rousseau affirme dans la *IXᵉ Promenade*: « L'imagination renforçant la sensation m'identifie avec l'être souffrant et me donne souvent plus d'angoisse qu'il n'en sent lui-même ». *O. C.*, t. I, p. 1094.

[13] *Dialogues*, *O. C.*, t. I, pp. 815-816.

la portée morale de son action, dans le fait qu'elle peut inciter l'homme
à choisir le parti du mal ou l'engager par un penchant funeste à forger
son propre malheur. Les tourments de l'imagination sont aiguisés par
la présence du mystère et l'hégémonie des ténèbres, de même que par
l'incertitude de l'avenir; ils s'accroissent avec l'âge et la maladie au
point de déclencher un véritable délire et de provoquer à la limite une
aliénation de l'être ou un phénomène de dépersonnalisation. L'imagination agrandit des faits et des objets d'apparence insignifiante en les
douant de proportions hostiles et effrayantes par l'intermédiaire de
ce que Pascal appelle « une estimation fantastique »; elle abolit la
distance, mais peuple l'espace de phantasmes créés par sa puissance
d'expansion et par une prévoyance inquiète elle invente le futur aux
couleurs de la nuit, de l'angoisse et de l'adversité. « L'imagination,
observe Saint-Preux à ses dépens, va toujours plus loin que le mal »,
comme au-devant du malheur et « elle donne des visions » par le feu
qu'elle propage dans l'esprit en proie au délire de la prophétie. Julie
réprouve dans le même sens « ce langage mystique et figuré qui
nourrit le cœur des chimères de l'imagination »[14], qui suscite une
exaltation dangereuse et une effervescence malaisée à contenir. Produits de l'imagination, les chimères sont comme elle ambivalentes,
susceptibles d'embellir le réel, de remédier à ses insuffisances et d'entraîner l'âme dans le royaume des mirages, de l'égarer dans le dédale des
illusions magiques ou des hallucinations morbides. *Les Confessions*,
plus que toute autre œuvre de Rousseau, témoignent de cette ambivalence de l'imagination, apte à forger le bonheur ou le malheur de
l'homme, à le projeter aussi bien dans un temps édénique que dans
les ténèbres du futur. L'imagination dispose du pouvoir d'inventer
l'espace de la transparence, dépassant les entraves du monde, ou de
l'emprisonner dans l'espace de l'opacité, plus redoutable que le réel.
Telle est l'une des expériences centrales, vécue par Rousseau et narrée
dans *Les Confessions*.

La lecture des *Confessions* suggère l'hypothèse que le langage de
l'imaginaire constitue un des principes de la cohérence du texte.

[14] *La Nouvelle Héloïse*, O. C., t. II, pp. 516 et 697.

C'est pourquoi il importe dans la première étape de la vérification d'établir le réseau sémantique de l'imaginaire, puis dans une seconde de s'interroger sur les significations qu'il postule. Ce réseau s'organise en un espace lexical, englobant un groupe de mots (substantifs, adjectifs, verbes et adverbes), qui sont reliés au niveau du sens, selon les lois de l'affinité, de l'analogie et de la connotation. L'établissement de cet ensemble devrait permettre de confirmer que l'imaginaire appartient au vocabulaire privilégié de Rousseau et qu'il correspond à l'une des composantes structurales du texte. On ne saurait toutefois se contenter de dresser la liste des mots qui entrent dans le cadre de cet important réseau, il s'agit d'en considérer la fréquence dans chacun des livres des *Confessions*, car elle peut varier d'un livre à l'autre en fonction du contenu de la narration, révéler que l'imaginaire comporte des temps forts et des temps faibles, qu'il est omniprésent ou au contraire qu'il s'efface plus ou moins du récit. Il dessine à travers la courbe de l'œuvre une trame, qui, bien qu'elle soit discontinue, rend compte de la structure narrative de l'œuvre et de son organisation thématique. Le réseau sémantique revêt ici une valeur expérimentale, il ne correspond pas à une liste exhaustive des termes, mais à un choix, à un échantillon, qui permet de fixer une norme à l'intérieur de chacun des livres des *Confessions*. Il représente une approche approximative, comportant une marge de lacunes *, puisqu'il est établi à partir de plusieurs lectures, et non par le recours à des moyens mécanographiques; cette première approche n'en est pas moins révélatrice du contenu par les occurrences. Le réseau est réduit à soixante mots, exprimant l'invention et la représentation imaginaires, l'anticipation temporelle et le déchiffrement de l'avenir, l'expansion spatiale, les mouvements du désir et de l'illusion, l'idéalisation et le détachement du réel, le phénomène de la rêverie et quelques termes mythologiques. Ce sont: *augure, augurer, berger, bergerie* (tous deux dans leur sens métaphorique), *châteaux en Espagne, chimère, pays des chimères, chimérique, délire, désir, désirer, deviner, distrait, dryade, égarement, embellir, empyrée, enchanter(é), enchantement, enchanteur,*

---

* Cette marge a cependant pu être réduite grâce à l'amabilité de Michel Launay et de Henri Coulet qui m'ont communiqué l'index du vocabulaire des *Confessions*, établi par le Groupe d'élaboration de l'index du vocabulaire de Rousseau à Nice.

enthousiasme, enthousiaste, expansif, expansion, extase, extravagance, extravagant, fantaisie, fantasque, fictif, fiction, (se) figurer, illusion, image, imaginable, imaginaire, imaginairement, imagination, (s')imaginer, inventer, invention, merveilleux (substantif), *prédiction, prédire, pressentir, pressentiment, prévoir, prévoyance, prévoyant, prophétique, rêve, rêver, rêverie, rêveur, romanesque, songe, sylphide, transport, transporter(é)* (tous deux au sens figuré), *vision.* Le réseau sémantique de l'imaginaire, limité à dessein, pourrait être étendu au langage du feu et de la chaleur, du charme et de l'élévation, à l'identification à un autre personnage, etc. En dépit de ses limites, cette approche permet de signifier la prédominance du langage de l'imaginaire dans *Les Confessions* et de préciser ses variations à l'intérieur de chacun des livres.

Voici, établi par livre, le tableau des occurrences du réseau sémantique de l'imaginaire (le premier total indique la fréquence, tandis que le chiffre entre parenthèses correspond au nombre de pages de chaque livre dans l'édition de la « Bibliothèque de la Pléiade »).

	I	II	III
augure	1	1	1
châteaux en Espagne	1	2	
chimère	2		
chimérique			1
délire	2		1
désir	10	9	10
désirer	4	2	2
deviner	1		3
distrait			4
égarement		1	
embellir		2	
enchanter(é)		1	2
enchanteur		2	
enthousiasme			1
expansif		1	
extase			1
extravagance			3
extravagant	1		3
fantaisie	4	1	3
fantasque	1		

fictif	1		
fiction	1		
(se) figurer	1	3	
illusion	1		2
image	4	3	4
imaginable			1
imaginaire	2		2
imaginairement	1		
imagination	7	1	3
(s') imaginer	9	7	7
invention	2		
merveilleux			1
prédiction		3	
prévoir		1	2
prévoyance	1		1
prévoyant			1
prophétique			1
rêve			1
rêver		1	1
rêverie	1	1	3
rêveur			2
romanesque	3	1	2
songe			1
transport	4	3	3
transporter(é)	3	3	2
vision			1
	68 (40)	49 (43)	76 (44)

	IV	V	VI
bergerie	1		
châteaux en Espagne			1
chimère	2		
pays des chimères	1		
chimérique			1
délire	1		1
désir	2	10	6
désirer	1	6	3
deviner	4		
distrait	1	1	3
embellir	1		

empyrée	1		
enchanter(é)		1	1
enchanteur	1		
enthousiasme	1		
enthousiaste		1	
extase	1		
extravagance	1		
extravagant			1
fantaisie	1	4	4
(se) figurer	2	2	
illusion		1	1
image	3		2
imaginaire	3	1	2
imagination	5	4	1
(s') imaginer	7	3	5
inventer			1
invention		1	
prédire		1	
pressentiment			1
prévoir	2	1	3
prévoyance	1		
rêve			1
rêver	3	1	3
rêverie	2		2
rêveur		1	1
romanesque	2	1	
transport	2	2	4
transporter(é)		1	
vision	1	2	1
	53 (44)	45 (49)	49 (48)

	VII	VIII	IX
augurer		1	
berger			2
châteaux en Espagne	1		
chimère			1
pays des chimères			1
chimérique			1
délire	1	3	6
désir	4	7	9
désirer	3	1	8

deviner	1		3
distrait	1	1	3
dryade			1
égarement		1	
embellir			1
empyrée			1
enchanter(é)		1	2
enchantement	1		
enchanteur	1		
enthousiasme		3	2
enthousiaste		1	1
expansif			1
extase	1		1
extravagance	2		2
extravagant	2		3
fantaisie	2	1	4
fantasque			1
fiction			2
(se) figurer		1	2
illusion		1	2
image	2	1	5
imaginable	2		
imaginaire			3
imagination	2	3	6
(s') imaginer	9	6	14
inventer			1
invention	3		
prédiction		1	
prédire			1
prévoir	2	6	4
prévoyance		1	
rêve	1		
rêver		4	2
rêverie			3
romanesque		1	1
transport	2	4	7
transporter(é)	2	2	3
vision			1
	45 (72)	51 (52)	111 (88)

       ↑   ↑

dont 1 occurrence   dont 5 occurrences
dans les documents   dans les documents

	X	XI	XII
augure		1	
augurer		1	
chimère	1		1
délire		1	1
désir	2	2	9
désirer	2	7	13
deviner			1
égarement	1	1	
enchanter(é)	3	1	3
enthousiasme.		1	1
enthousiaste	1		
extase	1	1	1
extravagance	1	1	1
extravagant			1
fantaisie	1		2
(se) figurer		1	
image		1	1
imaginable			1
imaginaire		2	1
imagination	1	4	4
(s') imaginer	4	2	6
inventer			1
invention		1	
prédiction	1	1	
prédire	2		
pressentiment	3	1	2
prévoir		4	5
prévoyance		3	1
prophétique		1	
rêve		1	
rêver			4
rêverie			3
romanesque	1	1	1
songe			1
sylphide		1	
transport	1	4	
transporter(é)	1	1	1
vision		1	
	27 (56)	47 (44)	66 (68)

dont 2 occurrences dans les documents †

Le tableau des occurrences établit que la fréquence du langage de l'imaginaire est prédominante dans les livres I, III et IX, relativement forte dans les livres II et IV, qu'elle est moyenne dans les livres V, VI, VIII, XI et XII, tandis qu'elle est faible dans le VIIe et surtout dans le Xe. A l'exception du livre IX, narrant la composition de *La Nouvelle Héloïse* et la passion pour Sophie d'Houdetot, elle est plus sensible dans la première partie des *Confessions* que dans la seconde.

Ce tableau révèle que le livre I des *Confessions*, malgré sa brièveté, fait une place centrale à l'expérience de l'imaginaire, qui commande à son architecture et à son organisation. « Le livre commence et s'achève en plein rêve, donnant au lecteur l'image d'une conscience qui baigne dans l'imaginaire » [15]. Il comprend à ce niveau trois temps forts : la lecture, l'éveil du désir et le mécanisme de la compensation. L'éducation de son père communique à Jean-Jacques « de la vie humaine des notions bizarres et romanesques », qui l'ont marqué durant toute son existence en lui donnant un tour d'esprit chimérique et en formant en lui « ce goût héroïque et romanesque qui n'a fait qu'augmenter jusqu'à présent », comme il l'avoue dans sa deuxième des *Lettres à Malesherbes*. La lecture de Plutarque, d'Ovide et des romans a introduit précocement dans sa vie d'enfant la dimension de l'imaginaire ; elle lui a proposé des modèles et des substituts fictifs avec lesquels il s'est identifié et qui ont contribué à l'écarter du réel. De même la naissance du désir suscite chez Jean-Jacques une projection dans l'univers imaginaire, par laquelle il parvient à contenir les impulsions de la sensualité. Le désir et la jouissance s'accomplissent dans le vaste espace de l'imagination, nourrie de la flamme de la sensation et de l'acuité de la vision mémoriale. « Tourmenté longtemps, sans savoir de quoi, je dévorais d'un œil ardent les belles personnes ; mon imagination me les rappelait sans cesse ; uniquement pour les mettre en œuvre à ma mode » [16]. La convoitise, née de la relation avec les êtres réels, est transposée dans l'imaginaire où elle est satisfaite par un phénomène et un mouvement de substitution.

---

[15] Philippe Lejeune, *Le Pacte autobiographique*, p. 90. Cf. aussi Michel Launay, « La Structure poétique de la première partie des *Confessions* », *Annales J.-J. Rousseau*, t. XXXVI, pp. 49-56.

[16] *Les Confessions*, *O. C.*, t. I, p. 16.

L'Eros est déréalisé, dépouillé de son enveloppe charnelle, métamorphosé par la vivacité de l'imagination en un monde de la fiction où la volupté est vécue de l'intérieur à travers les prestiges de la représentation. Le désir et la jouissance ne sont pas comblés par les sens, mais avec le secours de l'imagination.

Dans mes sottes fantaisies, dans mes érotiques fureurs, dans les actes extravagants auxquels elles me portaient quelquefois, j'empruntais imaginairement le secours de l'autre sexe, sans penser jamais qu'il fût propre à nul autre usage qu'à celui que je brûlais d'en tirer [17].

Cette thérapeutique permet à Jean-Jacques de réconcilier l'action combustible de la sensualité avec son « humeur timide » et son « esprit romanesque ». Elle tend surtout à instaurer cette dissociation fondamentale: désir / amour, possession charnelle / jouissance imaginaire, qui se retrouve partout dans l'œuvre de Rousseau. La véritable jouissance ne s'éprouve pas dans la satisfaction du désir, mais dans son invention. Grâce au processus de la transposition dans la sphère de l'imaginaire, Rousseau préserve son innocence; il se distance de la présence physique et de la réalité charnelle pour leur préférer la représentation mentale, l'image. Il a ressenti des *sentiments imaginaires* avant de percevoir des sentiments inspirés par des êtres réels, car ses lectures, qui lui ont fourni des modèles, l'ont persuadé de la perfection de l'univers imaginaire. L'activité de l'imagination est aussi commandée par les mobiles secrets de l'affectivité, elle est soutenue par les aspirations du cœur et les impulsions de la subjectivité.

De manière symptomatique, le livre I se clôt par l'appel aux ressources de la fiction. Les expériences de la lecture et du désir se rejoignent pour consacrer la suprématie de l'imaginaire; toutes deux incitent l'esprit de Rousseau à en substituer les richesses aux insuffisances de la réalité, l'une par l'assimilation à l'exemplarité des personnages romanesques, l'autre par le phénomène de la transposition compensatrice, qui offre au cœur les dédommagements dont il a besoin. Confrontée aux circonstances réelles, l'imagination est habitée par l'inquiétude, à laquelle elle remédie en cherchant à « s'alimenter

[17] *Ibid., O. C.*, t. I, p. 17.

de fictions » et à inventer d'apaisantes chimères. Les sollicitations de
la lecture et les tensions ardentes du désir lui communiquent la passion
exclusive des « objets imaginaires », qui, par l'effet de leur décalage,
engendrent l'insatisfaction de soi et du monde. En se détachant de
l'univers sensible, l'imagination fortifie en l'homme le penchant à la
solitude et à la misanthropie. Facteur de sociabilité dans la mesure où
elle inspire la pitié par son mouvement qui la porte vers autrui, elle
est au contraire une faculté asociale, lorsqu'elle exerce sa puissance
compensatrice, qu'elle édifie des « châteaux en Espagne » et se sépare
de la réalité pour créer des êtres et des objets qui appartiennent à
l'ordre de la fiction, affranchie des obstacles et des pièges terrestres.

Dans cette étrange situation mon inquiète imagination prit un parti qui
me sauva de moi-même et calma ma naissante sensualité. Ce fut de se
nourrir des situations qui m'avaient intéressé dans mes lectures, de les
rappeler, de les varier, de les combiner, de me les approprier tellement que
je devinsse un des personnages que j'imaginais, que je me visse toujours
dans les positions les plus agréables selon mon goût, enfin que l'état fictif
où je venais à bout de me mettre me fit oublier mon état réel dont j'étais
si mécontent. Cet amour des objets imaginaires et cette facilité de m'en
occuper achevèrent de me dégoûter de tout ce qui m'entourait, et déter-
minèrent ce goût pour la solitude, qui m'est toujours resté depuis ce
temps-là [18].

L'imagination se suffit à elle-même par son pouvoir d'embellissement
métaphorique, par la liberté dont elle est douée et sa force d'expansion,
de telle sorte qu'elle propose au moi un mode d'existence, à la fois
incarné dans l'espace et orienté vers un au-delà du réel. « Ayant une
imagination assez riche pour orner de ses chimères tous les états,
assez puissante pour me transporter, pour ainsi dire, à mon gré de
l'un à l'autre, il m'importait peu dans lequel je fusse en effet » [19]. Le
livre I des *Confessions* exprime, dans son contenu et sa conclusion,
la disjonction totale du réel et de l'imaginaire, sans que le second se
coupe du vécu, puisqu'il coïncide avec l'option de la solitude. Cette
double relation :

[18] *Ibid., O. C.,* t. I, p. 41.
[19] *Ibid., O. C.,* t. I, p. 43.

$$\text{réel / imaginaire}$$
$$\text{imaginaire} \longrightarrow \text{vécu} + \text{solitude}$$

n'est pas propre au livre I, mais représente une permanence dans *Les Confessions*.

Le livre II témoigne d'un recul sensible de l'imaginaire dont le réseau se restreint et s'appauvrit. Il est marqué par la prédominance du « vocabulaire de l'ascension sociale », comme la démonstration en a été faite [20]. Le langage de l'imaginaire est surtout lié au mouvement de la marche et à celui de la passion. Rousseau éprouve « la plénitude expansive » de son moi, en étant parvenu à apaiser l'inquiétude de son imagination. Le rythme du voyage à pied contribue à la *fixer*, l'empêche de céder à son délire et de vagabonder dans l'espace. L'imagination est circonscrite dans son action par la marche et invente ses projets à partir des virtualités du réel, en faisant moins de place aux « châteaux en Espagne », dont le charme peut être trompeur. En revanche Jean-Jacques obéit en amour à la pente de son tempérament romanesque. Le tourment de son imagination est aiguisé par la compagnie de Mme Basile, présence muette et fascinante, composant à elle seule toute la jouissance de la passion ; l'inquiétude et le plaisir, l'agitation et le repos habitent simultanément son âme en proie aux chimères de l'amour, auxquelles survivra l'*image* de Mme Basile, *empreinte* dans la mémoire affective. La première expérience italienne, caractérisée par l'engagement fatal dans une société étrangère, ne saurait être productrice de l'imaginaire à l'égal des enfances genevoises. Le contexte sociologique ne favorise guère, chez Rousseau, la création d'un monde imaginaire, sinon par un mouvement de réaction et de compensation.

Le livre III, bien que l'écrivain n'y soit pas trop sollicité par des « projets romanesques », est relativement plus riche et plus complexe que le livre II dans le recours au langage de l'imaginaire, associé au voyage et à la rêverie, au « dangereux supplément » et à Mme de Warens. D'emblée Jean-Jacques se qualifie par les attributs d'« inquiet,

[20] François Chedeville et Claude Roussel, « Le Vocabulaire de l'ascension sociale dans le livre II des *Confessions* », *Annales J.-J. Rousseau*. t. XXXVI, pp. 57-86.

distrait, rêveur », dominé qu'il est par un désir violent dans ses impulsions, mais indéterminé dans sa finalité. Le désir le possède, sans se fixer sur un objet précis. Pourtant le projet du voyage de retour s'empare de son imagination, transportée par une « ambulante félicité » et par l'idée de présenter le spectacle de la fontaine de Héron. Son cœur « se plonge dans l'imagination de l'objet qui l'attire, quelque vain que soit quelquefois cet objet » [21]. Le *délire* se conforme à un mécanisme particulier, il est d'abord suscité par l'objet, le contact avec le réel, puis, excité par le jeu de l'imagination, il dépasse la réalité de l'objet pour concevoir des projets aventureux et s'abandonner à la possession de l'idée fixe, qui l'entraîne dans un espace chimérique où tout devient possible à la faveur d'un enthousiasme, oublieux des contraintes et des obstacles. Le même mouvement de projection dans l'espace et le temps accompagne parfois le phénomène de la rêverie, à la différence qu'il n'engendre pas de vaines chimères, mais qu'il crée une vérité vécue dans l'avenir. La rêverie peut devenir anticipatrice et revêtir les apparences d'« une vision prophétique » grâce au secours de l'imagination, capable de pressentir le futur, non dans l'angoisse, mais comme une conquête virtuelle du bonheur. Les prévisions de la rêverie se sont concrétisées : le bonheur, imaginé à Annecy, deviendra réel aux Charmettes, mais il ne s'accomplira que dans un temps limité, puisqu'il n'atteint à la plénitude que dans la pureté de l'imaginaire. Elles ne débouchent pas sur l'illusion, mais sur une promesse, confirmée par l'avenir. La conjonction de la rêverie et de l'imagination peut être bénéfique, dans certains cas privilégiés, par leurs prémonitions.

Je ne me souviens pas de m'être élancé jamais dans l'avenir avec plus de force et d'illusion que je fis alors ; et ce qui m'a frappé le plus dans le souvenir de cette rêverie quand elle s'est réalisée, c'est d'avoir retrouvé des objets tels exactement que je les avais imaginés. Si jamais rêve d'un homme éveillé eut l'air d'une vision prophétique, ce fut assurément celui-là. Je n'ai été déçu que dans sa durée imaginaire ; car les jours et les ans et la vie entière s'y passaient dans une inaltérable tranquillité, au lieu qu'en effet tout cela n'a duré qu'un moment. Hélas ! mon plus constant bonheur fut en songe. Son accomplissement fut presque à l'instant suivi du réveil [22].

[21] *Les Confessions*, *O. C.*, t. I, p. 101.
[22] *Ibid.*, *O. C.*, t. I, p. 108.

L'onanisme, « ce dangereux supplément qui trompe la nature », apparaît comme un autre moyen de substituer l'imaginaire du désir à la réalité embarrassante de son objet. Il ne se heurte pas aux obstacles de la présence, puisqu'il implique la représentation de la femme dans sa totalité. L'onanisme, inspiré par la crainte d'une partenaire de chair et de sang, recherche plus que le plaisir la séduction et la compensation dans l'ordre de l'imaginaire. Il est un acte métonymique par le déplacement qu'il opère à l'intérieur du désir et il se situe dans l'univers de l'antinature, créée par l'activité substitutive de l'imagination.

Ce vice que la honte et la timidité trouvent si commode, a de plus un grand attrait pour les imaginations vives: c'est de disposer pour ainsi dire à leur gré de tout le sexe, et de faire servir à leurs plaisirs la beauté qui les tente sans avoir besoin d'obtenir son aveu [23].

Pourtant l'*image* sans cesse présente de Mme de Warens comble les désirs de Jean-Jacques, elle fait contrepoids aux écarts de son imagination et contribue à le guérir de ses « idées chimériques ». Elle exerce sur lui une action bénéfique, en apaisant ses tourments et en fixant le but de son existence dans les frontières du réel. « La tendresse et la vérité de mon attachement pour elle avaient déraciné de mon cœur tous les projets imaginaires, toutes les folies de l'ambition » [24]. L'autorité de la présence contient la vigueur expansive de l'imagination, alors que l'absence suscite son essor et ses égarements.

Le livre IV, consacré aux vagabondages en l'absence de Mme de Warens, est caractérisé par le retour aux desseins chimériques et aux « projets romanesques », le goût de la marche, associé à celui des « bergeries ». Il est avec les livres I et III celui où le réseau sémantique de l'imaginaire offre la richesse et la fréquence les plus grandes dans la première partie des *Confessions*; la relation entre la marche et l'essor de l'imaginaire devient un principe de cohérence du texte par la réitération du thème qui va se développant et s'amplifiant. Dans cette perspective, le livre IV s'ordonne selon une progression en quatre mouvements: les promenades autour du lac de Genève, le premier voyage à Paris, la marche à la découverte du « pays des chimères » et l'éthique

---

[23] *Ibid.*, *O. C.*, t. I, p. 109.
[24] *Ibid.*, *O. C.*, t. I, p. 130.

de l'imaginaire. Les promenades dans le pays de Vaud stimulent l'imagination de Rousseau, elles lui évoquent le souvenir de Mme de Warens, lui proposent le spectacle de l'accord du liquide et du végétal, où son âme se plaît à éprouver les calmes délices d'un « bonheur imaginaire ». « Quand l'ardent désir de cette vie heureuse et douce qui me fuit et pour laquelle j'étais né vient enflammer mon imagination, c'est toujours au pays de Vaud, près du lac, dans des campagnes charmantes qu'elle se fixe »[25]. Le voyage à pied et le mouvement de la marche solitaire incitent Rousseau à se forger une société de « douces chimères », édifiées et animées par « la chaleur de [son] imagination ». Dans la promenade à travers la campagne, le regard jeté sur le réel réveille des élans vers l'*empyrée*, tandis que la vue de Paris produit le divorce brutal du réel et de l'imaginaire. Par un penchant à l'idéalisation, Rousseau s'était figuré la splendeur de la capitale et il n'en découvre d'emblée que les laideurs; son imagination ardente et féconde l'a trompé par sa tendance à l'embellissement et à l'amplification, en lui créant une vision qui est démentie par l'observation de la réalité.

Tel est le fruit d'une imagination trop active qui exagère par-dessus l'exagération des hommes, et voit toujours plus que ce qu'on lui dit. [...] La même chose m'arriva dans la suite à Versailles, dans la suite encore en voyant la mer, et la même chose m'arrivera toujours en voyant des spectacles qu'on m'aura trop annoncés: car il est impossible aux hommes et difficile à la nature elle-même de passer en richesse mon imagination[26].

La nature de Rousseau se définit par la vigueur extrême de son imagination, qui lui impose une vision anticipatrice des objets et le transporte dans l'*empyrée*, au mépris des contingences du réel. « La vie ambulante », par la liberté qu'elle lui octroie, l'incite à se mouvoir dans l'espace céleste et à *s'enfoncer* « dans le pays des chimères ». Elle le transforme en une espèce de *héros* mythique qui se rend maître du temps et de l'espace, en éprouvant que « les êtres réels nuisaient aux êtres imaginaires », que toute conquête s'accomplit à l'aide de l'imagination, de sa force de ravissement et de possession. L'imagination produit des phantasmes et des visions, elle conçoit de

[25] *Ibid.*, *O. C.*, t. I, p. 152.
[26] *Ibid.*, *O. C.*, t. I, pp. 159-160.

consolantes chimères par lesquelles elle écarte l'esprit de la présence contraignante de l'objet; elle exerce sa puissance créatrice, en inventant un monde fictif, indépendant de tout support matériel. Elle est portée, non pas tellement à poétiser les choses sensibles, mais à leur substituer un univers second, instaurant la réalité supérieure de l'imaginaire.

> C'est une chose bien singulière que mon imagination ne se monte jamais plus agréablement que quand mon état est le moins agréable, et qu'au contraire elle est moins riante lorsque tout rit autour de moi. Ma mauvaise tête ne peut s'assujettir aux choses. Elle ne saurait embellir, elle veut créer. Les objets réels s'y peignent tout au plus tels qu'ils sont; elle ne sait parer que les objets imaginaires [27].

Cet irréalisme constitue chez Rousseau un mode de la pensée et de l'écriture, selon lequel les *objets* s'effacent au profit de *leurs souvenirs* et la pensée s'incarne en *images*. « Toutes mes idées sont en images. » Elles s'organisent en représentations mentales, qui s'impriment dans la mémoire, en attendant que l'écriture s'en empare pour les fixer.

Le livre V, de même que le VIe, est marqué par la réduction du langage de l'imaginaire, dont le champ se rétrécit et s'appauvrit. Rousseau est détourné de ses « visions romanesques », sans en être absolument *guéri*, par la présence de Mme de Warens, par le souci de son éducation, de sa formation intellectuelle et musicale. Pourtant l'activité de l'imagination concerne Mme de Warens, plus particulièrement l'expérience sexuelle à laquelle elle se résout à initier Jean-Jacques. Le délai qu'elle lui impose avant l'acte allume le désir dans son imagination plus encore que dans sa chair de sorte qu'il redoute que la possession imaginaire ne supplée à la possession charnelle. « Naturellement ce que j'avais à craindre dans l'attente de la possession d'une personne si chérie était de l'anticiper, et de ne pouvoir assez gouverner mes désirs et mon imagination pour rester maître de moi-même » [28]. L'imagination érotique de Jean-Jacques n'est pas

---

[27] *Ibid.*, *O. C.*, t. I, pp. 171-172. Rousseau donne trois exemples de cette démarche de son esprit: il est enclin à évoquer le printemps pendant la saison hivernale, à « décrire un beau paysage » entre les quatre murs d'une maison et à peindre la liberté dans un cachot de la Bastille.

[28] *Ibid.*, *O. C.*, t. I, p. 195.

seulement anticipatrice, mais aussi substitutive. Lorsque Maman est devenue son amante, il se représente dans l'acte de l'amour un autre être comme pour remplir un vide et combler une insatisfaction. Il est « brûlant d'amour sans objet » et son imagination superpose à l'être réel un être fictif par lequel elle tente d'entretenir le feu du désir et d'aiguiser la jouissance; elle dédouble la femme aimée en une créature vivante et une image, née de la projection du désir. « Les besoins de l'amour me dévoraient au sein de la jouissance. J'avais une tendre mère, une amie chérie mais il me fallait une maîtresse. Je me la figurais à sa place; je me la créais de mille façons pour me donner le change à moi-même » [29]. La « cruelle imagination » de Jean-Jacques ne l'écarte pas seulement de la plénitude du plaisir, en dissociant les visions chimériques de la réalité, elle lui représente l'avenir sous des aspects funestes; par un mouvement naturel, elle « va toujours au devant des malheurs », elle invente un avenir semé d'obstacles, de pièges, inspirant l'appréhension et l'inquiétude. L'ambivalence de l'imagination apparaît déjà dans la première partie des *Confessions*, où elle offre un visage maléfique à côté de son visage bénéfique.

Le réseau de l'imaginaire est réduit et dispersé dans le livre VI, où Rousseau s'attarde à évoquer le bonheur des Charmettes, les étapes de sa formation, le voyage à Montpellier et la séparation d'avec Mme de Warens. Il ne correspond guère à des temps forts et ne s'organise pas en foyers narratifs, comme c'est souvent le cas; il remplit plutôt la fonction d'articulation sémantique au début et à la fin du livre. La peinture du bonheur vécu aux Charmettes éclipse la présence de l'imaginaire; l'écriture recourt plus constamment aux ressources de la mémoire qu'à celles de l'imagination, elle découvre sa substance dans la durée et la précision des souvenirs, ressuscités au cœur du présent. Dans le temps de l'écriture, l'imagination tend à se confondre avec la mémoire, elle devient plus soucieuse de revivre le passé que d'anticiper sur le futur, de se nourrir de souvenirs heureux que de céder à la flamme dévorante du désir. Elle exerce sa fonction compensatrice, non pas en se créant un refuge dans l'« empyrée » ou

[29] *Ibid.*, *O. C.*, t. I. p. 219.

le « pays des chimères », mais en se retranchant dans l'univers du passé, protégé par les cloisons de la mémoire.

Mon imagination, qui dans ma jeunesse allait toujours en avant et maintenant rétrograde, compense par ces doux souvenirs l'espoir que j'ai pour jamais perdu. Je ne vois plus rien dans l'avenir qui me tente; les seuls retours du passé peuvent me flatter, et ces retours si vifs et si vrais dans l'époque dont je parle me font souvent vivre heureux malgré mes malheurs [30].

Lorsque l'image du bonheur des Charmettes sera morte, non dans le temps du souvenir, mais dans celui du vécu, Rousseau ne manquera pas d'édifier « de nouveaux châteaux en Espagne », avant de partir pour Paris. Tant que la réalité existentielle emplit l'espace de son désir, il peut se passer de recourir à la fiction, mais dès qu'elle le déçoit ou qu'elle est ressentie comme un vide, il recherche la plénitude dans la création d'un monde imaginaire, échafaudé en marge des bornes du réel et à la mesure de la violence du désir.

Le livre VII, le plus long des *Confessions* après le IXe, fait relativement peu de place à l'imaginaire, consacré qu'il est à peindre des portraits, à décrire l'expérience du monde et à narrer les épisodes du séjour à Venise. Mais, comme le livre VI, il s'ouvre en affirmant la disjonction de la mémoire et de l'imagination. Alors qu'il s'interroge sur le dessein de ses *Confessions* et les différences qui séparent la seconde partie de la première, Rousseau déclare qu'il a établi aux Charmettes son « dernier château en Espagne » et qu'il renonce à s'en construire de nouveaux [31]. Il est amené du même coup à distinguer l'activité de la mémoire de celle de l'imagination, en insistant sur la fonction bénéfique de la première et maléfique de la seconde. La mémoire idéalise le passé, elle en oublie les moments malheureux pour n'en conserver que les temps heureux; elle devient par là même le principe qui gouverne l'existence et sur lequel se fondent les assises de l'être. « Mon existence n'est plus que dans ma mémoire. [...] J'aime à tourner les yeux sur le passé, duquel je tiens désormais tout mon être », écrivait Rousseau dans la quatrième des *Lettres*

[30] *Ibid.*, *O. C.*, t. I, p. 226.
[31] En effet, la métaphore n'apparaît plus ultérieurement dans le texte des *Confessions*.

morales. La mémoire assure la continuité de l'être, tandis que l'imagination introduit la rupture en s'élançant vers les incertitudes de l'avenir; elle est mue par la prévoyance inquiète, le tourment de l'anticipation, qui déchiffre le futur comme le temps de l'épreuve et de l'infortune. « Ma mémoire, qui me retrace uniquement les objets agréables, est l'heureux contrepoids de mon imagination effarouchée, qui ne me fait prévoir que de cruels avenirs » [32]. L'imagination, dépouillée de son pouvoir compensateur, se sépare de la mémoire et obéit à l'impulsion d'un mouvement disjonctif:

$$\text{mémoire} \longrightarrow \text{passé} \;+\; \text{continuité} \,/$$
$$\text{imagination} \longrightarrow \text{avenir} \;+\; \text{rupture}$$

L'expérience érotique avec Zulietta confirme dans un autre sens l'activité funeste de l'imagination, peu disposée à percevoir l'écart entre le réel et l'idéal. D'une part le narrateur signifie à ses lecteurs qu'ils sont incapables d'« imaginer les charmes et les grâces de cette fille enchanteresse », d'autre part il éprouve à ses dépens que l'*image* qu'il s'est faite d'elle est brutalement contredite par la réalité, que la représentation imaginaire est abolie par la vue du « téton borgne », qui métamorphose la courtisane vénitienne en « une espèce de monstre ». L'imagination idéalisante est détrompée par le spectacle de la réalité physique et, dans le livre suivant, Rousseau avoue avec humour s'« être épuisé plus d'imagination que de corps » auprès de Zulietta. Le livre VII dénonce les périls de l'imaginaire, soit qu'il se détache de la trame de l'existence, soit qu'il invente un futur sombre et menaçant. Lorsque Diderot est emprisonné dans le donjon de Vincennes, Rousseau cède spontanément à l'élan de ses prévisions alarmantes. « Ma funeste imagination qui porte toujours le mal au pis s'effaroucha » [33]. Ainsi la fin du livre VII en rejoint l'ouverture par un mouvement cyclique, placé sous le signe de l'expansion dangereuse de l'imagination.

Le livre VIII, à partir duquel Rousseau est engagé dans « la longue chaîne de [ses] malheurs », est celui où l'imaginaire est peut-

---

[32] *Ibid.*, *O. C.*, t. I, p. 278.
[33] *Ibid.*, *O. C.*, t. I, p. 348.

être le plus disséminé, en ce sens qu'il ne s'organise jamais autour
d'un centre et ne correspond jamais à un temps fort du récit, qu'il
est effacé par la peinture des portraits et la narration événementielle.
Le langage de l'imaginaire s'applique au souvenir de Zulietta et à la
maladie de l'écrivain. La consultation des médecins *effarouche* l'imagination de Rousseau au point qu'elle pressent un avenir de tracas et
de souffrances. Mais le livre VIII, profondément marqué par l'avènement fatal à la littérature, associe l'imagination au projet de l'écriture.
Lorsqu'il médite le *Discours sur l'origine de l'inégalité*, Rousseau s'est
« enfoncé dans la forêt » pour y découvrir « l'image des premiers
temps ». C'est à travers la contemplation de l'univers végétal qu'il
tente de se faire une représentation hypothétique de l'état de nature.
L'imagination est la faculté qui conçoit les conjectures et invente la
trame du possible; elle préside à l'élaboration de l'œuvre, idéologique
ou romanesque, en lui fournissant la substance conjecturale, nécessaire à son éclosion. Elle ne crée pas uniquement des chimères compensatrices, mais des contenus archétypaux qu'elle propose à l'esprit
humain.

Le livre IX, le plus long des *Confessions*, est aussi le plus riche par
la fréquence et l'extension du réseau sémantique de l'imaginaire,
encore accru par l'emploi de mots, tels qu'*effervescence, fièvre, ivresse,*
etc., associés à l'expansion du désir. Pourtant ce vaste réseau se cristallise autour de l'invention du « pays des chimères », de la conception de *La Nouvelle Héloïse* et de la passion pour Sophie d'Houdetot,
c'est-à-dire autour de trois foyers narratifs qui n'en constituent qu'un
seul par leur enchaînement et leurs imbrications. Installé à l'Ermitage,
Rousseau n'est pas uniquement préoccupé par la réalisation de ses
projets littéraires, il s'abandonne à son « délire champêtre », qui ne
tarde pas à devenir un délire amoureux en quête d'êtres imaginaires
et mythologiques. Il ressent en lui une absence ou une vacuité, due aux
insuffisances de Thérèse, ainsi qu'à la décision de renoncer à classer
les papiers de l'abbé de Saint-Pierre, une disponibilité qui produit un
creux dans son imagination.

Je n'avais plus de projet pour l'avenir qui pût amuser mon imagination.
Il ne m'était pas même possible d'en faire, puisque la situation où j'étais

était précisément celle où s'étaient réunis tous mes désirs: je n'en avais plus à former, et j'avais encore le cœur vide [34].

Quoi qu'il en soit de ce vide intérieur, Jean-Jacques est contraint de satisfaire les penchants de son « âme naturellement expansive » et il se convertit « à près de quarante-cinq ans » en un « berger extravagant », nourri des souvenirs de l'*Astrée* et de rêves chimériques, impatients de revêtir une forme, fût-ce dans l'espace de l'imaginaire. L'impulsion du désir ne peut être comblée dans les frontières du réel et ne saurait se fixer sur un objet imparfait, c'est pourquoi elle est aussitôt transposée dans le royaume de l'imaginaire. Elle est satisfaite par la fonction *créatrice* de l'imagination, chargée d'inventer un « monde enchanté » où le possible découvre la voie de son accomplissement. Déçu du réel, affranchi des obstacles qui lui sont attachés, Rousseau se retranche dans l'univers de la fiction, habité par des êtres créés au gré de sa fantaisie et de ses aspirations secrètes, en les douant d'une perfection dont les créatures humaines sont dépourvues. Il substitue à la société terrestre une société céleste, où il se meut en compagnie des êtres qu'il a imaginés pour répondre aux exigences de l'affectivité. L'habitation du « pays des chimères » devient un mode d'existence, qui transcende dans le mythe les cloisons et les tourments de l'*ici-bas*.

L'impossibilité d'atteindre aux êtres réels me jeta dans le pays des chimères, et ne voyant rien d'existant qui fût digne de mon délire, je le nourris dans un monde idéal que mon imagination créatrice eut bientôt peuplé d'êtres selon mon cœur. Jamais cette ressource ne vint plus à propos et ne se trouva si féconde. Dans mes continuelles extases je m'enivrais à torrents des plus délicieux sentiments qui jamais soient entrés dans un cœur d'homme. Oubliant tout à fait la race humaine, je me fis des sociétés de créatures parfaites aussi célestes par leurs vertus que par leurs beautés, d'amis sûrs, tendres, fidèles, tels que je n'en trouvai jamais ici-bas [35].

Après le mouvement d'élévation et le voyage dans l'idéal, Rousseau est tenté par la descente dans le réel, qui se manifeste sous la double forme du projet romanesque de *La Nouvelle Héloïse* et de la passion

[34] *Ibid., O. C.*, t. I, p. 424.
[35] *Ibid., O. C.*, t. I, pp. 427-428.

pour Sophie d'Houdetot. Son imagination en vient à souhaiter
l'existence d'un monde mythique de *dryades* et à incarner ses « fan-
tasques amours » par le moyen de l'écriture. Il n'en use pas moins du
langage de l'imaginaire pour expliciter son dessein au lecteur: la
création d'une société choisie, idyllique, la représentation de l'amour
et de l'amitié, l'invention des deux héroïnes et la peinture de ce
« bonheur imaginaire » auquel il est voué par son tempérament.

> [...] Cette élite n'était guère moins chimérique que le monde imaginaire
> que j'avais abandonné.
> Je me figurai l'amour, l'amitié, les deux idoles de mon cœur, sous les
> plus ravissantes images. Je me plus à les orner de tous les charmes du sexe
> que j'avais toujours adoré. J'imaginai deux amies plutôt que deux amis,
> parce que si l'exemple est plus rare, il est aussi plus aimable [36].

En revanche l'imagination de Rousseau, « fatiguée à inventer », se
refuse à créer un espace idéal et entend confiner l'action « dans
quelque lieu réel qui pût lui servir de point d'appui ». Le choix d'un
endroit précis, inscrit sur la carte de la terre, est destiné à compenser la
part de l'imaginaire et à lui conférer du même coup la plausibilité
romanesque. Peu à peu la fiction, enracinée dans une terre, acquiert
épaisseur et solidité, le contenu imaginaire s'organise autour d'une
forme, se convertit en « une espèce de roman » et commence à se
fixer dans les contours de l'écriture.

> Je me bornai longtemps à un plan si vague, parce qu'il suffisait pour
> remplir mon imagination d'objets agréables, et mon cœur des sentiments
> dont il aime à se nourrir. Ces fictions, à force de revenir prirent enfin plus
> de consistance et se fixèrent dans mon cerveau sous une forme déterminée [37].

Possédé par le *délire* et l'enthousiasme, transporté par les « objets
créés ou embellis » grâce à son imagination, Rousseau est entraîné
irrésistiblement dans la voie de la création romanesque; il est séduit
par les *fictions* qu'il a inventées et par leurs charmes magiques.
L'imaginaire exerce sa pression sur le réel et lui emprunte les appa-

---

[36] *Ibid.*, *O. C.*, t. I, p. 430.
[37] *Ibid.*, *O. C.*, t. I, p. 431.

rences de la densité; il commande la forme et l'écriture, se métamorphose en substance romanesque pour accomplir en elle sa plénitude.

La seconde approche du réel est vécue à travers la passion pour
Sophie d'Houdetot. Rousseau fixe son « tendre délire », non plus
sur des créatures imaginaires, mais sur un être de chair, qui le sub-
jugue par son « air romanesque » et lui inspire un amour d'autant
plus violent qu'il est soudain, fulgurant. Le personnage de Julie, né
le premier de la puissance de l'imagination, se confond avec la comtesse; par une espèce de renversement l'imaginaire est projeté dans
la réalité de la vie, ses hasards et ses surprises. « Je vis ma Julie en
Mme d'Houdetot. » La figure imaginaire se transporte dans le réel
et s'identifie avec un être vivant, elle suscite en quelque sorte le
surgissement de la réalité. Cette anticipation ou cette prémonition,
issue des profondeurs de la faculté créatrice, confirme l'axiome
d'André Breton, selon lequel « l'imaginaire est ce qui tend à devenir
réel ». Rousseau imagine la fiction de l'amour avant de la vivre avec
Sophie d'Houdetot, en compagnie de laquelle il entreprend « de
longues promenades dans un pays enchanté ». Il assimile Sophie à
Julie et se représente son amante conformément au modèle de son
personnage romanesque, comme une « divine image », qu'aucune
souillure ne saurait altérer. Idéalisée par la référence à l'imaginaire,
elle est divinisée et devient une figure vivante du sacré, agissant sur
l'âme et le cœur de Jean-Jacques. Lorsque Rousseau se sépare de
Mme d'Houdetot, il la transforme en un être mythique, qui vient à
son tour nourrir de sa substance l'œuvre romanesque; il opère un
retour à l'imaginaire et fait entrer Sophie dans l'univers de la fiction.
La conception de *La Nouvelle Héloïse*, telle que Rousseau en retrace
la genèse au livre IX des *Confessions*, est soumise à la succession de
quatre mouvements: l'écrivain, déçu du réel, invente un monde
imaginaire dans lequel il croit découvrir un refuge permanent, puis
il accomplit deux descentes dans le réel, l'une commandée par la
volonté d'incarner les personnages de son roman, l'autre par la
révélation et l'expérience de l'amour, dans un dernier temps il revient
à l'imaginaire, contraint qu'il est à « sacrifier à des chimères », à se
retrancher dans le rêve de la vie, qui seul offre à son cœur de vrais
dédommagements.

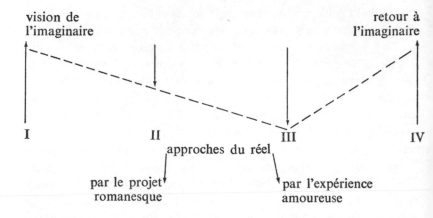

Ces quatre mouvements ne sont pas dissociés, mais reliés linéairement par l'écriture; davantage ils s'achèveront en elle dans la mesure où elle opère la conversion de l'imaginaire et du vécu en matière romanesque.

Lorsque Rousseau a conclu, dans le livre IX, le récit de sa passion pour Sophie d'Houdetot, le langage de l'imaginaire se raréfie et s'appauvrit; cette réduction, qui est liée pour une part à l'introduction dans le texte de documents sous la forme de lettres, se perçoit dans tout le livre X. Rousseau est lassé des chimères de l'amour et de l'amitié, il est surtout en proie aux tourments et à l'adversité, hanté par le complot qui assombrit sa vie. Son « imagination s'allume aisément », excitée par l'intuition de mystères et de réseaux ténébreux, l'enserrant de toutes parts comme en un dédale. Elle ne s'apaise que dans les joies de la retraite, au « petit château » de Montmorency, métamorphosé en « demeure enchantée », en « île enchantée », comparable à une terre paradisiaque où les charmes de la contemplation se réconcilient avec ceux de l'écriture. Même s'il se croit guéri de ses chimères, Rousseau ne peut se départir de son esprit *romanesque*, qui ne cesse d'emporter son imagination, tantôt dans la prison de l'angoisse, tantôt dans l'espace consolateur de la fiction.

Le livre XI, plus riche que le précédent, contient quatre foyers narratifs formés par le réseau sémantique de l'imaginaire: à propos de *La Nouvelle Héloïse*, de la publication d'*Emile*, de la maladie et du voyage d'exil de France en Suisse. *La Nouvelle Héloïse*, bien qu'elle soit écrite sans recourir à l'«aventure romanesque», consacre le triomphe de l'imaginaire; la part du souvenir y est réduite au profit de la fiction, les personnages procèdent plus de l'invention que de l'observation. Le phénomène de la création ne se produit pas chez Rousseau à partir de la contemplation du réel, mais plutôt d'une projection dans l'imaginaire, d'un commerce avec une société fictive et mythique, qui avive le feu de son esprit et lui procure des enchantements supérieurs. L'écriture romanesque ne se consacre pas à reproduire les données de l'expérience vécue, mais à donner aux créations imaginaires la solidité d'une réalité seconde, située au-delà des circonstances de la vie.

[...] Et il est certain que j'écrivis ce roman dans les plus brûlantes extases; mais on se trompait en pensant qu'il avait fallu des objets réels pour les produire; on était loin de concevoir à quel point je puis m'enflammer pour des êtres imaginaires. Sans quelques réminiscences de jeunesse et Mme d'Houdetot, les amours que j'ai sentis et décrits n'auraient été qu'avec des Sylphides [38].

Si la composition de *La Nouvelle Héloïse* est attachée au pôle positif de l'imagination, la publication différée d'*Emile* est associée à son pôle négatif. L'imagination de Rousseau, alarmée par les retards, par le mutisme de ses correspondants, conçoit un avenir funeste, peuplé d'ombres et de mystères. «Voilà donc mon imagination qu'allumait ce long silence occupée à me tracer des fantômes.» Elle se persuade que les Jésuites se sont saisis d'*Emile* pour en défigurer le contenu et elle invente une trame obscure, qui emprunte les aspects de la vraisemblance la plus terrifiante. «A l'instant mon imagination part comme un éclair et me dévoile tout le mystère d'iniquité: j'en vis la marche aussi clairement, aussi sûrement que si elle m'eût été révélée» [39]. La même expérience est vécue par Rousseau dans le cas de la maladie: tant qu'il est incertain des causes de son mal et de son sort, son imagination n'éveille en lui que des tourments, lorsqu'elle est *réprimée* par la conscience de son état, elle s'apaise dans l'accoutumance et la résignation. Ce n'est point la connaissance du réel

[38] *Ibid., O. C.*, t. I, p. 548.
[39] *Ibid., O. C.*, t. I, p. 566.

qui engendre son effroi, mais les phantasmes qu'elle invente sous l'empire du doute, dans l'espace instable et indéterminé du futur. Livrée à elle-même, coupée de la conscience, l'imagination enfante des monstres et des hallucinations redoutables. « Délivré des maux imaginaires plus cruels pour moi que les maux réels, j'endurai plus paisiblement ces derniers » [40]. Dans le livre XI, ainsi que dans les livres VI et VII, Rousseau est entraîné à séparer la mémoire de l'imagination, à montrer qu'elles cheminent souvent par des voies divergentes tant dans les dimensions de la temporalité que par la nature de leur fonction spécifique. L'imagination absorbée dans la prévision du malheur, occulte le souvenir des maux antérieurs. Elle efface « le mal passé » et, cédant à son délire, anticipe sur le futur qu'elle se représente sous les couleurs les plus sombres.

> Autant sa prévoyance [celle du mal] m'effraie et me trouble tant que je le vois dans l'avenir, autant son souvenir me revient faiblement et s'éteint sans peine, aussitôt qu'il est arrivé. Ma cruelle imagination qui se tourmente sans cesse à prévenir les maux qui ne sont point encore, fait diversion à ma mémoire, et m'empêche de me rappeler ceux qui ne sont plus [41].

Tandis que l'imagination mémoriale idéalise le bonheur du passé, l'imagination, disjointe de la mémoire, invente des périls, des épreuves et des phantasmes, portée qu'elle est à dédaigner « les maux réels » et à redouter ceux de la fiction, plus lancinants par la menace de l'éventualité.

Le livre XII des *Confessions* n'est pas marqué par un recul du langage de l'imaginaire, mais par un affaiblissement des pouvoirs de l'imagination, par une espèce de tarissement, annonciateur des *Rêveries*. Rousseau, « revenu des chimères de l'amour et de l'amitié », a dépassé « l'âge des projets romanesques », et sa mémoire, assombrie par les événements, ne domine plus le trouble et le désordre par lesquels elle se sent envahie. Son imagination devient plus passive et réduit le champ de son expansion, qui ne s'étend plus guère qu'au goût du loisir et de la rêverie; même si elle fléchit, elle continue à peupler l'oisiveté, à lui fournir une matière qui dissipe l'ennui.

[40] *Ibid.*, *O. C.*, t. I, p. 572.
[41] *Ibid.*, *O. C.*, t. I, p. 585.

L'imagination est la compagne du solitaire, la complice de ses promenades et de sa vie contemplative. « Seul je n'ai jamais connu l'ennui, même dans le plus parfait désœuvrement: mon imagination remplissant tous les vides suffit seule pour m'occuper » [42]. Bien qu'attiédie, l'imagination n'en apporte pas moins la plénitude intérieure et conserve son aptitude à se représenter, selon sa fantaisie subjective, l'univers de l'ici-bas et celui de l'au-delà [43]. Elle s'écarte des ardeurs de la conception et de l'écriture, pour leur préférer la méditation et la rêverie. Rousseau choisit à l'île de Saint-Pierre de s'adonner à des occupations qui resserrent l'étendue de l'imaginaire. Tel est le rôle de la botanique, « étude oiseuse », qui, en se fixant sur un objet précis, présente l'avantage d'apaiser ou de contenir le « délire de l'imagination ». La botanique, la promenade et la rêverie insulaire ont la propriété d'*inscrire* les *désirs* de l'écrivain dans un espace borné, de freiner leurs mouvements trop impétueux et de circonscrire leur dangereux penchant à s'élancer dans l'infini; elles contraignent l'imagination à se concentrer autour d'un noyau afin d'éviter les périls de la diffusion spatiale. Mais elles n'empêchent pas Rousseau de se construire, dans la plus petite des deux îles, « une demeure imaginaire », qui se superpose à la beauté du paysage. L'activité de l'imagination n'est pas abolie, mais ralentie par la fatigue, l'usure; elle s'exerce dans le rêve éveillé ou la contemplation, en s'appliquant à jouir du moment présent et en s'assignant des frontières accessibles à la perception. Le bonheur de l'imagination réside en un rétrécissement des dimensions temporelles et spatiales; il est soumis à un travail de rassemblement des énergies, à un mouvement de *centralisation*, grâce auquel le moi évite de se disperser par une fatale *vaporisation*. Il ne consiste plus à se créer un dédommagement dans « le pays des chimères », mais à s'adapter à une situation existentielle, définie par le besoin de s'assigner des frontières.

Une telle lecture des *Confessions* révèle que le réseau sémantique de l'imaginaire varie dans le dosage et les occurrences d'un livre à

---

[42] *Ibid.*, *O. C.*, t. I, p. 601.
[43] A propos de la mort de Mme de Warens, Rousseau note dans *Les Confessions* : « Mais si je croyais ne pas la revoir dans l'autre vie, ma faible imagination se refuserait à l'idée du bonheur parfait que je m'y promets ». *O. C.*, t. I, p. 620.

l'autre, mais qu'il est présent dans tous les livres; qu'il s'exprime en
des temps forts (livres I, III, IV et IX), en des temps faibles (livres VIII
et X), qu'il peut être concentré ou dispersé dans le récit, mais qu'il
correspond le plus souvent à des articulations et à des foyers centraux
de la narration; qu'il sous-tend plus ou moins constamment la trame
de l'œuvre et qu'il en constitue un principe d'organisation parmi
d'autres. Le langage de l'imaginaire dessine une des cohérences liné-
aires des *Confessions*, selon une linéarité discontinue, si l'on peut dire,
en ce sens qu'il établit dans le texte des points de repère et des noyaux
à partir desquels peuvent se déchiffrer l'architecture et la signification
de l'œuvre. Cette lecture ne rend pas compte exhaustivement de la
forme et du contenu, elle en dégage certaines lignes de force qui commandent le sens et déterminent cet appel à la réalité de l'imaginaire,
éprouvé comme un mode de vie et une démarche propice à l'écriture.

L'imagination est, dans *Les Confessions*, définie par la polyva-
lence, par les aspects multiples ou même contradictoires qu'elle revêt.
Elle est archétypale et compensatrice, dans la mesure où elle se sépare
de la réalité pour inventer des modèles de beauté et de perfection
ou pour construire un espace chimérique qui serve de refuge
ontologique. Dès son enfance, Jean-Jacques s'est par sa formation
et ses lectures aventuré dans l'univers imaginaire, où il se dédommage
des désillusions que lui cause le contact avec les hommes et la société.
« L'imaginaire a d'abord été pour lui une terre natale, un pays originel
d'où il n'a jamais pu complètement se détacher pour passer dans le
« monde » des hommes » [44]. L'expérience précoce de l'imaginaire a été
si prégnante en lui qu'il n'a jamais pu s'adapter totalement au monde
et à la société, qu'il a choisi le parti de la solitude et vécu l'amour dans
la sphère transcendante de la fiction; elle a modelé le cours de son
existence, en lui imposant de recourir aux puissances capables de s'in-
surger contre les limites du réel. Dans son activité, l'imagination ne se
coupe pas des dimensions de la temporalité: ou bien elle s'associe à la
mémoire pour idéaliser le passé, ou bien elle se détache du souvenir
pour céder à la tentation de la prévoyance, de la prémonition. Alors
que l'imagination mémoriale recrée un bonheur permanent par l'em-

---

[44] Jean Starobinski, *L'Œil vivant*, pp. 121-122.

bellissement du vécu, l'imagination anticipatrice sonde l'espace inquiétant de l'avenir [45]. Elle se tourne tantôt vers le passé, tantôt vers le futur, elle peut faire le bonheur ou le malheur de l'homme, selon le principe de l'ambivalence, attachée à sa nature et à son fonctionnement dans le temps.

$$\text{passé} \longleftarrow \text{imagination} \longrightarrow \text{futur}$$
rétrospection + bonheur / anticipation + malheur

Les Confessions témoignent que Rousseau ne s'est jamais complètement guéri des chimères enfantées par son imagination, mais que celle-ci s'est fatiguée avec les ans, qu'elle a perdu de sa vivacité et de son énergie. Elle demeure la force créatrice qui commande à l'écriture, pourtant elle ressent plus fréquemment la nécessité de s'appuyer sur la substance du réel et surtout de se circonscrire. L'imaginaire est toujours une demeure de prédilection, mais il s'édifie à l'aide d'éléments empruntés au réel et dans un espace dont l'envergure est réduite. Cette évolution, perceptible dans *Les Confessions*, est confirmée par les *Dialogues* et *Les Rêveries*: elle ne dément toutefois pas la lecture d'une cohérence de l'œuvre, fondée sur la relation que le style autobiographique entretient avec les félicités et les périls, engendrés par l'imagination. L'expérience de l'imaginaire appartient à la trame intime du vécu et s'inscrit au cœur des *Confessions* tant dans leur unité que dans leur devenir; elle est au centre de leur genèse et de leur accomplissement, de sorte qu'elle revêt une portée ontologique par la médiation de l'écriture.

---

[45] Il existe toutefois des exceptions, comme la vision prémonitoire du bonheur des Charmettes au livre III.

IX

LA CONQUÊTE DE L'UNITÉ II

L'IMAGINATION CIRCONSCRITE

Il se produit dans les *Dialogues* et surtout dans *Les Rêveries* un certain recul du désir; plus exactement, Rousseau tend à rétrécir progressivement le champ de l'imaginaire pour éviter les périls d'une expansion qui anticipe sur l'avenir et dilate à l'extrême les dimensions de l'espace. Les sereines délices de la rêverie et de la botanique ont la propriété de freiner les mouvements de l'imagination, de circonscrire l'étendue de son action et de dissoudre les tourments qu'elle engendre par un penchant fatal. De même que dans les derniers livres des *Confessions*, l'imagination réduit l'ouverture de la spatialité et s'assombrit par les effets de son ambivalence, qui fait qu'elle incline tantôt vers son versant bénéfique, tantôt vers son versant maléfique. Elle est portée à ébaucher des présomptions et des hypothèses pour tenter de déchiffrer la trame obscure du complot, elle est *effarouchée* par les ténèbres et les énigmes dont elle se sent prisonnière. En présence de l'opacité de l'inconnu, Jean-Jacques en est réduit à concevoir « des conjectures chimériques, fruits assez naturels d'une imagination frappée par tant de mystères et de malheurs » [1], à s'inventer des intrigues et des obstacles. Son imagination, troublée par « mille conjectures inquiétantes et tristes », se meut dans un espace hostile, cède à un égarement qu'aucune modération ne parvient à contenir. Les tourments qu'elle éprouve lui représentent l'avenir sous les couleurs les plus sombres, comme un temps promis aux menaces et

---

[1] *Dialogues*, O. C., t. I, p. 782.

aux dangers les plus terrifiants. L'imagination, possédée par la
hantise du futur et « l'inquiétude de l'espérance », se crée de noirs
phantasmes qui rendent la fiction plus redoutable et plus lancinante
que la réalité. « La prévoyance et l'imagination multiplient » les
maux, les agrandissent démesurément à la proportion de la peur de
l'avenir et de son incertitude, tandis que les maux liés au présent
gardent la mesure du réel et se dépouillent de leur aspect effrayant.
C'est l'imaginaire projeté dans le futur qui est la source de l'angoisse ;
l'imagination peut remédier aux insuffisances du réel en inventant
« le pays des chimères », mais elle est impuissante en présence des
visions qu'elle se forge, incapable de gouverner sa fièvre et désarmée
par l'ardeur de son délire.

Les maux réels ont sur moi peu de prise ; je prends aisément mon parti
sur ceux que j'éprouve, mais non pas sur ceux que je crains. Mon imagination effarouchée les combine, les retourne, les étend et les augmente. Leur
attente me tourmente cent fois plus que leur présence, et la menace m'est
plus terrible que le coup. Sitôt qu'ils arrivent l'événement leur ôtant tout
ce qu'ils avaient d'imaginaire les réduit à leur juste valeur [2].

Rousseau ne redoute pas seulement les effets funestes de son
imagination anticipatrice, mais aussi l'action de celle de ses contemporains qui le défigurent à plaisir afin de l'isoler et de le rendre
haïssable. A travers le prisme déformant du regard d'autrui, il devient
un être monstrueux et défiguré, « un être d'imagination tel qu'en peut
enfanter le délire de la fièvre » [3]. L'imagination de ses adversaires le
métamorphose en un personnage « chimérique » et « extravagant »,
en un personnage méconnaissable et travesti par les artifices de la
fiction. De même qu'elle obscurcit le futur, l'imagination peut assom-
brir le visage d'un être au point d'en altérer la nature. Elle tend à
devenir cette « faculté trompeuse », dénoncée par Pascal, encore que
Rousseau s'applique dans la IVe *Promenade* à distinguer la fable du
mensonge. Le propre de la fiction est de ne pas se séparer d'« un
objet moral », de ne porter atteinte ni aux exigences de la justice ni à
celles de la vérité ; elle se différencie du mensonge parce qu'elle se

[2] *Les Rêveries, O. C.*, t. I, p. 997.
[3] *Dialogues, O. C.*, t. I, p. 746.

détache de tout intérêt autre qu'éthique, qu'elle accomplit son parcours « sans profit ni préjudice de soi ni d'autrui ». Pourtant, en
rédigeant ses *Confessions*, Rousseau a été amené à introduire des
additions « dans les circonstances », qui, destinées à combler des
lacunes de la mémoire, appartiennent à l'ordre de la fiction; ces
additions ne sont pas mensongères, puisqu'elles ne trahissent pas le
souci de la vérité, mais elles n'en procèdent pas moins d'une sorte
de « délire de l'imagination » qui transfigure la réalité. Dans *Les
Rêveries*, Rousseau apprécie plus sévèrement le recours à la fiction et
aux *ornements* qu'il ne l'avait fait dans le préambule des *Confessions*;
il ne les considère plus comme *indifférents* et se refuse par un sur-
croît de conscience à les mettre sur le compte de la seule innocence.
Quel qu'en soit le motif, ce sont des ajouts qui contribuent à embellir
ou à altérer la vérité. « Et quand entraîné par le plaisir d'écrire
j'ajoutais à des choses réelles des ornements inventés, j'avais plus de
tort encore parce qu'orner la vérité par des fables c'est en effet la
défigurer » [4]. Le récit et l'acte de l'écriture s'accompagnent du concours inévitable des agréments de la fiction, c'est-à-dire qu'ils sont
commandés par l'intervention de l'imagination, qui, sans être trompeuse au sens pascalien, ne restitue pas le vrai dans son intégrité.
L'imagination créatrice ne saurait se contenter de reproduire la réalité du vécu, elle la poétise et la transfigure. Elle dit le réel par le
détour de la vérité mythique.

Alors qu'il est porté à juger plus durement que dans le passé les
ornements de la fiction, Rousseau est sujet à un tarissement de l'imagination qu'il observe en travaillant à la composition de ses *Rêveries*
et en s'interrogeant sur leur dessein. Dans les *Dialogues* déjà, la
rêverie et la contemplation prennent le relais de « son imagination
fatiguée », en substituant à l'effort de l'expansion leur quiétude et leur
enchantement conformes à son goût de l'indolence. Rousseau observe
à ses dépens que la vigueur de l'imagination est tributaire de l'âge,
que durant la jeunesse elle se caractérise par sa vivacité et sa promp-
titude, par son aptitude à franchir tous les obstacles, à se jouer des
dimensions du temps et de l'espace, alors que pendant la vieillesse

[4] *Les Rêveries*, *O. C.*, t. I, p. 1038.

elle perd de son énergie et de sa mobilité. Dans le temps de l'écriture des *Rêveries*, « l'imagination s'attiédit », elle est *tarissante* ou *tarie*, encline à se fixer dans le repos et à délimiter le champ de son essor, parce qu'elle éprouve de la difficulté à s'aventurer au-delà des limites qu'elle se prescrit. Elle ne s'affaiblit pas seulement, elle *rétrograde*, soumise qu'elle est à l'empire de la sensation et de la mémoire; au lieu d'être créatrice, elle devient mémoriale, elle se nourrit plus de la substance du souvenir que de ses propres inventions; elle ne se meut plus d'elle-même, elle a besoin d'un support qui soutienne ses élans et modère ses transports pour autant que son « tiède alanguissement » lui permette encore d'y céder.

Mon imagination déjà moins vive ne s'enflamme plus comme autrefois à la contemplation de l'objet qui l'anime, je m'enivre moins du délire de la rêverie; il y a plus de réminiscence que de création dans ce qu'elle produit désormais [5].

Rousseau se voit « forcé de contenir les restes d'une imagination riante, mais languissante », dépouillée de sa force créatrice. Assimilée pour une part à la mémoire, l'imagination perd son autonomie et restreint l'étendue de son action. Alors que Rousseau inclinait dans ses œuvres antérieures à disjoindre la mémoire de l'imagination, en attribuant à chacune d'elles une fonction spécifique, il est, dans *Les Rêveries*, contraint de les rapprocher de sorte que les souvenirs sont l'aliment dont l'imagination a besoin pour entretenir sa flamme. Presque éteinte, l'imagination est désormais circonscrite par les signes que la mémoire et les objets lui imposent comme une frontière périlleuse à franchir.

Même s'il prend plus clairement conscience dans ses dernières œuvres des dangers et des limites de l'imagination, Rousseau ne se prive pas pour autant de recourir à ses pouvoirs d'expansion et à ses vertus compensatrices. C'est elle qui conçoit dans les *Dialogues* ce que Michel Foucault appelle « le mythe initial » du *monde idéal* et qui crée la sphère de la fiction, nécessaire au mouvement de la rêverie. L'univers idéal se substitue au « pays des chimères »: il n'est pas la projection dans l'imaginaire d'un absolu de l'amour qui veut se soustraire aux

[5] *Ibid., O. C.,* t. I, p. 1002.

imperfections de la réalité, mais une petite société d'*initiés* qui entend récupérer l'originel, se situer « au niveau de la source » pour redécouvrir et perpétuer l'harmonie qui doit exister entre la nature et la vertu. Bien qu'il soit une représentation issue de l'imagination, il est, dans sa structure, calqué sur la réalité ; il est à la fois analogique et différent du monde, dans la mesure où il est organisé de la même manière, tout en incarnant une perfection supérieure en laquelle les frontières entre l'être et le paraître sont abolies. Le *monde idéal* se compose de l'amalgame de l'imaginaire et du réel, de la fusion indissoluble de leur substance, de manière qu'il apparaît comme le modèle de la transposition mythique, selon laquelle la réalité est agrandie par la distanciation qu'opèrent les puissances de l'imagination. Il n'est plus transcendant comme « le pays des chimères », mais inséré dans une immanence enrichie des proportions de l'imaginaire ; il illustre la tendance de Rousseau à se méfier de l'expansion et à limiter l'espace du désir [6].

Malgré cet effort de réduction, Rousseau est encore entraîné à concevoir des « projets chimériques » et à s'évader de la prison du monde pour se retrancher « dans les régions éthérées » qui demeurent son habitation familière. Son imagination compensatrice le dédommage de ses malheurs, en inventant « d'heureuses fictions [qui] lui tiennent lieu d'un bonheur réel » qu'aucune puissance terrestre ne saurait lui arracher, en emplissant son âme de « ces visions [qui] ont plus de réalité peut-être que tous ces biens apparents dont les hommes font tant de cas » [7] ; elle lui bâtit un refuge souverain et lui procure une jouissance pleine, dépassant les entraves du réel. Si l'imagination est devenue ambivalente, portée à engendrer le mal comme le bien, c'est que la société humaine a *perverti* « l'usage de cette faculté consolatrice », en la soumettant aux exigences de l'*amour-propre* et en la mettant indûment au service des profits égoïstes. Il importe au contraire de lui restituer sa vertu originelle, son pouvoir de transcender les misères de la vie, les mesquineries humaines et les revers de la fatalité. Sa véritable destination est dans son mouvement d'éman-

---

[6] Au sujet du contenu du mythe, cf. le chapitre III.
[7] *Dialogues*, *O. C.*, t. I, p. 814.

cipation, dans sa capacité de s'élever dans un espace supérieur, affranchi des servitudes sociales et des chaînes du destin. Réintégrée dans sa fonction primordiale, l'imagination fournit à l'âme les dédommagements dont elle a besoin dans l'attente de ceux de l'au-delà.

Toutefois, dans les *Dialogues*, Rousseau est préoccupé de contenir les impulsions désordonnées de l'imagination, soit en les associant au calme de la rêverie, soit en les ramenant aux impressions que suscite la contemplation des objets. Il s'agit de créer un nouvel univers où le dynamisme et le repos s'équilibrent, où le mouvement soit freiné sans être anéanti, dépouillé de la funeste inquiétude, qui souvent l'accompagne; d'inventer « une autre sphère », stable et paisible, en harmonie avec l'archétype de la nature, mais séparée des tumultes de l'action. Ce monde fictif, empreint de sérénité, satisfait aux exigences de l'éthique et de l'esthétique, il compose un espace privilégié que Rousseau « peuple pour son usage d'êtres selon son cœur » et où il cède à son penchant pour les chimères et l'oisiveté. Il se détache des passions et des agitations extérieures afin de combler les seuls besoins de l'affectivité; il n'est plus déterminé par l'ouverture de la spatialité, mais par l'expansion intérieure et la liberté spirituelle.

> La vie contemplative dégoûte de l'action. Il n'y a point d'attrait plus séducteur que celui des fictions d'un cœur aimant et tendre qui dans l'univers qu'il se crée à son gré, se dilate, s'étend à son aise délivré des dures entraves qui le compriment dans celui-ci [8].

L'imaginaire devient la retraite de l'intériorité, le lieu de la contemplation où l'« âme expansive » se construit un royaume habité par le spectacle permanent de la vertu, de l'harmonie et de la beauté. Plus statique dans les *Dialogues* que dans *Les Confessions*, il s'identifie avec la passivité de la rêverie et les charmes d'une contemplation réceptive. Les chimères naissent d'elles-mêmes, les visions se fixent dans l'esprit et les images y défilent sans que la pensée intervienne pour leur imposer une cohérence. La rêverie est subie, elle se distance de toute action et revêt un caractère onirique, propre à nourrir le goût de l'indolence. « Dans la rêverie on n'est point actif. Les images se tracent dans le cerveau, s'y combinent comme dans le sommeil sans

---

[8] *Ibid.*, *O. C.*, t. I, p. 822.

le concours de la volonté: on laisse à tout cela suivre sa marche, et l'on jouit sans agir » [9]. La vivacité et l'ivresse de l'imagination appartiennent au temps de la jeunesse et de la maturité; désormais Jean-Jacques préfère s'abandonner à la pente douce de la rêverie, rechercher les plaisirs pacifiques de l'oisiveté et « se laisser gouverner par une imagination riante », libérée des troubles du mouvement. A l'imagination *effarouchée*, tournée vers l'avenir et la société, s'oppose l'imagination *riante* orientée vers les apaisements de la rêverie. Elle n'est pas pour autant coupée du désir, qu'elle s'efforce de modérer et d'épurer; d'une part elle triomphe des embarras qui l'entravent, de l'autre elle décante le désir de ses passions adventices et le délivre de l'inquiétude du futur, si bien qu'il s'écarte de la jouissance terrestre pour se vouer à « la possession des biens imaginaires », ressentie comme la conquête d'un *empyrée* où il est loisible de savourer un bonheur durable. Le travail de l'imagination consiste à purger le désir de toute angoisse du présent ou de l'avenir, à lui restituer la pureté de son impulsion originelle, en le débarrassant des scories dont l'encombre l'existence. La thérapeutique de l'imaginaire se définit par l'acte du dépouillement en vue d'accéder à l'ataraxie.

A force de s'occuper de l'objet qu'il convoite, à force d'y tendre par ses désirs, sa bienfaisante imagination arrive au terme en sautant par-dessus les obstacles qui l'arrêtent ou l'effarouchent. Elle fait plus; écartant de l'objet tout ce qu'il a d'étranger à sa convoitise, elle ne le lui présente qu'approprié de tout point à son désir [...].

Mais cette même imagination si riche en tableaux riants et remplis de charmes rejette obstinément les objets de douleur et de peine, ou du moins elle ne les lui peint jamais si vivement que sa volonté ne les puisse effacer [10].

Ce penchant à contenir les mouvements de l'imagination par la fixation sur un objet et à se méfier de sa mobilité ne fait que s'accuser dans *Les Rêveries*. Certes Rousseau ne se refuse pas aux délices que lui causent « les sentiments expansifs », liés à la contemplation solitaire; il continue à vivre avec une prédilection sensible en compagnie des « enfants de [ses] fantaisies » qu'il organise comme une

[9] *Ibid., O. C.*, t. I, p. 845.
[10] *Ibid., O. C.*, t. I, pp. 857 et 858.

société idéale qui satisfait aux impératifs de l'affectivité. « Faculté consolatrice », qui apporte de vrais dédommagements à l'âme inquiète, l'imagination lui crée encore un peuple d'être vivants, aussi vivants que les êtres réels, mais plus parfaits et plus fidèles, avec lesquels il entretient un commerce constant et qui servent d'aliment à son cœur. La solitude est habitée par une société fictive, propice à l'épanchement discret et sincère des sentiments.

Tout le reste du temps livré par mes penchants aux affections qui m'attirent, mon cœur se nourrit encore des sentiments pour lesquels il était né et j'en jouis avec les êtres imaginaires qui les produisent et qui les partagent comme si ces êtres existaient réellement. Ils existent pour moi qui les ai créés et je ne crains ni qu'ils me trahissent ni qu'ils m'abandonnent. Ils dureront autant que mes malheurs mêmes et suffiront pour me les faire oublier [11].

L'imaginaire équilibre et compense toujours les imperfections de la réalité humaine et sociale, mais il s'éloigne moins délibérément du réel, comme si Rousseau redoutait de les disjoindre irrémédiablement. L'imagination éprouve la nécessité de circonscrire l'envergure de son vol, soit en s'associant à la mémoire, soit en s'attachant à un être ou un objet. L'essor de la rêverie suppose à la fois « le concours des objets environnants » qui lui servent de support et « le secours d'une imagination riante » qui l'empêche de s'éteindre dans le silence ou le repos. L'imagination apprivoise et intériorise le mouvement pour communiquer à la rêverie l'impulsion légère, indispensable à sa durée [12]. L'activité de la rêverie, qui se déploie dans le cadre d'un paysage liquide et végétal, opère la soudure du réel et de l'imaginaire, rapproche les fictions de la présence des objets au point d'abolir entre eux toute frontière. En s'éveillant du songe, Rousseau est incapable de « marquer le point de séparation des fictions aux réalités », car les élans de son imagination ont épousé les formes des objets. L'imaginaire adhère au réel grâce à cette vertu de fluidité dont la

[11] *Les Rêveries*, *O. C.*, t. I, p. 1081.
[12] La métaphore des « ailes de l'imagination » se retrouve à deux reprises dans *Les Rêveries*, dans la Ve où elle est associée à l'activité de la mémoire et dans la VIIe pour exprimer le parcours de la rêverie, qui ne parvient pas toujours à gouverner ses « égarements ».

rêverie est douée et par laquelle elle établit de constants échanges avec l'épaisseur des choses, soudainement revêtues d'une miraculeuse transparence.

Cette assimilation de l'imaginaire au réel se produit plus aisément par le moyen de la botanique qui délimite le champ d'activité de l'imagination et la fixe sur l'étude d'un objet ou d'un détail précis. L'observation des plantes et des fleurs la détourne des tourments qui l'effarouchent, elle lui impose de se concentrer dans un espace réduit qui entrave tout mouvement d'expansion. La botanique, en tant que science de la contemplation, applique à la lettre le précepte de l'*Emile*, selon lequel il convient de *rétrécir* l'univers imaginaire afin d'éviter les périls de sa dilatation spatiale.

Dans cet état, un instinct qui m'est naturel, me faisant fuir toute idée attristante imposa silence à mon imagination et fixant mon attention sur les objets qui m'environnaient me fit pour la première fois détailler le spectacle de la nature, que je n'avais guère contemplé jusqu'alors qu'en masse et dans son ensemble [13].

Non seulement la botanique contient les élans de l'imagination, mais l'univers végétal, par opposition aux règnes minéral et animal, offre la vision de l'innocence paradisiaque; la lumière originelle qui en émane exerce une action purificatrice, lave l'imagination de toutes les souillures attachées à l'anatomie et lui restitue le sentiment de la clarté intérieure. « Brillantes fleurs, émail des prés, ombrages frais, ruisseaux, bosquets, verdure, venez purifier mon imagination salie par tous ces hideux objets » [14]. L'imagination tarie se sépare de la violence du mouvement pour s'assujettir aux « objets sensibles », éprouver des sensations ou les plaisirs de la réminiscence; elle se refuse à s'écarter des limites de l'espace terrestre où elle comble ses désirs volontairement modestes. La botanique est une « thérapeutique mentale » et un « exercice spirituel » [15] qui n'abolissent pas l'activité de l'imagination, mais la compriment en l'associant à la mémoire. Elle l'enracine dans le temps du souvenir où le spectacle de la nature

---

[13] *Les Rêveries*, *O. C.*, t. I, p. 1062.
[14] *Ibid.*, *O. C.*, t. I, p. 1068.
[15] Les expressions sont de Marcel Raymond, *O. C.*, t. I, p. 1816.

s'est imprimé en tableaux paisibles. L'imagination transfigure les objets en les illuminant de l'intérieur et les transforme en un miroir où l'âme réfléchit les images de la sérénité qu'elle a difficilement conquise.

C'est la chaîne des idées accessoires qui m'attache à la botanique. Elle rassemble et rappelle à mon imagination toutes les idées qui la flattent davantage. Les prés, les eaux, les bois, la solitude, la paix surtout et le repos qu'on trouve au milieu de tout cela sont retracés par elle incessamment à ma mémoire [16].

L'imagination, ramenée à la mesure du souvenir et des impressions, n'est pas coupée de l'humain, encore qu'elle choisisse avec une prédilection évidente de se fixer en quelque point de l'espace naturel; elle est accessible à la pitié, capable de *s'identifier* « avec l'être souffrant ». Par l'effet d'une impulsion qui aiguise la sensation, elle peut, bien qu'elle tende à se replier dans la sphère de la subjectivité, se porter à la rencontre d'autrui, grâce à cette charge d'affectivité qui fait qu'elle entretient une relation permanente avec la nature et occasionnelle avec l'homme.

Qu'il soit de connotation positive ou négative, l'imaginaire correspond dans les *Dialogues* et *Les Rêveries* à des temps forts qui sont plus dispersés que dans *Les Confessions*; c'est pourquoi, marqué par la discontinuité, il ne saurait être considéré comme un principe de cohérence qui garantisse l'architecture de l'œuvre. Il reste présent dans l'angoisse de l'avenir, dans la vision contemplative et le phénomène de la rêverie, mais il a perdu de son autonomie et de son dynamisme, en ce sens que l'imagination, lasse et affaiblie, s'enracine plus solidement dans la réalité ou dans la substance du souvenir. L'imaginaire demeure un refuge ontologique, mais il est moins indépendant du support du réel et de la trace des sensations, moins sujet à puiser son énergie dans l'élancement du désir, dans le mouvement qui était autrefois attaché à son éclosion et à son déploiement spatial. Son recul se manifeste plus encore dans l'intensité que dans la fréquence.

---

[16] *Les Rêveries*, O. C., t. I, p. 1073.

DIALECTIQUE DU DÉDOUBLEMENT

Les *Dialogues* se distinguent des *Confessions* par la forme et le contenu, mais ils tendent vers le même but par des moyens différents: le rassemblement du moi divisé. Contrairement aux *Confessions*, ils sont détachés de la chronologie et du récit; ils s'élaborent en marge de l'espace et du temps ou, plus exactement, ils s'inscrivent dans le contexte d'un espace et d'un temps mythiques, signifiés au début par l'évocation du *monde idéal*, et ne se réfèrent à la réalité contemporaine que par les allusions aux machinations ténébreuses du complot. Le choix du dialogue, bien qu'il ne soit pas familier à Rousseau comme à Diderot et qu'il ne corresponde guère à la nature de son génie, ne concourt pas seulement à affranchir l'œuvre de la temporalité, il permet la confrontation par le dédoublement et le processus de l'argumentation dialectique, qui devient l'instrument de la justification. « La forme du dialogue m'ayant paru la plus propre à discuter le pour et le contre, je l'ai choisie pour cette raison » [17]. A vrai dire, le dialogue souvent se réduit à la forme du discours ou du monologue, utilisé aux fins du plaidoyer et de l'apologie. Il est tenu par deux interlocuteurs présents: le Français qui remplit d'abord la fonction de témoin de l'accusation et Rousseau qui se fait l'avocat de la défense; il porte sur un troisième personnage absent, Jean-Jacques, qui est l'objet de l'échange entre les deux interlocuteurs. Le dialogue instaure ainsi une relation triangulaire qui confirme qu'il n'est pas uniquement un mode de l'écriture, mais le truchement d'une méthode tantôt conjecturale, tantôt empirique par laquelle il s'agit d'élucider la nature de Jean-Jacques et de découvrir l'unité de son moi. Dans *Les Confessions*, Rousseau s'applique à déceler la cohérence à travers « la chaîne des sentiments », en opérant sur lui-même un travail d'unification. Il en est tout autrement dans les *Dialogues*, où le moi de l'écrivain est dédoublé, éclaté par la faute d'autrui; l'unité de l'être est plus ardue à conquérir et indépendante du concours de l'affectivité, puisqu'elle relève du jugement de l'autre. Le mouvement s'achemine de la dispersion vers l'unité par l'intermédiaire de la dialectique, chargée d'entraîner la conviction. La

---

[17] *Du sujet et de la forme de cet écrit, O. C.*, t. I, p. 663.

cohérence de l'œuvre est à rechercher dans la progression linéaire du dialogue, dissociée de l'événementiel, mais dirigée vers la révélation de l'unité ontologique. Le narrateur s'assigne pour tâche de persuader l'autre — le Français, englobant le public, le lecteur présent et futur — de l'homogénéité de Jean-Jacques.

Après avoir évoqué le mythe du *monde idéal*, habité par les *initiés*, comme le prélude nécessaire à l'intelligence de l'âme singulière de Jean-Jacques, le *Premier Dialogue* définit la situation, la fonction initiale des personnages et établit les fondements de la méthode, qui soutient le cheminement du discours. Cette situation triangulaire se fonde sur le dédoublement, la scission temporaire entre le Je et l'autre, Jean-Jacques et Rousseau. Comme l'observe Robert Osmont, ce dédoublement n'est pas le signe de la maladie et de l'aliénation, mais il « est avant tout au service d'une méthode psychologique » par laquelle l'acteur et le spectateur approfondissent la connaissance du moi. Il « ne représente rien d'autre qu'un temps de la dialectique », il « dissipe les fausses apparences, il sert la clarté » [18], il est un instrument momentané d'investigation et un mode du discours qui doivent produire l'éclatement de la vérité et la justification de l'innocence. La situation initiale ou ce que Robert Osmont appelle « l'hypothèse provisoire » est explicitée ainsi: le Français identifie le monstre avec l'auteur, tandis que Rousseau juge qu'il dispose des moyens de les dissocier. La relation entre les personnages, l'objet de leur discours et leur point de vue peuvent être schématisés de la manière suivante:

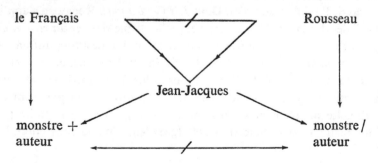

le Français   Rousseau

Jean-Jacques

monstre +   monstre /
auteur   auteur

[18] *O. C.*, t. I, pp. LVI-LVII.

Le discours porte sur un objet unique au sujet duquel les points de vue des interlocuteurs se séparent radicalement. La véritable fin des *Dialogues* sera de réduire cette dichotomie, de résoudre les conflits et les contradictions par la reconquête de l'unité ontologique, par la fusion indissoluble de Jean-Jacques et de Rousseau dans la perspective mythique de l'écriture.

Le *Premier Dialogue* pose doublement le problème de la rupture et de la contradiction : l'auteur des livres et l'auteur des crimes sont-ils le même homme, comme le Français le présume, ou sont-ils distincts, comme l'affirme Rousseau ? Puis cette coupure, à supposer qu'elle se confirme, correspond-elle à une division de l'existence de Jean-Jacques, partagée par l'acte d'écrire : la période antérieure à tout projet littéraire et celle postérieure à l'engagement dans la carrière des lettres ?

> Sa vie est coupée en deux parties qui semblent appartenir à deux individus différents, dont l'époque qui les sépare, c'est-à-dire le temps où il a publié des livres marque la mort de l'un et la naissance de l'autre [19].

La première partie des *Dialogues* constitue une approche de réconciliation de l'homme et de l'œuvre, en montrant qu'il est impossible de dissocier l'auteur des écrits sur la musique et celui du *Devin du Village*, en insistant sur les singularités qui distinguent Jean-Jacques de ses contemporains. Il est « un auteur qui écrit d'après son cœur », qui fonde son écriture sur la trace permanente du sentiment et la revendication d'indépendance, sur la pratique de la vertu et la recherche du bonheur, unies par la référence au modèle de la nature. Son étrangeté fait qu'il est voué à la solitude, tant par un choix personnel que par la séquestration concertée par ses adversaires. L'évidence de l'assentiment intérieur lui révèle le contraste aliénant entre la réalité et l'apparence, l'authenticité de « l'homme de la nature » et la facticité de l'homme social, corrompu par l'imperfection des institutions et les préjugés du monde. Elle raffermit son attachement à la religion et à la morale, lui assigne dans un siècle matérialiste et athée la tâche d'être « le peintre de la nature et l'historien du cœur humain ». Les

---

[19] *Dialogues*, O. C., t. I, p. 676.

singularités sont à l'origine de la *ligue*, formée contre lui dans le
dessein de lui nuire, mais elles lui confèrent en retour « le droit sacré
d'être entendu dans sa défense », de se justifier des accusations dont
il est l'objet, parce que le jugement est déterminé par les variations
de la subjectivité. L'imagination, sous l'empire d'une vision inspirée
par la haine et la malveillance, a créé de toutes pièces un être irréel et
fantastique, « un monstre hors de la nature, hors de la vraisemblance, hors de la possibilité », un être composé d'éléments tellement
contradictoires qu'ils en récusent la virtualité. Le moi défiguré de
Jean-Jacques est devenu imaginaire, comme s'il appartenait à la
fantasmagorie la plus inconcevable.

> Convenez de plus, que ce monstre, tel qu'il leur a plu de nous le forger
> est un personnage bien étrange, bien nouveau, bien contradictoire, un être
> d'imagination tel qu'en peut enfanter le délire de la fièvre, confusément
> formé de parties hétérogènes qui par leur nombre, leur disproportion, leur
> incompatibilité ne sauraient former un seul tout, et l'extravagance de cet
> assemblage, qui seule est une raison d'en nier l'existence, en est une pour
> vous de l'admettre sans daigner la constater [20].

Le seul remède consiste à écarter « toute autorité humaine » et à
refuser « toute preuve qui dépend du témoignage d'autrui » comme
suspecte et partiale, pour s'en remettre à l'observation personnelle.
Jean-Jacques ne saurait être jugé équitablement à travers « les interprétations d'autrui », il ne peut l'être que par une enquête objective,
portant sur la connaissance de sa nature et de ses écrits. Le regard de
l'autre doit être effacé pour que naisse un regard neuf, purifié des
mensonges et des préjugés.

Le projet du *Deuxième Dialogue*, conformément à cette méthode
fondée sur « la conviction directe », est de peindre un tableau moral
de Jean-Jacques en mettant en évidence sa spécificité, les penchants et
les étrangetés de sa nature. Il s'agit de procéder à partir de la connaissance de l'homme, de sa vie et de son caractère pour s'élever à la
connaissance de l'écrivain, pour dissocier le *monstre* de l'*auteur*.
Seule une observation attentive, désintéressée de sa vie privée, de son

---

[20] *Ibid., O. C.*, t. I, p. 746.

comportement et de ses passions permet d'accéder à sa vraie intériorité, de saisir les éléments qui déterminent la permanence de son moi.

Je résolus de l'étudier par ses inclinations, ses mœurs, ses goûts, ses penchants, ses habitudes, de suivre les détails de sa vie, le cours de son humeur, la pente de ses affections, de le voir agir en l'entendant parler, de le pénétrer s'il était possible en dedans de lui-même, en un mot, de l'observer moins par des signes équivoques et rapides que par sa constante manière d'être; seule règle infaillible de bien juger du caractère d'un homme et des passions qu'il peut cacher au fond de son cœur [21].

Ce portrait ne tend pas seulement à prouver la stabilité du tempérament de Jean-Jacques, mais il doit *paraître* « former [...] un seul tout » par la fidélité à la nature et la persistance de certains traits de son caractère.

Une première approche de la cohérence se dessine à travers l'attachement de Jean-Jacques à la solitude, soit qu'elle corresponde à un penchant inné, soit qu'elle compose un refuge contre la société dont il redoute les atteintes. Ou plutôt, la passion de la retraite, qu'il a toujours éprouvée comme une qualité de son être, est devenue une nécessité existentielle sous la pression des circonstances. Elle satisfait par la distance le goût de l'oisiveté et de la sérénité dont son âme a besoin; elle l'incite à préférer les extases de la contemplation au travail de la pensée, elle le met en relation avec la nature, avec les puissances liquides et telluriques. Elle prolonge en lui le songe de l'insularité et lui fournit les moyens d'appliquer l'éthique de l'auto-suffisance. Au propos de Diderot: « *Il n'y a que le méchant qui soit seul* » Rousseau oppose le précepte: « *Quiconque se suffit à lui-même ne veut nuire à qui que ce soit* » [22]. Le solitaire s'écarte des troubles et des périls de l'action pour adopter la morale de l'*abstinence* grâce à laquelle il évite de porter préjudice à autrui et de céder à l'empire des passions sociales; la retraite est un mode privilégié de l'existence, la condition de la rêverie et de l'écriture.

Puis le tempérament de Jean-Jacques est commandé par la prédominance de la sensibilité *physique* et de la sensibilité *morale*: la

---

[21] *Ibid.*, *O. C.*, t. I, pp. 783-784.
[22] *Ibid.*, *O. C.*, t. I, pp. 789 et 790.

première est « organique », « purement passive » et réceptrice de telle manière qu'elle se confond avec la sensation, apte à enregistrer les impressions que lui communique le spectacle des objets naturels et humains, tandis que la seconde, identifiée avec l'affectivité, est « active » et projetée vers l'existence d'autrui. « La sensibilité physique » caractérise « l'homme de la nature », qui se fie à l'immédiateté de la perception, s'attache à la conservation de son moi et se détourne des dangers de la réflexion, elle favorise le repli sur soi et la « paresse de penser »; au contraire « la sensibilité morale » engendre les émotions et régit toute relation avec l'autre sous le signe de l'expansion. Ces deux types de la sensibilité, l'un statique, l'autre dynamique, s'amalgament plutôt qu'ils ne se séparent chez Jean-Jacques, en ce sens que leur harmonie participe à l'essor de la vie intérieure, qu'elle détermine ce contraste entre la vivacité du sentiment et la lenteur de la pensée, entre la spontanéité du cœur et les embarras de la réflexion, cette dualité qui constitue l'une des singularités de Jean-Jacques.

Le recours à la rêverie et à l'imaginaire est aussi l'une des constantes par lesquelles le lecteur peut saisir l'unité du caractère de Jean-Jacques. Il lui sert de refuge contre l'emprise de la société et contre les infortunes de son destin, en hissant son moi « dans les régions éthérées » et « l'empyrée », où il comble les désirs de son « âme expansive ». La rêverie lui convient, parce qu'elle satisfait la double tendance de sa nature: d'une part une ardeur violente, avide d'affectivité, de l'autre le goût de l'oisiveté et le recul de la volonté en présence de l'action. Elle le détache des obstacles, en lui proposant un univers conforme aux désirs de son cœur, mais elle n'a rien d'abstrait pour autant, puisqu'elle se déploie avec « le concours des objets sensibles » et qu'elle est guidée par les impressions qui naissent de la contemplation de la nature.

Un cœur actif et un naturel paresseux doivent inspirer le goût de la rêverie. Ce goût perce et devient une passion très vive, pour peu qu'il soit secondé par l'imagination. C'est ce qui arrive très fréquemment aux Orientaux; c'est ce qui est arrivé à J.-J. qui leur ressemble à bien des égards [23].

---

[23] *Ibid.*, *O. C.*, t. I, p. 816.

« Cette pente aux douces rêveries » règle le caractère de Jean-Jacques, ses dispositions profondes et son mode de vie, « ses vices mêmes et les vertus qu'il peut avoir » : la dilatation du sentiment, le penchant à l'indolence, le goût de la promenade et la passion de la nature, la vision d'une sphère transcendante, l'attachement à la solitude et à l'indépendance, la distanciation de la société et de l'action... Elle est la source d'une énergie unifiante qui a le pouvoir de réconcilier le réel et l'imaginaire en dehors de la perception inquiète du temps. La rêverie est un phénomène cosmique, remplissant une fonction psychique dans la mesure où elle incarne « la puissance même de l'être au repos » et « un des états féminins de l'âme » [24]. Elle correspond à l'activité de l'*anima*, à la composante féminine de l'âme par opposition au discours de la raison ; elle apporte cette quiétude qui rassérène l'imagination et devient le mobile du sentiment de l'existence en harmonie avec les formes de la nature.

Tel j'ai vu l'indolent J.-J., sans affectation, sans apprêt, livré par goût à ses douces rêveries, pensant profondément quelquefois, mais toujours avec plus de fatigue que de plaisir et aimant mieux se laisser gouverner par une imagination riante, que de gouverner avec effort sa tête par la raison [25].

La solitude, la sensibilité et la rêverie fondent la cohérence du caractère de Jean-Jacques, en faisant de lui « l'homme de la nature » (et non de l'état de nature), car seule la soumission aux mouvements immédiats de la nature peut rendre « son cœur transparent comme le cristal ». La promenade, la contemplation et la botanique lui restituent cette limpidité sans cesse ternie par l'opacité des rapports sociaux. La composition et l'exécution musicales, plus spontanées que l'écriture et plus pénétrées du fluide de l'affectivité, le chant des oiseaux et la compagnie des animaux entretiennent cette communication avec la nature en laquelle son âme découvre le miroir de son analogie. « L'étude particulière de l'homme », de ses inclinations et de ses habitudes révèle l'unité de son être, la relation consubstantielle qui s'établit entre l'homme et son œuvre sous le signe irréfutable de

[24] Gaston Bachelard, *La Poétique de la rêverie*, p. 17.
[25] *Dialogues*, *O. C.*, t. I, p. 865.

la nature. Rousseau déclare au Français: « En un mot, comme j'ai trouvé dans ses livres l'homme de la nature, j'ai trouvé dans lui l'homme de ses livres sans avoir eu besoin de chercher expressément s'il était vrai qu'il en fût l'Auteur » [26]. Le Français est à son tour contraint de reconnaître que Jean-Jacques est foncièrement étranger à l'image que ses adversaires ont forgée de lui, qu'il s'agit de deux êtres, l'un réel, l'autre fictif et engendré par la malveillance, qui n'entretiennent aucun rapport entre eux. Jean-Jacques a durement payé le prix de la singularité de son être, de la sincérité de son système, qui a été dénaturé, parce qu'il s'articulait sur l'énonciation dangereuse de la vérité, sur l'apologie de l'éthique et de la religion face à l'athéisme contemporain. L'origine du complot, tendant à diviser son être et à falsifier sa pensée, est dans « l'orgueilleux despotisme de la philosophie moderne », qui, inspirée par le fanatisme, s'est consacrée à dégrader le moi et l'œuvre de Jean-Jacques, qui se différencient de la pente du siècle au nom d'une sincérité jugée préjudiciable. Défiguré par ses semblables, Jean-Jacques ne peut se fortifier que « dans l'estime de lui-même » dont *Les Confessions*, « cette histoire de son âme », sont le témoignage authentique. Ses mémoires, de même que ses *Dialogues*, ont pour objet d'anéantir l'image du *monstre*, par le dévoilement de son être intérieur. Ainsi le *Deuxième Dialogue* marque une progression évidente dans le sens de la conquête de l'unité, non seulement parce que le Français convient de dissocier l'auteur des livres de celui des crimes, mais surtout parce que le moi de Jean-Jacques se concentre désormais autour de quelques traits fondamentaux qui permettent de circonscrire le noyau de l'être sous la sauvegarde de la nature.

Le *Dialogue troisième*, plus bref que les deux précédents, passe de l'étude de l'homme à celle de l'œuvre, dont le Français présente quelques extraits, témoignant des « dures vérités » que Jean-Jacques a exprimées à l'endroit de son siècle. Le Français intervient plus souvent et plus longuement dans le discours, persuadé qu'il est de la *mauvaise foi* des adversaires de Jean-Jacques et de leur animosité systématique. Il reconnaît son *aveuglement* passé et adopte un chemi-

---

[26] *Ibid.*, O. C., t. I, p. 866.

nement méthodologique différent de celui de Rousseau, en partant
de la lecture de l'œuvre, en en confrontant le contenu avec le portrait
que Rousseau a tracé de Jean-Jacques. Son projet est de saisir l'identité qui existe entre le système et son auteur, entre l'énoncé et le
locuteur.

> Je crus qu'en méditant très attentivement ses ouvrages, et comparant
> soigneusement l'Auteur avec l'homme que vous m'aviez peint, je parvien-
> drais à éclairer ces deux objets l'un par l'autre et à m'assurer si tout était
> bien d'accord et appartenait incontestablement au même individu [27].

L'examen de l'œuvre doit prouver l'identité de « l'homme de la
nature » et de l'auteur des livres, qui se dissocient du *monstre*, engendré
par l'imagination des contemporains. Le Français acquiert la certitude
que Jean-Jacques est « innocent et vertueux », que ses écrits attestent
son innocence et sa vertu, et qu'ils contribueront à déchirer « le voile
de l'imposture ». L'ordre de la vérité sera rétabli avec le concours de
la Providence et Jean-Jacques recouvrera l'unité ontologique que son
siècle lui a dérobée en le réduisant en morceaux hétéroclites dans le
but de le compromettre et de neutraliser la portée de son système.
Les *Dialogues*, plus que *Les Confessions*, sont dictés par le souci de la
justification, le parti de l'apologie, qui ne se contente pas de la
défense de l'accusé, mais passe à l'attaque ouverte de l'adversaire.
Rousseau et le Français s'accordent à dénoncer les falsifications dont
l'œuvre de Jean-Jacques a été l'objet, à condamner le matérialisme de
« la secte philosophique », attachée à saper les principes de la religion
et de la morale, à détruire la liberté et l'espérance de l'au-delà, au
nom de « cette commode philosophie des heureux et des riches qui
font leur paradis en ce monde » [28]. A cette intolérance Jean-Jacques
oppose sa certitude intime, respectueuse de l'indépendance de l'individu et au nom de laquelle « chacun est porté naturellement à croire
ce qu'il désire ». Contre cette philosophie de l'installation confor-
table dans le siècle, il élève « la voix de la conscience », qui postule
la transcendance et la confiance en l'immortalité. Rousseau et le
Français vont travailler de concert à la réinstauration de « l'ordre

[27] *Ibid.*, *O. C.*, t. I, p. 932.
[28] *Ibid.*, *O. C.*, t. I, p. 971.

naturel », qui attestera l'innocence de Jean-Jacques ; ils sont unis dans la même cause : préserver l'œuvre pour qu'elle révèle dans le futur la lumière de l'authenticité. Ainsi le schéma triangulaire, signifiant la situation initiale des *Dialogues*, peut être modifié de la manière suivante :

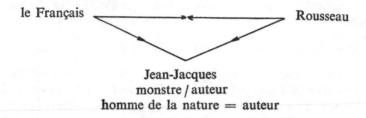

Les *Dialogues*, que d'aucuns persistent à juger une œuvre délirante, vont plus que *Les Confessions* dans le sens de la conquête de l'unité, obtenue au prix de l'effort sur soi et de ce que Robert Osmont appelle « le tourment de la connaissance de soi-même » : « En affirmant l'unité de la personnalité (tel homme, telle œuvre) les *Dialogues* offrent donc une excellente apologie ; mais cette apologie n'exclut pas l'interrogation inquiète » [29]. Ils tendent à établir « la constante manière d'être » de Jean-Jacques, à préserver de toute altération l'*essence* de son moi, indépendamment des déformations produites par le regard d'autrui. « Ils auront beau faire un J.-J. à leur mode, Rousseau restera toujours le même en dépit d'eux », proclame l'*Histoire du précédent écrit* [30]. Tel est bien le dessein des *Dialogues* : recréer l'unité de l'être au-delà des contradictions apparentes et des tendances diverses du moi, au-delà des changements engendrés par une société hostile. Il s'agit de se distancer du paraître inventé par les autres pour unifier l'être et le paraître de son moi, de les faire coïncider par la fidélité au modèle de la nature, identifiée avec une exigence éthique et spirituelle. Obéissant à une sorte de composition cyclique, les *Dialogues* s'ouvrent par l'évocation mythique du monde idéal où le moi

[29] *O. C.*, t. I, pp. LXV et LXIV.
[30] *O. C.*, t. I, p. 985.

découvre sa finalité et ils s'achèvent par la jouissance solitaire de l'identité reconquise. « Le mythe de ce monde irréel perd peu à peu avec son caractère d'univers sa valeur fictive pour devenir et de plus en plus restreint et de plus en plus réel: au bout du compte, il définira seulement l'âme de Jean-Jacques » [31]. Le mythe, de collectif qu'il était, devient individuel, garant par l'écriture de l'unité de l'être, séparé désormais de toute société; il se clôt par le discours de la solitude, qui sera prolongé dans *Les Rêveries*.

Aérolithe solitaire

Le cheminement en quête de l'unité est plus difficile à percevoir dans *Les Rêveries du promeneur solitaire* que dans les *Dialogues*; il n'est pas assuré continûment par le phénomène de la rêverie, qui tantôt s'efface devant la méditation morale et spirituelle, qui tantôt est lié à la contemplation de la nature. Selon Rousseau, la méditation et la rêverie, indépendamment de leur démarche distincte, sont dans le prolongement l'une de l'autre, soit que la rêverie débouche sur la méditation, soit au contraire que celle-ci suscite les extases de la rêverie, en s'assignant en elles son achèvement grâce au concours de l'imagination et à son aptitude à parcourir les dimensions de l'espace.

Quelquefois mes rêveries finissent par la méditation, mais plus souvent mes méditations finissent par la rêverie, et durant ces égarements mon âme erre et plane dans l'univers sur les ailes de l'imagination dans des extases qui passent toute autre jouissance [32].

A vrai dire, l'étude du contenu de l'œuvre persuade le lecteur que méditation et rêverie se différencient plus que Rousseau ne le laisse entendre, que la première, prédominante dans plusieurs des *Promenades*, se détache de la seconde pour se développer à la faveur d'un mouvement autonome. La part de la rêverie pure est assez restreinte et éparse dans l'œuvre, elle correspond à des temps exemplaires dans l'espace du texte, à des moments qui s'inscrivent dans la trame du

---

[31] Michel Foucault, *Rousseau juge de Jean-Jacques*, p. XXI.
[32] *Les Rêveries*, *O. C.*, t. I, p. 1062.

discours comme une pause, une espèce de détachement pendant lequel
la durée est en suspens. Ces temps marqués par la fusion avec les
éléments de la nature sont surtout perceptibles dans les IIe, Ve, VIIe
et Xe *Promenades*. La rêverie est une détente, « un mode naturel de la
pensée abandonnée à elle-même » [33], déterminée par le charme de
l'indolence et délivrée de la pensée discursive; elle erre à travers les
objets de la nature sans jamais se contraindre, elle obéit aux mouvements de l'ondulation, qui rompent avec la linéarité de la logique;
elle libère Jean-Jacques de la lassitude qu'il éprouve à penser et des
rigueurs de la réflexion dialectique. Si la rêverie cède à la passivité,
la méditation est au contraire soumise à un cheminement continu,
centrée sur l'examen de conscience et la recherche de « la vérité
morale »; elle est gouvernée par les exigences de l'introspection et la
volonté de connaissance, ainsi qu'en témoignent les Ire, IIIe, IVe,
VIe, VIIIe et IXe *Promenades*. On peut dire en abrégé que la rêverie
exprime la relation du moi avec la nature, tandis que la méditation
apparaît comme une interrogation sur l'essence de l'être, sa destination et la relation qu'il entretient avec autrui.

$$\text{rêverie} = \text{moi} + \text{nature} \ / \ \text{méditation} = \text{moi} + \text{autrui}$$

La rêverie et la méditation, bien que séparées, sont souvent paral-
lèles ou complémentaires, comme il arrive en particulier dans les
IIe et VIIe *Promenades*; elles s'amalgament, s'appuient réciproquement pour composer cette originalité spécifique des *Rêveries*, faite de
l'alliance de la poésie et de la réflexion. Dans une première phase,
l'organisation de l'œuvre peut être perçue en fonction de cette polarité
de la rêverie et de la méditation, puis en relation avec le rôle assigné
à la nature.

M	M + R	M	M	R	M	M + R M	M	R
I	II	III	IV	V	VI	VII	VIII	IX X
N (−)	N (+)	N (−)	N (−)	N (+)	N (−)	N (+)	N	N N

---

[33] Marcel Raymond, *O. C.*, t. I, p. LXXVIII.

M = méditation
R = rêverie
N (−) = absence de la nature
N = présence de la nature
N (+) = présence prédominante de la nature

Bien que Rousseau considère ses *Rêveries* comme « un informe journal » qui serait dépourvu d'une cohérence interne, il ne semble pas que l'on puisse se contenter de voir dans chaque *Promenade* un microcosme, constitué autour d'une thématique propre et distincte. L'unité de chacune des divisions ne légitime pas une lecture fondée sur la seule juxtaposition des parties; elle ne doit pas masquer la saisie d'un enchaînement, d'une architecture linéaire qui s'organise selon les principes de la continuité, de la rupture et de l'alternance [34]. Entre la Iʳᵉ et la IIᵉ *Promenade*, la relation s'établit aisément, ainsi qu'on l'a observé plus d'une fois, en ce sens la IIᵉ reprend le thème du dessein général de l'œuvre auquel la Iʳᵉ est consacrée. Alors que la IIᵉ s'achève par l'affirmation de la confiance en la justice divine, seule capable de restaurer l'ordre sans cesse compromis dans le monde de l'ici-bas, la IIIᵉ se concentre sur l'étude du problème religieux et la fidélité à la *Profession de foi du Vicaire savoyard*, sur la croyance de Rousseau en l'action de la Providence, sur l'espérance en la destinée immortelle de l'âme et la primauté de « l'assentiment intérieur ». La transition s'opère aussi naturellement de la IIIᵉ à la IVᵉ *Promenade*, puisque l'écrivain passe de l'examen de ses certitudes religieuses à l'examen d'un problème éthique: celui du *dictamen* de la *conscience* en quête de la sincérité, sévèrement dépouillée des risques de l'artifice et du mensonge. La « vérité morale », issue du cœur, est gouvernée par la vérité religieuse, associée à la présence du sacré dans l'univers. En revanche aucun lien, même implicite, ne rattache la IVᵉ à la Vᵉ *Promenade*, qui évoque le bonheur extatique de la rêverie et la plénitude du sentiment de l'existence; entre les deux

[34] Cf. sur l'enchaînement des *Rêveries*: Marcel Raymond, *O. C.*, t. I. pp. LXXXVI-LXXXVII, et Robert Ricatte, *Réflexions sur Les Rêveries*, pp. 77-120,

s'introduit une rupture, marquée par le fait que le lyrisme poétique se substitue à la préoccupation éthique pour célébrer l'harmonie, qui s'instaure entre le moi et la nature sous le signe de la rêverie. La VIᵉ opère un retour à la morale par une interrogation sur les motifs du comportement à l'égard d'autrui, par la conviction que l'éthique de l'abstention demeure pour Rousseau le meilleur moyen de sauvegarder sa liberté. Quant à la VIIᵉ *Promenade*, consacrée à l'herborisation, elle entretient d'évidentes affinités avec la Vᵉ, en opposant les pouvoirs de la rêverie à ceux de la réflexion et en exprimant l'identification de l'« âme expansive » avec le spectacle du cosmos. La VIIIᵉ *Promenade* rompt avec la précédente et repose sur la double dichotomie: concentration / expansion, solitude / multitude, qui se résout par le choix d'un mode autarcique de vie, fondé sur l'indifférence et le détachement d'autrui. Ainsi les *Promenades* I à IV s'ordonnent selon une succession, établie sur la continuité, alors que les *Promenades* V à VIII s'organisent d'après le double principe de la rupture et de l'alternance (V et VII d'une part, VI et VIII de l'autre se correspondant). La VIIIᵉ et la IXᵉ *Promenades* sont reliées par l'interrogation sur le rapport du Je avec l'autre, sur la recherche du bonheur dans la solitude, car le visage de la nature est empli d'une lumière sereine dont le visage humain est la plupart du temps, sinon chez l'enfant et chez tel vieillard, douloureusement privé. La Xᵉ *Promenade*, séparée de la IXᵉ, est une rêverie mémoriale évoquant le bonheur vécu en compagnie de Mᵐᵉ de Warens et la nostalgie du passé. Dans les deux dernières *Rêveries*, l'alternance est inversée, puisque VIII et IX s'enchaînent, tandis que la Xᵉ renvoie à la Vᵉ et à la VIIᵉ par l'aspiration lyrique à immobiliser le temps dans le souvenir. L'architecture linéaire des *Rêveries* peut être représentée en fonction de la continuité et de l'alternance:

$$\text{I} \longrightarrow \text{II} \longrightarrow \text{III} \longrightarrow \text{IV} \,/\, \text{V} \,/\, \text{VI} \,/\, \text{VII} \,/\, \text{VIII} \longrightarrow \text{IX} \,/\, \text{X}$$

Mais, au-delà de cette linéarité discontinue, le principe de la cohérence thématique de l'œuvre est à rechercher dans la permanence de la solitude et dans la fidélité de Rousseau à son projet de se suffire à lui-même. *Les Rêveries* sont un discours de la solitude et sur la solitude que Rousseau s'adresse à lui-même, où il assume la double fonction de scripteur et de lecteur dans un isolement qui fait que la quête de l'identité empêche toute ouverture sur l'altérité.

C'est peut-être cette paradoxale constante de la solitude qui nous fournit la *raison des effets* et résout la contradiction entre l'impression de Rousseau auteur et celle de Rousseau lecteur de ses propres œuvres.

[...] Rousseau ne peut devenir les autres, il ne peut se diviser intérieurement ainsi, et c'est la vraie raison de sa solitude [35].

L'affirmation de la solitude irréductible, placée en tête de la Ire *Promenade*, gouverne la totalité de l'œuvre; elle énonce d'emblée le motif central autour duquel se construisent *Les Rêveries*. « Me voici donc seul sur la terre, n'ayant plus de frère, de prochain, d'ami, de société que moi-même » [36]. La conjonction *donc* exprime à la fois une conclusion et une conséquence, elle « éclate, au premier temps de la plainte, comme un accord au début d'une symphonie » et « achève toute une vie », ainsi que le note Jean Guéhenno [37]; certes, mais elle instaure aussi la relation des *Rêveries* avec *Les Confessions* et les *Dialogues*, en situant la dernière œuvre autobiographique dans le prolongement des deux autres comme une nouvelle interrogation sur la nature de son moi et sa destinée. Jean-Jacques, *détaché* de ses semblables et de *tout*, est une fois de plus sommé de répondre à la question lancinante: « que suis-je moi-même ? », d'approfondir la connaissance de soi et de déterminer les « dispositions intérieures » qui fondent l'unicité de son être. Il continue à se persuader de la permanence de son moi, « moi le même homme que j'étais, le même que je suis encore », mais, à la différence des *Confessions*, la quête de l'identité ne repose plus sur l'affirmation de la singularité, elle est fixée sur l'acceptation de la solitude; c'est le choix de la retraite qui assure la spécificité de Rousseau face à la multitude de ses contemporains. Il devient le leitmotiv, témoignant de la cohérence de l'être et de celle de l'œuvre. Les promenades, les rêveries, les méditations, la botanique et l'écriture sont des exercices de la solitude et de la

---

[35] Robert Ricatte, *Réflexions sur Les Rêveries*, pp. 69 et 70.
[36] *Les Rêveries*, O. C., t. I, p. 995.
[37] Cit. dans O. C., t. I, p. 1763.

concentration. Rousseau tente l'expérience de la rupture, en se détachant du monde et de ses semblables; il se rend « impassible comme Dieu même », étranger comme un aérolithe à la terre qu'il habite et à la société dans laquelle il est réduit à achever sa vie. Il se définit par sa distance à l'égard d'autrui et son moi se transforme en un centre où il découvre la quiétude propre à combler les jouissances de l'intériorité.

> Tout ce qui m'est extérieur m'est étranger désormais. Je n'ai plus en ce monde ni prochain, ni semblables, ni frères. Je suis sur la terre comme dans une planète étrangère où je serais tombé de celle que j'habitais. [...] Seul pour le reste de ma vie, puisque je ne trouve qu'en moi la consolation, l'espérance et la paix, je ne dois ni ne veux plus m'occuper que de moi [38].

Rousseau se consacre à lui-même, il considère l'écriture comme un acte de la solitude, qui ne s'adresse pas au Tu du lecteur, mais qui renvoie au Je du locuteur. Il n'écrit plus dans le dessein de se justifier comme dans *Les Confessions*, la connaissance de soi est coupée de la préoccupation de révéler aux autres la substance de son âme, *il n'écrit ses rêveries que pour lui*, pour le plaisir de les écrire et de les lire. Le projet de *fixer* l'objet de ses rêveries *par l'écriture* lui devient un mode de vie et un instrument de salut, un contentement narcissique qu'il renouvelle par la relecture et le souvenir, détachés des contingences du présent. Ecriture de soi et lecture de soi font que Jean-Jacques n'existe plus que pour lui, séparé de la société et des autres. « Je suis nul désormais parmi les hommes. » La Ire *Promenade*, affirmant la primauté de la solitude au niveau de l'être et de l'écriture, commande l'organisation de l'œuvre, en établissant les fondements d'une éthique de la retraite et de la jouissance de soi.

La IIe *Promenade* reprend le thème pour signifier que la solitude est la condition du bonheur pour Jean-Jacques, « séquestré de la société des hommes », qu'elle procure cette plénitude ontologique que le monde ne saurait assurer. L'isolement de la promenade et de la rêverie permet au moi d'entrer en possession de lui-même, dans la conformité à une destination naturelle.

---

[38] *Les Rêveries, O. C.*, t. I, p. 999.

Ces heures de solitude et de méditation sont les seules de la journée où je sois pleinement moi et à moi sans diversion, sans obstacle, et où je puisse véritablement dire être ce que la nature a voulu [39].

Mode d'être et de vie, la solitude implique de *nourrir* son cœur « de sa propre substance », de puiser en soi les énergies nécessaires à une autarcie de type spirituel, puis de découvrir par l'intermédiaire de la contemplation un accord avec le spectacle de la nature. La rêverie, consécutive à l'accident de Ménilmontant, scelle, dans la précarité d'un moment arraché au temps, une harmonie allant jusqu'à la fusion de l'être avec les éléments du cosmos et prolongée par la réminiscence. La IIIe *Promenade* et la IVe surtout sont des méditations solitaires, dictées par la pensée dialectique, elle font moins de place à la réflexion sur la solitude. En s'interrogeant sur « la nature et la destination de [son] être », Rousseau se sent une fois de plus étranger à la société et voué à l'insularité ; mais il reconnaît qu'« une solitude aussi complète, aussi permanente, aussi triste en elle-même » peut engendrer la lassitude et le découragement. Il découvre que la retraite est ambiguë : la plupart du temps fortifiante et apaisante pour l'âme, quelquefois la source d'une inquiétude qui étreint le cœur, contraint de refouler les mouvements de l'affectivité.

La Ve *Promenade* est au contraire le plus bel hymne qui soit à la gloire de la solitude insulaire, de l'effort pour *se circonscrire* dans l'espace cosmique et spirituel. Toutes les occupations oisives auxquelles se livre Rousseau dans l'espace de l'île, les promenades et la botanique, la contemplation et la rêverie, sont autant de représentations de la solitude heureuse où l'être réussit à *s'enlacer de lui-même*, à se focaliser à l'intérieur d'un cercle autonome. L'interdépendance de l'isolement et de la rêverie favorise la participation aux puissances de la nature et aiguise la perception du « sentiment de l'existence », éprouvée dans la plénitude de l'autosuffisance. L'île est le lieu privilégié de la retraite, où « la vie recueillie et solitaire » est affectée d'un signe positif, parce qu'elle s'épanche en dehors des obstacles et qu'elle s'affranchit de toute inquiétude. Il est la sphère

[39] *Ibid., O. C.*, t. I, p. 1002.

où le monde intérieur et le monde extérieur se réconcilient, où l'existence est sentie simultanément comme une présence à soi et une présence aux harmonies du paysage. La solitude est vécue dans la possession de l'être, dans la possession du temps et de l'espace, ramenés par la rêverie à la mesure du moi; elle devient une fusion ontologique avec la beauté de la création.

La VIe *Promenade* reprend le thème de la solitude sous la forme de l'éthique de l'abstention. La retraite est une protection au double sens du terme, puisqu'elle préserve Jean-Jacques de la malveillance d'autrui et qu'elle l'empêche de nuire inconsciemment aux autres. Elle assure les fondements de l'indépendance, qui est la condition du bien, et se détourne de la servitude, qui détermine le penchant au mal. Elle est affirmation de la liberté, vécue comme une expérience autonome, en marge de l'organisation sociale.

Le résultat que je puis tirer de toutes ces réflexions est que je n'ai jamais été vraiment propre à la société civile où tout est gêne, obligation, devoir, et que mon naturel indépendant me rendit toujours incapable des assujettissements nécessaires à qui veut vivre avec les hommes [40].

Le choix de la solitude écarte Rousseau de l'action pour laquelle il se sent peu d'aptitude et lui communique une *force négative* par laquelle il refuse les gestes et les pensées contraires à son tempérament. Elle lui permet d'être lui-même et lui confirme son identité en face d'un monde qui s'ingénie à la récuser.

Dans le prolongement de la Ve, la VIIe *Promenade* célèbre la rêverie dans la nature et l'herborisation, en tant que pratique de la solitude. La botanique favorise le double mouvement de la concentration et de l'expansion: d'abord elle éloigne les périls de la pensée et de l'imagination, en réduisant les *idées* à des *sensations*, en contraignant le moi à se fixer sur la contemplation de l'objet et à se nourrir des impressions que cet objet suscite en lui; dans un premier temps, elle astreint l'être à étudier les détails de la fleur ou de la plante, à immobiliser son attention sur de minuscules parcelles de l'univers, puis, dans un second temps, elle lui permet de s'élever à la vision de la

---

[40] *Ibid.*, *O. C.*, t. I, p. 1059.

totalité de l'univers, de pénétrer « dans le système des êtres » et de s'« identifier avec la nature entière ». La perception des *odeurs*, des *couleurs* et des *formes* projette le contemplateur dans les temps mythiques de la genèse et le persuade de l'unité du cosmos, garantie par l'acte divin de la création. « La botanique est l'étude d'un oisif et paresseux solitaire », elle compense l'absence des hommes par la présence de la nature et assigne à celui qui s'est retranché de la société une place dans le macrocosme. La solitude communique avec les forces de la nature, devenue le refuge le plus efficace contre la malignité et les scélératesses dont l'humanité se rend coupable, en s'abritant derrière un écran anonyme. Rousseau en est réduit à se dérober à ses semblables et à rechercher les solitudes maternelles de la nature, comme l'asile où luit encore le soleil de la sérénité.

Alors me réfugiant chez la mère commune j'ai cherché dans ses bras à me soustraire aux atteintes de ses enfants, je suis devenu solitaire, ou, comme ils disent, insociable et misanthrope, parce que la plus sauvage solitude me paraît préférable à la société des méchants qui ne se nourrit que de trahisons et de haine [41].

Le cheminement solitaire à travers les prés et les vallons, « sous les ombrages d'une forêt » ou « le feuillage des bois » représente la quête d'un abri naturel, mais il s'expose à un risque, celui de se sentir envahi par un *vide*, causé par les élans insatisfaits de l'affectivité. C'est précisément à la botanique, en tant que méditation concrète, qu'est attribuée la fonction de combler ce vide intérieur. Elle mobilise l'attention sur le spectacle de l'univers, sur les perceptions sensibles et morales qu'il déclenche. La botanique devient un travail intérieur par lequel les objets de la nature, grâce à l'herbier, ressuscitent dans l'imagination mémoriale. La contemplation devient médiate, le spectacle perdu des choses renaît dans le souvenir, en s'accompagnant des sentiments qui lui sont associés. La tranquillité de la retraite est revécue dans la mémoire, comme le dédommagement des peines subies au contact de la réalité sociale.

Dans les VIIIᵉ et IXᵉ *Promenades*, le sentiment de la solitude n'est plus lié à l'univers liquide et végétal, mais à nouveau confronté à

---

[41] *Ibid.*, *O. C.*, t. I, p. 1066.

l'univers humain; il est imposé par l'hostilité d'autrui, par la volonté
d'être soi à tout prix, de resserrer le champ de l'affectivité et de vivre
dans le cercle de la plus stricte autarcie. La défense de l'intégrité de
l'être est dans « l'estime de soi-même », dans le parti d'exister en
fonction de sa propre capacité et de se découvrir une ferme *assiette*,
où l'âme puisse jouir de sa quintessence intime.

> Réduit à moi seul, je me nourris il est vrai de ma propre substance
> mais elle ne s'épuise pas et je me suffis à moi-même quoique je rumine
> pour ainsi dire à vide, que mon imagination tarie et mes idées éteintes ne
> fournissent plus d'aliments à mon cœur.

> [...] Pressé de tous côtés je demeure en équilibre parce que ne m'atta-
> chant plus à rien je ne m'appuie que sur moi [42].

La solitude révèle à Rousseau que ses contemporains sont des « êtres
mécaniques », mus « par impulsion » et coupés de leurs racines
ontologiques, tandis qu'il les recherche en lui-même, dans la permanence de son moi. Elle lui offre le privilège de persévérer dans son
être, au-delà de sa propre faiblesse et de sa vulnérabilité.

> De quelque façon que les hommes veuillent me voir ils ne sauraient
> changer mon être, et malgré leur puissance et malgré toutes leurs sourdes
> intrigues, je continuerai quoi qu'ils fassent d'être en dépit d'eux ce que
> je suis [43].

Etre soi, c'est céder au charme immédiat de la sensation, à laquelle
l'esprit attache « une cause morale », c'est se livrer au plaisir de la
réminiscence, qui auréole d'un prestige lumineux le bonheur du passé,
c'est assumer sa solitude dans le détachement des autres, de leurs
menaces et de leurs cabales. « Je ne suis à moi que quand je suis seul,
hors de là je suis le jouet de tous ceux qui m'entourent » [44]. Etre soi,
c'est se distancer des villes pour gagner les solitudes champêtres,
après s'être purifié « des passions sociales et de leur triste cortège »,
c'est retrouver dans le contact physique avec la verdure une image
primitive du moi, qui s'épanouit dans la conformité au modèle de la

---

[42] *Ibid.*, *O. C.*, t. I, pp. 1075 et 1077. La formule, « réduit à moi seul », est
reprise à la p. 1077.

[43] *Ibid.*, *O. C.*, t. I, p. 1080.

[44] *Ibid.*, *O. C.*, t. I, p. 1094.

nature et savoure la jouissance innocente de soi, comme s'il habitait l'espace préservé du « paradis terrestre ». Les mouvements de la concentration et de l'expansion ne s'opposent plus, mais s'équilibrent à l'intérieur de l'âme, accordée subjectivement aux objets de l'univers et participent de leur vie organique. La passion de soi se confond avec l'attachement aux énergies vivifiantes de l'univers, à la condition que quelque masque humain ne vienne pas s'interposer pour troubler la durée de cette harmonie à la fois fragile et consistante. La face solaire de la nature est offusquée par l'irruption de la face ténébreuse de l'humanité. « Faut-il s'étonner si j'aime la solitude ? Je ne vois qu'animosité sur les visages des hommes, et la nature me rit toujours » [45]. Seul le visage de la nature apporte l'image de la réconciliation, de l'homogénéité et de l'apaisement.

Cette symphonie inachevée que sont *Les Rêveries* se clôt par le motif répété de la solitude. La vie sociale engendre l'asservissement individuel et la perte du sentiment de l'identité, tandis que la retraite échafaude un espace de liberté, où le moi devine sa ressemblance et se déchiffre à travers le miroir analogique de lui-même. La solitude est la substance dont le cœur se nourrit et le lieu où s'inscrivent les empreintes du désir. « Le goût de la solitude et de la contemplation naquit dans mon cœur avec les sentiments expansifs et tendres faits pour être son aliment » [46]. Par sa fonction unifiante et cathartique, la solitude affermit l'unité des *Rêveries*, car elle est, comme le précise la troisième des *Lettres à Malesherbes*, le carrefour où la plénitude de la jouissance s'accomplit par la rencontre des valeurs nécessaires aux épanchements du cœur: l'accord religieux entre l'être et la nature, la satisfaction de l'indépendance et la perception de la beauté, l'invention du possible et de l'imaginaire, les compensations chimériques et les impulsions de la rêverie, le tout étant concentré dans l'espace mythique de la retraite par la force magique du désir.

Mais de quoi jouissais-je enfin quand j'étais seul ? De moi, de l'univers entier, de tout ce qui est, de tout ce qui peut être, de tout ce qu'a de beau le monde sensible, et d'imaginable le monde intellectuel: je rassemblais

[45] *Ibid.*, *O. C.* t. I, p. 1095.
[46] *Ibid.*, *O. C.*, t. I, p. 1099.

autour de moi tout ce qui pouvait flatter mon cœur, mes désirs étaient la mesure de mes plaisirs [47].

La solitude est le lieu par excellence où la synthèse devient possible par un retour à la vérité originelle et un rassemblement des énergies de l'être. Marcel Raymond observe avec pertinence que *Les Rêveries* sont construites sur la tension entre les deux pôles contraires des ténèbres et de la clarté.

> *Les Rêveries du promeneur solitaire* ont deux versants, l'un tourné vers l'homme, c'est le versant obscur, l'autre vers la nature, c'est le versant clair. Mais la lumière et l'ombre ne se partagent pas le livre en deux moitiés, elles sont presque partout mélangées. Rousseau livre son dernier combat [48].

Ce *combat spirituel* a pour enjeu la conquête de l'unité dans la solitude, qui résout la contradiction entre l'ombre et la lumière par la volonté d'exclure l'obscurité. Il s'agit d'un redoutable pari qui consiste à refouler l'autre dans l'opacité du néant et à choisir d'être seul dans la lumière inaltérable de la nature, à évacuer l'univers social au profit d'une alliance du moi avec le cosmos, obtenue par l'ascèse de la solitude. Il en résulte, comme le remarque Jean Starobinski, que Rousseau n'acquiert que « l'unité *imaginée* qui tient lieu de l'unité *réelle* qu'il désirait et d'où on l'a rejeté » [49]. La méditation et la rêverie n'en débouchent pas moins sur une quête de l'identité dans la transparence. Le combat, bien qu'inachevé ici-bas, vise, à travers l'effort du dépouillement, une unité sinon absolue, parce que rendue impossible par le mouvement du monde et des autres, du moins virtuelle et mythique. Dans *Les Rêveries*, le mythe du moi se confond avec celui de l'insularité réelle ou morale. Solitude et rêverie concourent à créer cet espace de la réconciliation auquel la mémoire et l'imagination de Jean-Jacques n'ont cessé d'aspirer dans les nostalgies et les promesses de la pensée mythique, véhiculée ici par une écriture qui renvoie à l'isolement volontaire de l'auteur. Mythe et écriture se rencontrent aux frontières de la subjectivité, conviée à s'identifier avec ce que Rimbaud appellera « la lumière *nature* », avec la sacralité solaire de la création.

[47] *O. C.*, t. I, pp. 1138-1139.
[48] *O. C.*, t. I, p. LXXXVII.
[49] *J.-J. Rousseau, la transparence et l'obstacle*, p. 313.

CONCLUSION

Parmi les romantiques français, c'est sans doute Gérard de Nerval qui a le mieux compris Rousseau et qui s'est senti le plus proche de lui par de secrètes affinités, tenant à ses lectures, à la féminité de son âme, à sa mémoire affective et à son attachement au paysage du Valois. Tous deux appartiennent à la race de ces « esprits plus disposés que d'autres à l'exaltation et à la rêverie », à la passion intérieure et au goût de la fable. Aussi n'est-il pas surprenant que Nerval ait transformé Rousseau en un personnage mythique, incarnant, à contre-courant d'un siècle pour une part matérialiste et athée, le souci permanent du *sentiment religieux*[1]. Il a senti, en poète, que l'œuvre de Jean-Jacques était dominée par l'exigence du sacré et la dimension irrationnelle du mythe sous le signe de l'émergence de la subjectivité.

Rousseau est le seul entre les maîtres de la philosophie du XVIIIe siècle qui se soit préoccupé sérieusement des grands mystères de l'âme humaine, et qui ait manifesté un sentiment religieux positif, — qu'il entendait à sa manière [...][2].

Le propre de Rousseau est d'avoir enseigné une sagesse qui fait référence à l'univers du passé et ne peut plus être totalement assimilée par la génération romantique. Mais circulaire, comme le soleil, tantôt occulté, tantôt éclatant, cette sagesse est définie par son aptitude à

---

[1] Cf. Raymond Jean, « Rousseau selon Nerval », dans *Europe*, novembre-décembre 1961, pp. 198-205 et surtout Monique Streiff Moretti, *Le Rousseau de Gérard de Nerval, mythe, légende, idéologie*.

[2] *Les Illuminés*, dans *Œuvres*, Gallimard, « Bibliothèque de la Pléiade », 1961, t. II, p. 1185.

renaître, alliant, dans l'espace et le temps, la fidélité aux origines et la virtualité du futur par l'intermédiaire de la *parole*. C'est dans la terre du Valois et le parc d'Ermenonville que la mémoire de Nerval redécouvre les fondements éthiques de cette philosophie douée de l'éternité solaire.

Voici les peupliers de l'île, et la tombe de Rousseau, vide de ses cendres. O sage ! tu nous avais donné le lait des forts, et nous étions trop faibles pour qu'il pût nous profiter. Nous avons oublié tes leçons que savaient nos pères, et nous avons perdu le sens de ta parole, dernier écho des sagesses antiques. Pourtant ne désespérons pas, et, comme tu fis à ton suprême instant, tournons nos yeux vers le soleil ! [3]

La parole mythique de Rousseau, bien qu'elle soit inspirée par la nostalgie de l'originel, ne s'en ouvre pas moins sur le futur, parce qu'elle est animée par le sentiment du sacré qui détient le privilège de relier le passé mythique à la réalité hypothétique de l'avenir. L'intuition de Nerval est complétée par cet axiome métaphorique de Victor Hugo: « Rousseau est le soleil levant du monde nouveau » [4]. La pensée de Rousseau est génétique et intuitive dans la mesure où elle concilie la vision mémoriale des commencements et la vision possible du futur. Elle perpétue dans le présent la vérité des origines et la grave quelquefois sur le « masque de l'avenir » (Victor Hugo) par une projection conjecturale.

L'utilisation que Rousseau fait du mythe n'est pas sans analogie avec celle qu'en fait Platon dans certains de ses dialogues. Le récit mythique remplit une fonction poétique en décrivant le virtuel et le probable, en attestant la réalité du surnaturel et la présence du sacré dans le monde. Il revêt la valeur d'une transposition qui, dictée par l'intuition et l'affectivité, exprime la dynamique de l'âme en dehors des catégories de la raison, en dehors de la démarche discursive et scientifique. Mais Platon ne consent à recourir au mythe qu'en marge du savoir dialectique, qui demeure la forme supérieure de la connaissance, tandis que Rousseau supplée à l'aide du discours mythique

---

[3] *Sylvie*, dans *Œuvres*, t. I, p. 282. Dans *Aurélia*, l'oncle de Nerval, attaché à la terre du Valois, déclare: « Dieu, c'est le soleil ».

[4] *Océan — Tas de pierres*, Albin Michel, 1942, p. 350.

aux défaillances de la raison, le superpose au discours logique comme instrument de la vérité du sentiment. La narration mythique est un moyen pour Platon, une fin pour Rousseau, mais tous deux la considèrent comme le support d'une signification métaphysique et morale qui se situe dans la perspective de la genèse et de l'eschatologie. Elle correspond à un langage religieux et incantatoire de l'intériorité, à la recherche des signes par lesquels elle s'incarne grâce à l'action médiatrice de l'imagination. Toutefois Rousseau, à la différence de Platon et par un penchant de sa nature, est plus enclin à user du mythe génétique, exprimant la nostalgie d'un univers originel, que du mythe eschatologique. Il se représente plus volontiers l'état de perfection des commencements que l'avenir ou la fin du monde. En outre, des *Discours* aux œuvres autobiographiques, il subit une évolution par laquelle il s'achemine progressivement du mythe collectif vers le mythe individuel. Il est d'abord préoccupé par la naissance du langage et de la société patriarcale, puis par la petite communauté d'un peuple ou d'une sphère d'amis et il finit par se trouver seul dans son paradis, lieu à la fois contraint et privilégié pour édifier une mythologie du moi, organisée autour d'une quête de la cohérence et d'un effort d'intériorisation. Même s'ils font du mythe un usage différent et qu'ils ne lui attribuent hiérarchiquement pas la même fonction, Platon et Rousseau sont doués de ce que P.-M. Schuhl appelle « l'imagination mythopoétique »[5], créatrice des fables qui signifient l'accord de l'âme individuelle et de l'âme du monde comme l'une des finalités de l'acte poétique.

Par le sens qu'il a du langage mythique, de sa participation au sacré et de sa faculté de représentation, Rousseau est poète, du moins dans son œuvre lyrique et autobiographique, ainsi que dans certains moments où son écriture fait éclater les bornes de la pensée discursive et fonctionne comme *signe mémoratif*, inscrivant dans la page le contenu de l'affectivité. Il est *poète en prose* quand il fait prévaloir la *connotation* sur la *dénotation*, quand l'écriture mythique lui permet d'obtenir que le sentiment et la parole coïncident, que le langage porte

[5] *La Fabulation platonicienne*, Vrin, 1968, p. 9.

le poids du « signifié émotionnel » [6] et le transmette au lecteur. Son attitude à l'égard du langage est celle d'un poète, car il entend le pénétrer des énergies de la sensibilité, en faire un instrument de la représentation affective, habité qu'il est par le souvenir de la langue originelle, qui fut non de *géomètres*, mais de *poètes*, par le souci d'en récupérer les vertus magiques. Rousseau s'interroge sur la nature du langage, il se livre à un questionnement sur les vertus et les attributs qui lui sont spécifiques. « Il aime passionnément les mots, en vrai poète. [...] Il aime les mots, parce qu'il travaille à mettre en valeur leur puissance de suggestion et leurs propriétés sonores » [7]. Cet amour du verbe lui inspire un saint enthousiasme, parce qu'il voit en lui l'agent de cette « vive persuasion [qui lui] a toujours tenu lieu d'éloquence », comme il le déclare dans la deuxième des *Lettres à Malesherbes*, la force dans laquelle il découvre son salut et son espoir de vaincre les obstacles de la durée. L'acte de poésie se définit dans un premier mouvement comme une création autonome, engendrée par le pouvoir figuratif et phantasmatique de l'imagination. « Tout ce que l'imagination peut se représenter est du ressort de la poésie » [8]. Dans un second mouvement, il fixe la substance de l'émotion dans les signes de l'écriture et lui confère une valeur sémantique, ouverte au déchiffrement du lecteur.

Rousseau est aussi poète dans l'acception où l'entendra Novalis, c'est-à-dire le *voyant lucide*, doué du sens de l'analogie, « le prophète représentatif de la nature », qui, par les clefs de son imagination, possède l'intelligence de la création. Il s'est consacré à inventer cette « mythologie de la nature », souhaitée par le poète allemand et comprise comme « une libre invention poétique, qui symbolise de toutes sortes de manières la réalité » [9]. La quête du paradis ou de l'âge d'or — qui n'a cessé de hanter l'esprit de Novalis —, de l'asile

---

[6] L'expression est de Jean Cohen, *Structure du langage poétique*, p. 215.

[7] Jean-Louis Lecercle, *Jean-Jacques Rousseau, modernité d'un classique*, pp. 187 et 231.

[8] *Dictionnaire de musique*, article *imitation*.

[9] *Œuvres complètes*, Gallimard, 1975, t. II, p. 415, trad. par A. Guerne. Cet aphorisme de Novalis s'applique exemplairement à Rousseau: « La poésie guérit les blessures que fait la raison ». *Ibid.*, p. 406.

insulaire et de la plénitude de la lumière rejoint cette préoccupation d'un « mythe de la transparence » que Jean Starobinski identifie dans l'œuvre de Rousseau. Elle débouche sur l'appétit de la clarté, symbole de la réconciliation, scellant l'accord du moi avec l'univers. Rousseau n'édifie pas seulement une mythologie de la nature, mais une mythologie de l'être. Il est à la recherche d'un peuple idéal en compagnie duquel il vivrait en harmonie ou plus souvent d'une société restreinte d'*initiés*, propice à l'épanouissement de l'inter-subjectivité spirituelle. Dans la fable de l'Eros, le Je est la plupart du temps séparé du Tu et ne le rejoint véritablement que dans un ailleurs, celui de la fiction ou de la mort. Mais la mythologie de l'être tend à se détacher de tout contexte sociologique dans le projet de l'œuvre autobiographique; elle s'échafaude à partir du sentiment de la distance, de la conscience accrue de la singularité et de la solitude autarcique. Dans *Les Confessions*, les *Dialogues* et *Les Rêveries* Rousseau écrit, selon des modalités différentes, le mythe de sa vie et transfigure son moi par les métamorphoses de la mémoire et de l'imagination. L'écriture mythique lui restitue l'unité de l'être, elle invente l'espace de la synthèse, où le réel et l'imaginaire résolvent leur contradiction, où la subjectivité entre dans la lumière intérieure de la totalité. Semblable à l'opération alchimique, elle produit une transmutation par laquelle « le soufre et le plomb s'en iront en fumée, et l'or pur demeurera tôt ou tard » [10], par laquelle le moi participe aux signes de l'authenticité. Elle atteint à cette poésie, définie par Novalis comme « le *réel* véritablement absolu », aspirant à retrouver la fraîcheur aurorale, où Rousseau discerne de limpides prémices que l'imagination mémoriale transporte des origines dans le présent ou plus rarement dans le futur. C'est à travers la perfection des aubes que la solitude du moi rejoint la solitude imaginée de l'homme de la nature, moment vécu dans les couches immémoriales du souvenir, recréé, prolongé par le temps de l'écriture et celui de la lecture, qui confèrent au mythe sa pérennité, sa vertu archétypale et sa vérité ontologique.

---

[10] *Correspondance générale*, t. XIX, p. 257.

BIBLIOGRAPHIE

N.B.: 1) Paris, lieu d'édition, n'est pas mentionné dans les références.
2) Les astérisques désignent les éditions auxquelles les citations se réfèrent.
3) Pour les études critiques, il n'est fait mention que des ouvrages en langue française.

I. ŒUVRES DE ROUSSEAU

* *Œuvres complètes*, publiées sous la direction de B. Gagnebin et M. Raymond, Gallimard, « Bibliothèque de la Pléiade », 1959-1969, 4 vol. parus.

Œuvres complètes, p.p. M. Launay, Ed. du Seuil, « L'Intégrale », 1967-1971, 3 vol.

Œuvres et correspondance inédites, p. p. S. Streckeisen-Moultou, M. Lévy. 1861.

The Political Writings, p.p. C.-E. Vaughan, Cambridge, At the University Press, 1915, 2 vol.

* *Correspondance générale de J.-J. Rousseau*, p.p. Th. Dufour (et P.-P. Plan), Armand Colin, 1924-1934, 20 vol.
PLAN (Pierre-Paul), *Table de la Correspondance générale de J.-J. Rousseau*, avec une introduction et des lettres inédites publiées par B. Gagnebin, Genève, Droz, 1953.

* *Correspondance complète de J.-J. Rousseau*, p.p. R. A. Leigh, Genève, Institut et Musée Voltaire, 1965-1977, 27 vol. parus.

Les Confessions, p.p. J. Voisine, Garnier, 1964.

Du Contrat social, p.p. G. Beaulavon, Armand Colin, 1938, 5e éd.

Du Contrat social, p.p. M. Halbwachs, Aubier, 1943.

Emile ou de l'éducation, p.p. F. et P. Richard, Garnier, 1961.

* *Essai sur l'origine des langues*, p.p. Ch. Porset, Bordeaux, Ducros, 1968

Essai sur l'origine des langues, p.p. A. Kremer-Marietti, Aubier, Montaigne, 1974.

Jean-Jacques entre Socrate et Caton, p.p. Cl. Pichois et R. Pintard, Corti, 1972.

* *Lettre à M. d'Alembert sur les spectacles*, p.p. M. Fuchs, Lille, Giard et Genève, Droz, 1948.

Lettres sur la botanique, p.p. B. Gagnebin, Club des libraires de France, 1962.

Deux Lettres au Maréchal Duc de Luxembourg (20 et 28 janvier 1763), p.p. F. Eigeldinger, Neuchâtel, Ides et Calendes, 1977.

La Nouvelle Héloïse, p.p. D. Mornet, Hachette, 1925, 4 vol.

Julie ou la Nouvelle Héloïse, p.p. R. Pomeau, Garnier, 1960.

La Profession de foi du vicaire savoyard, p.p. P.-M. Masson, Fribourg, Gschwend et Paris, Hachette, 1914.

La Profession de foi du vicaire savoyard, p.p. G. Beaulavon, Hachette, 1936.

Les Rêveries du promeneur solitaire, p.p. M. Raymond, Lille, Giard et Genève, Droz, 1948.

Les Rêveries du promeneur solitaire, p.p. J. S. Spink, Didier, 1948.

Les Rêveries du promeneur solitaire, p.p. H. Roddier, Garnier, 1960.

Rousseau juge de Jean-Jacques. Dialogues, p.p. M. Foucault, Armand Colin, 1962.

II. INSTRUMENTS BIBLIOGRAPHIQUES

Annales de la Société Jean-Jacques Rousseau, Genève, Jullien, 1905-1974, 38 tomes parus.

CIORANESCU (Alexandre), *Bibliographie de la littérature française du XVIIIᵉ siècle*, Ed. du C.N.R.S., t. III, 1969.

SENELIER (Jean), *Bibliographie générale des œuvres de J.-J. Rousseau*, P.U.F., 1950.

TROUSSON (Raymond), *Rousseau et sa fortune littéraire*, Bordeaux, Ducros, 1971.

III. OUVRAGES CONSACRÉS A ROUSSEAU

ANSART-DOURLEN (Michèle), *Dénaturation et violence dans la pensée de Jean-Jacques Rousseau*, Klincksieck, 1975.

BACZKO (Bronislaw), *Rousseau, solitude et communauté*, traduit du polonais par C. Brendhel-Lambout, Paris-La Haye, Mouton, 1974.

BENSOUSSAN (D.), *La Maladie de Rousseau*, Klincksieck, 1974.

BENSOUSSAN (D.), *L'Unité chez Jean-Jacques Rousseau, une quête de l'impossible*, Nizet, 1977.

BERNARDIN DE SAINT-PIERRE (Jacques-Henri), *La Vie et les ouvrages de Jean-Jacques Rousseau*, p.p. M. Souriau, Edouard Cornély et Cᵢᵉ, 1907.

BOREL (Jacques), *Génie et folie de Jean-Jacques Rousseau*, Corti, 1966.

BRETONNEAU (G.), *Valeurs humaines de J.-J. Rousseau*, La Colombe, 1961.

BURGELIN (Pierre), *La Philosophie de l'existence de J.-J. Rousseau*, P.U.F., 1952.

CHATEAU (Jean), *Jean-Jacques Rousseau, sa philosophie de l'éducation*, Vrin, 1962.

CLÉMENT (Pierre-Paul), *Jean-Jacques Rousseau, de l'éros coupable à l'éros glorieux*, Neuchâtel, La Baconnière, 1976.

DERATHE (Robert), *Le Rationalisme de J.-J. Rousseau*, P.U.F., 1948.

DERATHE (Robert), *Jean-Jacques Rousseau et la science politique de son temps*, P.U.F., 1950.

DERRIDA (Jacques), *De la Grammatologie*, Ed. de Minuit, 1967.

EIGELDINGER (Marc), *Jean-Jacques Rousseau et la réalité de l'imaginaire*, Neuchâtel, La Baconnière, 1962.

FAGUET (Emile), *Rousseau artiste, Rousseau penseur*, Société française d'imprimerie et de librairie, 1912.

GAGNEBIN (Bernard), *Album Rousseau*, Gallimard, 1976.

GILLIARD (Edmond), *De Rousseau à Jean-Jacques*, Lausanne, Mermod, 1950.

GOLDSCHMIDT (Victor). *Anthropologie et politique, les principes du système de Rousseau*, Vrin, 1974.

GOUHIER (Henri), *Les Méditations métaphysiques de Jean-Jacques Rousseau*, Vrin, 1970.

GROETHUYSEN (Bernard), *J.-J. Rousseau*, Gallimard, 1949.

GUÉHENNO, (Jean), *Jean-Jacques, en marge des « Confessions »*. *Jean-Jacques, roman et vérité*. *Jean-Jacques, grandeur et misère d'un esprit*, Grasset, puis Gallimard, 1948-1952, 3 vol.

GUILLEMIN (Henri), *« Cette affaire infernale »*, Plon, 1942.

GUILLEMIN (Henri), *Un Homme, deux ombres*, Genève, Ed. du Milieu du Monde, 1943.

JOST (François), *Jean-Jacques Rousseau suisse, étude sur sa personnalité et sa pensée*, Fribourg, Ed. universitaires, 1961, 2 vol.

LATHION (Lucien), *Jean-Jacques Rousseau et le Valais*, Lausanne, Rencontre, 1953.

LAUNAY (Michel), *Rousseau*, P.U.F., 1968.

LAUNAY (Michel), *Jean-Jacques Rousseau, écrivain politique, (1712-1762)*, Grenoble, A.C.E.R., 1971.

LAUNAY (Michel) (sous la direction de), *Collection des index et concordances des œuvres de Jean-Jacques Rousseau*, Genève, Ed. Slatkine, en cours de publication dès 1977.

LECERCLE (Jean-Louis), *Rousseau et l'art du roman*, Armand Colin, 1969.

LECERCLE (Jean-Louis), *Jean-Jacques Rousseau, modernité d'un classique*, Larousse, 1973.

LEDUC-FAYETTE (Denise), *Jean-Jacques Rousseau et le mythe de l'antiquité*, Vrin, 1974.

MASSON (Pierre-Maurice), *La Religion de J.-J. Rousseau*, Hachette, 1916, 3 vol.

MAY (Georges), *Rousseau par lui-même*, Ed. du Seuil, 1961.

MEAD (William), *Jean-Jacques Rousseau ou le romancier enchaîné*, P.U.F., 1966.

MILLET (Louis), *La Pensée de Rousseau*, Bordas, 1966.

MOREAU (Joseph), *Jean-Jacques Rousseau*, P.U.F., 1973.

MORNET (Daniel), *Rousseau, l'homme et l'œuvre*, Boivin, 1950

MUNTEANO (Basil), *Solitude et contradictions de Jean-Jacques Rousseau*, Nizet, 1975.

POLIN (Raymond), *La Politique de la solitude, essai sur la philosophie politique de Jean-Jacques Rousseau*, Sirey, 1971.

RAYMOND (Marcel), *Jean-Jacques Rousseau, la quête de soi et la rêverie*, Corti, 1962.

RICATTE (Robert), *Réflexions sur les « Rêveries »*, Corti, 1960.

RODDIER (Henri), *J.-J. Rousseau en Angleterre au XVIIIe siècle, l'œuvre et l'homme*, Boivin, 1950.

ROUSSEL (Jean), *Jean-Jacques Rousseau en France après la Révolution, (1795-1830)*, Armand Colin, 1972.

SALOMON-BAYET (Claire), *Jean-Jacques Rousseau ou l'impossible unité*, Seghers, 1968.

SAUSSURE (Hermine de), *Rousseau et les manuscrits des « Confessions »*, E. de Boccard, 1958.

SCHINZ (Albert), *La Pensée de Jean-Jacques Rousseau*, F. Alcan, 1929.

STAROBINSKI (Jean), *Jean-Jacques Rousseau, la transparence et l'obstacle*, suivi de *Sept essais sur Rousseau*, Gallimard, 1971.

STREIFF-MORETTI (Monique), *Le Rousseau de Gérard de Nerval, mythe, légende, idéologie*, Bologne, Pàtron et Paris, Nizet, 1976.

TERRASSE (Jean), *Jean-Jacques Rousseau et la quête de l'âge d'or*, Bruxelles, Palais des Académies, 1970.

THOMAS (Jacques-François), *Le Pélagianisme de J.-J. Rousseau*, Nizet, 1956.

TIERSOT (Julien), *Jean-Jacques Rousseau*, F. Alcan, « Les Maîtres de la musique », 1912.

VALLETTE (Gaspard), *Jean-Jacques Rousseau genevois*, Genève, Jullien, 1911.

VAN LAERE (François), *Jean-Jacques Rousseau, du phantasme à l'écriture*, Lettres modernes, 1967.

VAN LAERE (François), *Une Lecture du temps dans « La Nouvelle Héloïse »*, Neuchâtel, La Baconnière, 1968.

VOISINE (Jacques). *J.-J. Rousseau en Angleterre à l'époque romantique : les écrits autobiographiques et la légende*. Didier, 1956.

WAGNER (Sigismond), *L'Ile Saint-Pierre ou l'île de Rousseau*, Lausanne, Ed. Spes, [s.d.].

IV. OUVRAGES COLLECTIFS

Jean-Jacques Rousseau, Neuchâtel, La Baconnière, 1962.

Etudes sur le « Contrat social », Les Belles Lettres, 1964.

Jean-Jacques Rousseau et son œuvre, problèmes et recherches, Klincksieck, 1964.

Rousseau et la philosophie politique, P.U.F., 1965.

Numéros spéciaux de revues:

Europe, novembre-décembre 1961.

Cahiers du Sud, juillet-août 1962.

Revue des sciences humaines, janvier-mars 1976.

V. OUVRAGES PARTIELLEMENT CONSACRÉS A ROUSSEAU

BENICHOU (Paul), *L'Ecrivain et ses travaux*, Corti, 1967, pp. 38-54.

BLANCHOT (Maurice), *Le Livre à venir*, Gallimard, « Idées N.R.F. », 1971, pp. 63-74.

BUTOR (Michel), « L'île au bout du monde », *Répertoire III*, Ed. de Minuit, 1968, pp. 59-101.

COULET (Henri), *Le Roman jusqu'à la Révolution*, Armand Colin, 1967, t. I, pp. 401-417.

DUCHET (Michèle), *Anthropologie et histoire au Siècle des lumières*, Maspéro, 1971, pp. 322-376.

EIGELDINGER (Marc), *Poésie et métamorphoses*, Neuchâtel, La Baconnière, 1973, pp. 79-100.

FABRE (Jean), *Lumières et romantisme, énergie et nostalgie, de Rousseau à Mickiewicz*, Klincksieck, 1963, pp. 101-130.

GILSON (Etienne), *Les Idées et les lettres*, Vrin, 1955, 2e éd., pp. 275-298.

GUYOT (Charly), *De Rousseau à Marcel Proust*, Neuchâtel, Ides et Calendes, 1968, pp. 7-64.

KEMPF (Roger), *Sur le corps romanesque*, Ed. du Seuil, 1968, pp. 49-65.

LEJEUNE (Philippe), *Le Pacte autobiographique*, Ed. du Seuil, 1975, pp. 49-163.

MONGLOND (André), *Histoire intérieure du préromantisme français*, Grenoble, Arthaud, 1929, 2 vol.

MORNET (Daniel), *Le Sentiment de la nature en France de J.-J. Rousseau à Bernardin de Saint-Pierre*, Hachette, 1907.

POULET (Georges), *Etudes sur le temps humain*, t. I, Plon, 1950, pp. 158-193.

POULET (Georges), *Les Métamorphoses du cercle*, Plon, 1961, pp. 102-132.

STAROBINSKI (Jean), *L'Œil vivant*, Gallimard, 1961, pp. 93-190.

STAROBINSKI (Jean), *La Relation critique*, Gallimard, 1970, pp. 83-154.

TRAHARD (Pierre), *Les Maîtres de la sensibilité française au XVIIIe siècle*, Boivin, 1931-1933, 4 vol.

TROUSSON (Raymond), *Socrate devant Voltaire, Diderot et Rousseau, la conscience en face du mythe*, Lettres modernes, 1967, pp. 67-103.

VI. OUVRAGES GÉNÉRAUX

ALBOUY (Pierre), *Mythes et mythologies dans la littérature française*, Armand Colin, 1969.

ALBOUY (Pierre), *Mythographies*, Corti, 1976.

ALLEAU (René), *La Science des symboles*, Payot, 1976.

BACHELARD (Gaston), *La Poétique de l'espace*, P.U.F., 1957.

BACHELARD (Gaston), *La Poétique de la rêverie*, P.U.F., 1960.

BARTHES (Roland), *Mythologies*, Ed. du Seuil, 1957.

BENVENISTE (Emile), *Problèmes de linguistique générale*, Gallimard, 1966.

CAILLOIS (Roger), *L'Homme et le sacré*, P. U.F., 1939.

CAILLOIS (Roger), *Le Mythe et l'homme*, « Idées Gallimard », 1972.

CASSIRER (Ernst), *Langage et mythe, à propos des noms de dieux*, trad. par O. Hansen-Love, Ed. de Minuit, 1973.

COHEN (Jean), *Structure du langage poétique*, Flammarion, 1966.

DIEL (Paul), *Le Symbolisme dans la mythologie grecque, étude psychanalytique*, Payot, 1952.

DURAND (Gilbert). *Les Structures anthropologiques de l'imaginaire*, Bordas, 1969, 3e éd.

ELIADE (Mircea), *Mythes, rêves et mystères*, Gallimard, 1957.

ELIADE (Mircea), *Aspects du mythe*, « Idées Gallimard », 1963.

ELIADE (Mircea), *Le Sacré et le profane*, « Idées Gallimard », 1965.

ELIADE (Mircea), *La Nostalgie des origines*, Gallimard, 1971.

FRYE (Northrop), *Anatomie de la critique*, trad. par G. Durand, Gallimard, 1969.

FRYE (Northrop), *Pouvoirs de l'imagination*, trad. par J. Simard, Montréal, Ed. H.M.H., 1969.

GENETTE (Gérard), *Figures III*, Ed. du Seuil, 1972.

GRIMAL (Pierre), *La Mythologie grecque*, P.U.F., 1968, 6e éd.

GUSDORF (Georges), *Mythe et métaphysique*, Flammarion, 1953.

JUNG (Carl-G.), *Métamorphoses de l'âme et ses symboles*, trad. par Y. Le Lay, Genève, Georg, 1953.

JUNG (Carl-G.), *L'Homme à la découverte de son âme*, adaptation de R. Cahen, Payot, 1966, 6e éd.

JUNG (Carl-G.), et KERENYI (Ch.), *Introduction à l'essence de la mythologie*, trad. par H. E. Del Medico, Payot, 1953.

KRAPPE (Alexandre), *La Genèse des mythes*, Payot, 1952.

LE GUERN (Michel), *Sémantique de la métaphore et de la métonymie*, Larousse, 1973.

LEJEUNE (Philippe), *L'Autobiographie en France*, Armand Colin, 1971.

LÉVI-STRAUSS (Claude), *La Pensée sauvage*, Plon, 1962.

MALRAUX (André), *Le Miroir des limbes*, Gallimard, « Bibliothèque de la Pléiade »,
1976.

MALRAUX (André), *L'Homme précaire et la littérature*, Gallimard, 1977.

OVIDE, *Les Métamorphoses*, trad. par J. Chamonard, Garnier, 1936, 2 vol.

ROUGEMONT (Denis de), *L'Amour et l'Occident*, éd. remaniée et augmentée,
Plon, 1956.

ROUGEMONT (Denis de), *Comme toi-même, essais sur les mythes de l'amour*,
Albin Michel, 1961.

TOURNIER (Michel), *Le Vent Paraclet, essai*, Gallimard, 1977.

L'Autobiographie, *Revue d'histoire littéraire de la France*, novembre-décembre
1975.

TABLE DES MATIÈRES

Imprimé en Suisse

Achevé d'imprimer en Suisse
le 15 mars 1978
sur les presses de l'imprimerie du « Journal de Genève »
pour les Éditions de la Baconnière
à Neuchâtel

A LA BACONNIÈRE
COLLECTION LANGAGES
ÉTUDES LITTÉRAIRES

Collection dirigée par *Marc Eideldinger* et *P. O. Walzer*

série jaune

Albert Béguin, Balzac lu et relu
— Création et destinée. Tome I: Essais de critique littéraire. Textes réunis et commentés par Pierre Grotzer.
— La réalité du rêve. Tome II de Création et destinée. Textes réunis et commentés par Pierre Grotzer

Léon Cellier, Parcours initiatiques

Pierre-Paul Clément, Jean-Jacques Rousseau, de l'éros coupable à l'éros glorieux

Victor Crastre, Poésie et mystique

Michel Dentan, C. F. Ramuz, l'espace de la création

Marcel Dietschy, La passion de Claude Debussy (ill.)

Jacques Duchesne-Guillemin, Etudes pour un « Paul Valéry »

Marc Eigeldinger, Jean-Jacques Rousseau et la réalité de l'imaginaire
— Poésie et métamorphoses
— La philosophie de l'art chez Balzac
— Jean-Jacques Rousseau, univers mythique et cohérence

Uri Eisenzweig, L'espace imaginaire d'un récit: « Sylvie » de Gérard de Nerval

Jean-Carlo Flückiger, Au cœur du texte, essai sur Blaise Cendrars

D.-J. Franck, La quête spirituelle d'Albert Béguin

André Gendre, Ronsard, poète de la conquête amoureuse (épuisé)

Jacques Geninasca, Analyse structurale des « Chimères » de Nerval

Jean Godfrin, Barrès mystique

Pierre Grotzer, Albert Béguin ou la passion des autres

Albert Henry, « Amers » de Saint-John Perse, une poésie du mouvement

Walter Jöhr, Alain-Fournier, le paysage d'une âme

Alice M. Laborde, Sade romancier

François van Laere, Une lecture du temps dans « La Nouvelle Héloïse »

Maurice-Jean Lefebve, Structure du discours, de la poésie et du récit

Jean Matter, Wagner l'enchanteur

Charles Mauron, Introduction à la psychanalyse de Mallarmé suivie de Mallarmé et le Tao et le livre

Georges Méautis, Pindare le Dorien

Jean-Pierre Monnier, L'âge ingrat du roman

Pierre Nguyen Van-Huy, La métaphysique du bonheur chez Albert Camus

Phan Thi Ngoc-Mai, Pierre Nguyen Van-Huy et *Jean-René Peltier,* « La Chute » de Camus, le Dernier Testament. Etude du message camusien de responsabilité et d'authenticité selon « La Chute ».

Claude Pichois, Baudelaire, études et témoignages, nouvelle éd. revue et augmentée
 — Littérature et progrès: vitesse et vision du monde

Marcel Raymond, Etre et dire, études littéraires
 — Paul Valéry et la tentation de l'esprit
 — Vérité et poésie, études littéraires

Mario Richter, La crise du Logos et la quête du mythe—Baudelaire, Rimbaud, Cendrars, Apollinaire

Pierre Roulin, Paul Valéry, témoin et juge du monde moderne

James Sacré, Un sang maniériste, étude structurale autour du mot sang dans la poésie lyrique française de la fin du seizième siècle

Gérald Schaeffer, « Le voyage en Orient » de Nerval. Etude des structures
 — Une double lecture de Gérard de Nerval, « Les Illuminés » et « Les Filles du Feu »

Jean-Louis Schonberg, A la recherche de Lorca (ill.)
 — Juan-Ramon Jiménez ou le chant d'Orphée (ill.)

Sven E. Siegrist, Pour ou contre Dieu. Pierre Emmanuel ou la poésie de l'approche

Bernard Voyenne, C. F. Ramuz et la sainteté de la terre

Ouvrages collectifs, André Breton. Essais et témoignages recueillis par *Marc Eigeldinger* (éd. revue et augmentée)
 — L'homme moderne et son image de la nature
 — L'imagination créatrice
 — Romain Rolland
 — Jean-Jacques Rousseau (épuisé)

ÉTUDES BAUDELAIRIENNES

Collection dirigée par *Claude Pichois, Marc Eigeldinger* et *Robert Kopp*

Série bleutée: